# Aspekte

## Mittelstufe Deutsch

## Lehrbuch 1

von
Ute Koithan
Helen Schmitz
Tanja Sieber
Ralf Sonntag

Filmrecherche und -schnitt: Nana Ochmann

Filmseiten: Nana Ochmann in Zusammenarbeit mit U. Koithan, H. Schmitz, T. Sieber, R. Sonntag

**Langenscheidt**

Berlin · München · Wien · Zürich
London · Madrid · New York · Warschau

Von
Ute Koithan, Helen Schmitz, Tanja Sieber, Ralf Sonntag
Filmrecherche und -schnitt: Nana Ochmann
Filmseiten: Nana Ochmann in Zusammenarbeit mit U. Koithan, H. Schmitz, T. Sieber, R. Sonntag

Redaktion: Carola Jeschke und Cornelia Rademacher
Gestaltungskonzept und Layout: Andrea Pfeifer
Umschlaggestaltung: Andrea Pfeifer; Foto Treppe: fotosearch; Foto Schnecke: getty images
Zeichnungen: Daniela Kohl
Satz und Litho: kaltnermedia GmbH, Bobingen

Verlag und Autoren danken Evelyn Farkas, Michael Koenig, Dr. Randall Lund, Margarete Rodi und Rita Tuggener für die Begutachtung sowie allen weiteren Kolleginnen und Kollegen, die *Aspekte* erprobt und mit wertvollen Anregungen zur Entwicklung des Lehrwerks beigetragen haben.

**Aspekte Band 1 – Materialien**

| | |
|---|---|
| Lehrbuch 1 | 47471 |
| Lehrbuch 1 mit DVD | 47474 |
| Arbeitsbuch 1 | 47472 |
| Lehrerhandreichungen 1 | 47473 |
| Audio CDs 1 | 47476 |
| DVD 1 | 47475 |

**Symbole in Aspekte**

1.2 Hören Sie auf der CD 1 zum Lehrbuch bitte Track 2.

▶ Ü 1 Hierzu gibt es eine Übung im entsprechenden Arbeitsbuchmodul.

Rechercheaufgabe mit weiterführenden Links auf der Homepage



Druck und Bindung: Stürtz GmbH, Würzburg

Lehrbuch 1 978-3-468-47471-2
Lehrbuch 1 mit DVD 978-3-468-47474-3

11063

# Inhalt

## Leute heute 1



## Wohnwelten 2

# Inhalt

# Inhalt

# Inhalt

## Für immer und ewig — 7



## Kaufen, kaufen, kaufen — 8

# Inhalt

# Leute heute

A: Ich bin in einer Kleinstadt in Norddeutschland aufgewachsen. Dann habe ich viele Jahre in Herne gelebt und gearbeitet. Vor zwei Jahren bin ich wegen einer neuen Stelle nach Wien gekommen. Ich wohne in einem Appartementkomplex mit lauter kleinen Single-Wohnungen. Vielleicht ...

B: Ich bin seit drei Jahren geschieden und alleinerziehende Mutter einer kleinen Tochter. Sie heißt Klara und ist vier Jahre alt. Manchmal ...

C: Im Winter gehe ich am liebsten zum Skilaufen und im Sommer manchmal wandern. Aber eigentlich ist Fußball meine große Leidenschaft. Ich gehe ziemlich oft ins Stadion, wenn mein Verein spielt. Meine Freunde beschweren sich zwar manchmal, wenn ich am Wochenende schon wieder unterwegs bin, aber so langsam werden auch sie zu Borussia-Fans. Wenn ...

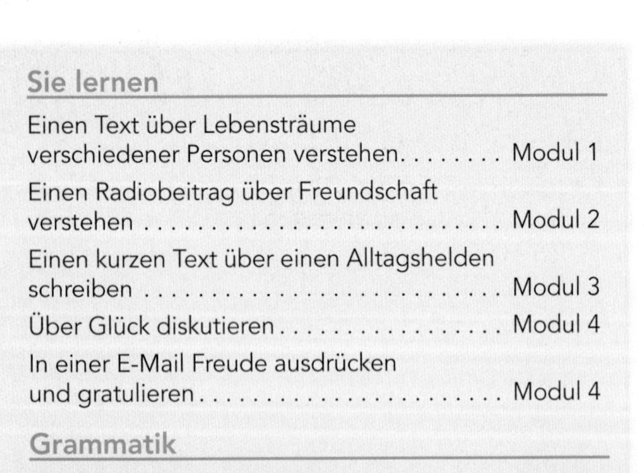

Sie lernen



Grammatik

D: Meine Muttersprache ist eigentlich italienisch. Allerdings bin ich schon als Kind nach Stuttgart gezogen und spreche deshalb auch fließend deutsch. Es ist schön, sich in zwei Sprachen zu Hause zu fühlen. In welcher Sprache ich träume, weiß ich gar nicht so richtig. Ich glaube, das wechselt. Und ...

E: Nach der Schule habe ich eine Ausbildung als Schornsteinfeger gemacht. Zurzeit arbeite ich in einem kleinen Betrieb. Die Arbeit finde ich super. Die meisten Leute freuen sich, mich zu sehen, weil sie immer noch glauben, dass ein Schornsteinfeger Glück bringt. Aber ...

F: Ich bin Berlinerin, ganz klar. Hier leben Menschen aus allen Ecken der Welt und das lässt alle Lebensstile zu. Hier fühle ich mich einfach wohl, das ist meine Heimat. Wenn ich woanders bin, vermisse ich Berlin immer. Aber ...

1a Lesen Sie die Kurztexte. Über welche Themen sprechen die Leute? Notieren Sie.

*A: Wohnsituation* *B: ...*

b Arbeiten Sie in Gruppen. Jede Gruppe wählt einen Text aus, schreibt ihn zu Ende und stellt „ihre Person" vor.

2 Stellen Sie sich vor. Sagen Sie zu jedem Thema einige Sätze über sich selbst.

1 TRÄUME NICHT DEIN LEBEN – LEBE DEINEN TRAUM!

Was bedeutet dieser Spruch? Diskutieren Sie: Ist das möglich?

2 Sehen Sie sich die Fotos an. Um welche Träume könnte es sich hier handeln?

3a Lesen Sie den Text und erstellen Sie für die drei Personen ein Raster wie auf der nächsten Seite. Arbeiten Sie zu dritt und notieren Sie Stichpunkte.

## Gelebte Träume

**Der eine hat einen großen Traum, der nächste vielleicht mehrere kleine. Die Träume der Menschen sind so unterschiedlich wie die Menschen selbst. Manche sind realistisch und manche scheinen vielleicht völlig unerreichbar. Es gibt Menschen, die geben trotzdem nicht auf. Und plötzlich ist der Lebenstraum ganz nah ...**

Erfolgreich sein als Sängerin, einmal die Nummer eins in den Charts und das eigene Video auf MTV laufen sehen – davon träumte die 27-jährige Paula Wieland schon als Teenager. Sie nahm Gesangs- und Tanzunterricht und vor ein paar Jahren sah es aus, als würde sich ihr Traum auch erfüllen. Paula gewann einen Talentwettbewerb und war auf einmal berühmt. Sie nahm eine CD auf und galt als neuer Star am deutschen Pophimmel. Doch der Anfangseuphorie folgte bald die Ernüchterung: Die zweite CD verkaufte sich nur noch mäßig und auch ihre Auftritte wurden immer weniger. Heute verdient Paula ihren Lebensunterhalt in einem Coffee Shop. „Meinen Traum habe ich aber trotzdem noch nicht aufgegeben. Ich versuche es einfach weiter", sagt sie.

Der 44-jährige Georg Schröder wuchs in einem kleinen Dorf bei Innsbruck auf. Seine Eltern wollten aus ihm einen Lehrer machen – doch er träumte von der großen weiten Welt. Nach dem Abitur studierte er zunächst Geschichte und Völkerkunde. Dann begann er mit seinen Expeditionen und verwirklichte seinen Traum, die Wüsten dieser Erde kennenzulernen. „Ich habe viele Landschaften ‚ausprobiert'. Aber es war die Wüste, die mich vom ersten Schritt an gefangen genommen hat", berichtet Schröder, der heute als Experte für Abenteuer und Grenzerfahrungen gilt.

Dirigent an der Oper – das wollte Hans Köttner immer werden. Nachdem seine Eltern ihm ein Musikstudium nicht erlaubt hatten, lernte er Konditor und wurde später Feuerwehrmann, Sanitäter und Sicherheitsberater. „Keiner dieser Berufe hat mich je wirklich ausgefüllt. Meine Liebe hat einfach immer der Musik gehört und die Welt der Oper hat mich seit frühester Jugend fasziniert", sagt er. Doch sie war für ihn nur sehr selten erreichbar: Nur ein paar Mal im Jahr konnte er sich Karten für eine erstklassige Opernaufführung leisten. So kam es, dass Hans Köttner heute im Rentenalter wieder arbeitet und endlich seinen Traum auslebt: Er ist Platzanweiser an der Staatsoper und rundum glücklich.

| Wer? | Traum? | Situation früher? | Situation jetzt? |
|---|---|---|---|
| *Paula* | | *sie nahm Gesangs- und Tanzunterricht* | |

b Jeder stellt anhand der Stichpunkte eine Person vor.

c Welche Person finden Sie am interessantesten? Warum?

▶ Ü 1

4a Mit den folgenden Zeitformen kann man vergangenes Geschehen ausdrücken. Notieren Sie zu jeder Zeitform jeweils einen Beispielsatz aus dem Text.

| Perfekt | Präteritum | Plusquamperfekt |
|---|---|---|
| | | *Nachdem seine Eltern ihm ein Musikstudium nicht erlaubt hatten, lernte er Konditor und wurde später Feuerwehrmann, Sanitäter und Sicherheitsberater.* |

b Wann verwendet man welche Zeitform? Ergänzen Sie.

G

1. Von Ereignissen mündlich berichten: meistens *Perfekt*
2. Von Ereignissen schriftlich berichten: meistens ______________
3. Von einem Ereignis berichten, das vor einem anderen Ereignis in der Vergangenheit passiert ist: ______________________
4. Hilfsverben/Modalverben: meistens ______________

▶ Ü 2

5 Was ist Ihr großer Traum? Welchen Traum haben Sie sich schon erfüllt? Sprechen Sie zu zweit und berichten Sie dem Kurs anschließend über den Traum Ihres Partners / Ihrer Partnerin.

*Ismail hat schon als Kind davon geträumt, einmal nach Nepal zu reisen. Er wollte schon immer ... Vor zwei Jahren ...*
*Rita wollte unbedingt ... Nachdem sie ihre Ausbildung beendet hatte, ...*

# In aller Freundschaft

**1a Was denken Sie? Diskutieren Sie folgende Aussagen.**

„Freundschaften sind in allen Kulturen gleich."

„Eine Freundschaft mit zwanzig ist anders als eine Freundschaft mit vierzig."

„Heutzutage ist unser Leben so stressig, dass man Freundschaften kaum noch pflegen kann."

„Gute Freunde erkennt man in schwierigen Zeiten."

*Meiner Meinung nach ist das falsch, denn ...*
*Ich sehe das ganz anders. Wenn man zum Beispiel ...,*
*Ich denke, das ist richtig. Damals, als ich im Krankenhaus lag, hat ...*

▶ Ü 1

**b Welche Eigenschaften sind Ihnen bei einem Freund / einer Freundin wichtig? Kreuzen Sie an und begründen Sie.**

| | | | |
|---|---|---|---|
| ☐ zuverlässig | ☐ witzig | ☐ gebildet | ☐ ehrgeizig |
| ☐ unternehmungslustig | ☐ ehrlich | ☐ großzügig | ☐ sportlich |
| ☐ verschwiegen | ☐ hilfsbereit | ☐ offen | ☐ höflich |
| ☐ verantwortungsbewusst | ☐ tolerant | | |

*Für mich ist es wichtig, dass meine Freunde zuverlässig sind und ich mich immer auf sie verlassen kann, auch in schwierigen Situationen.*

▶ Ü 2

**2a Es gibt verschiedene Ausdrücke für Freundschaft, die die unterschiedliche Intensität der Beziehung beschreiben. Ordnen Sie die Ausdrücke auf der Skala ein.**

~~der beste Freund~~ – der entfernte Bekannte – der enge Freund – der gute Bekannte – der gute Freund

| | | | | | |
|---|---|---|---|---|---|
| | | Freund | | der dicke Freund / | Busenfreund / *der beste Freund* |

b Welche Unterscheidungen gibt es in Ihrer Muttersprache?

1.2

3a Hören Sie den ersten Abschnitt eines Radiobeitrags. In welcher Reihenfolge wird über die folgenden Aspekte gesprochen? Nummerieren Sie.

- ☐ Freunde für bestimmte Aktivitäten
- ☐ Warum Freunde wichtig sind
- ☐ Trend: Lebensabschnittsfreund
- ☐ Ausdrücke für freundschaftliche Beziehungen im Deutschen

b Was ist ein „Lebensabschnittsfreund"? Sprechen Sie über Ihre Erfahrungen.

1.3

c Im zweiten Abschnitt sprechen drei Personen über Freundschaft.

Monika: Sind die Aussagen richtig oder falsch? Kreuzen Sie an.

| | r | f |
|---|---|---|
| 1. Monika hat ihre beste Freundin in der Ausbildung kennengelernt. | ☐ | ☐ |
| 2. Mit ihrer besten Freundin kann Monika über alles sprechen. | ☐ | ☐ |
| 3. Monika und Sabine treffen sich oft und verbringen viel Zeit zusammen. | ☐ | ☐ |
| 4. In einer guten Freundschaft sollte man nicht streiten. | ☐ | ☐ |

Bernd: Beantworten Sie die Fragen.

5. Wo hat Bernd seine drei engsten Freunde kennengelernt?
6. Warum sollten Freunde gemeinsame Hobbys haben?
7. Was ist für ihn das Wichtigste in einer Freundschaft?

Julia: Notieren Sie die passenden Substantive.

8. Für Julia sind in einer Freundschaft _Respekt_____, ____________, ____________ und ____________ besonders wichtig.

d Hören Sie den zweiten Abschnitt noch einmal. Notieren Sie Stichpunkte und fassen Sie dann die Aussagen der drei Personen mündlich zusammen.

*Monika*
*Sabine: Grundschule*
*Ausbildung: verschiedene Städte -> wenig Kontakt; jetzt: gleicher Ort -> sehen sich oft ...*

4 Bilden Sie Gruppen und diskutieren Sie:

– Was ist in einer Freundschaft am wichtigsten?
– Welche Rolle spielt Freundschaft heutzutage?
– Liebe – Freundschaft – Familie – Beruf: Was steht für Sie an erster Stelle und warum?

Am Ende informiert jede Gruppe die anderen über ihre Ergebnisse.

▶ Ü 3

5 Suchen Sie Sprichwörter, Redewendungen oder Reime, die mit dem Thema „Freundschaft" zu tun haben und erklären Sie sie im Kurs.

# Helden im Alltag

**1a Kennen Sie diese Menschen? Schreiben Sie die Nummern zu den Fotos.**

1 Jurij Gagarin, 2 Mutter Theresa, 3 Marie Curie, 4 Martin Luther King

**b Warum werden diese Persönlichkeiten als Helden bezeichnet? Finden Sie Gründe. Die Stichpunkte helfen.**

erster Mann im Weltraum – half den Ärmsten der Armen – kämpfte gegen den Rassismus – bekam 1911 den Nobelpreis für Chemie – setzte sich für die Gleichstellung der Schwarzen ein – entdeckte radioaktive Elemente – kümmerte sich in den Armenvierteln um Leprakranke – umkreiste in 89 Minuten einmal die Erde – …

**c Kennen Sie andere Personen, die man als Helden bezeichnen könnte?**

1.7

**2a Hören Sie im Radio einen Programmhinweis. Notieren Sie.**

Um welches Thema geht es in der Sendung? ______________________

Was können die Zuhörer tun? ______________________

**b Lesen Sie die Texte. Warum sind diese Menschen *Helden im Alltag*?**

**Thomas Herrmann** (35) und **Olaf Ludwig** (37) aus Potsdam retteten im Oktober vergangenen Jahres eine Mutter mit ihrem Kind vor dem Ertrinken. Annemarie Lehmann (29) stürzte bei Ratzdorf (Brandenburg) mit ihrem Auto in die Oder. Auf dem Rücksitz saß ihre Tochter Laura. Beide Männer sprangen sofort ins Wasser. In letzter Minute gelang es ihnen, Mutter und Kind zu befreien.

**Johannes Bernhard** (51) ist einer der Einwohner von Weilburg (Hochtaunuskreis), die nach Feierabend unter großem Kraftaufwand das Haus eines Rollstuhlfahrers behindertengerecht umbauten. Viele freiwillige Helfer sorgten dafür, dass der gelähmte Mann nach seinem Unfall ins Alltagsleben zurückkehren kann.

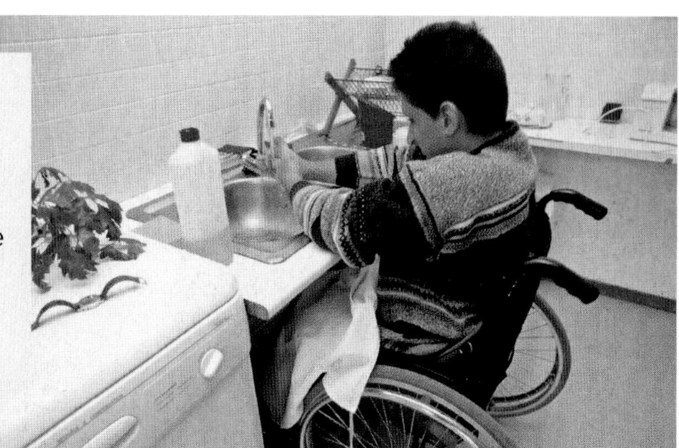

**c Welchen der Helden würden Sie mit dem Preis auszeichnen? Begründen Sie.**

**3a Setzen Sie die Adjektive in den folgenden Text ein.**

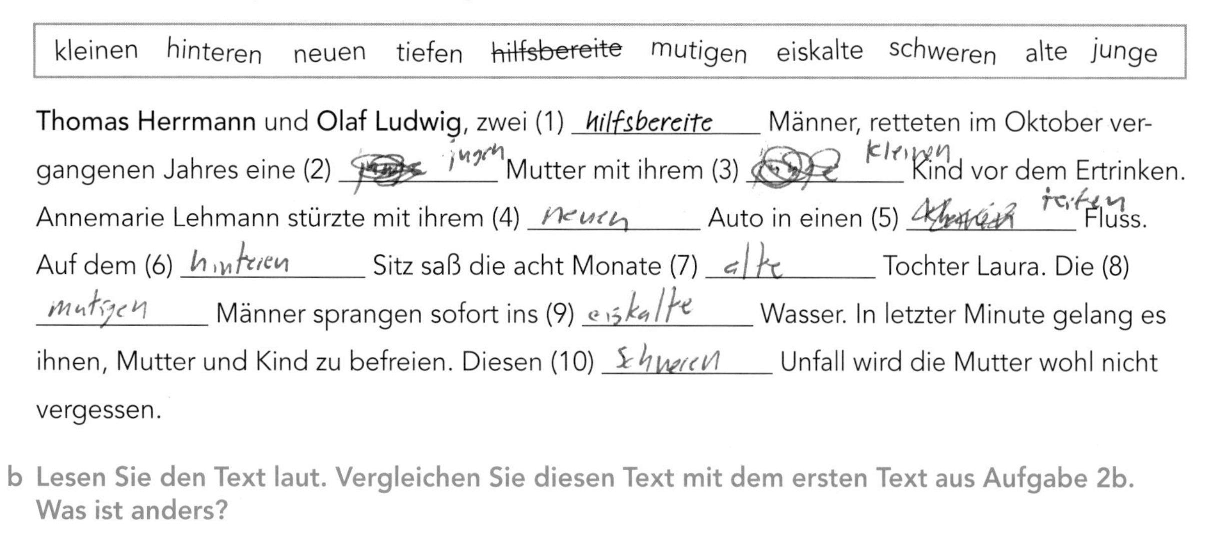

| kleinen | hinteren | neuen | tiefen | ~~hilfsbereite~~ | mutigen | eiskalte | schweren | alte | junge |
|---|---|---|---|---|---|---|---|---|---|

**Thomas Herrmann** und **Olaf Ludwig**, zwei (1) *hilfsbereite* Männer, retteten im Oktober vergangenen Jahres eine (2) jungen Mutter mit ihrem (3) kleinen Kind vor dem Ertrinken. Annemarie Lehmann stürzte mit ihrem (4) neuen Auto in einen (5) tiefen Fluss. Auf dem (6) hinteren Sitz saß die acht Monate (7) alte Tochter Laura. Die (8) mutigen Männer sprangen sofort ins (9) eiskalte Wasser. In letzter Minute gelang es ihnen, Mutter und Kind zu befreien. Diesen (10) schweren Unfall wird die Mutter wohl nicht vergessen.

**b Lesen Sie den Text laut. Vergleichen Sie diesen Text mit dem ersten Text aus Aufgabe 2b. Was ist anders?**

**4 Deklination der Adjektive. Erstellen Sie eine Tabelle und notieren Sie Beispiele aus den Texten.**

G

| | | |
|---|---|---|
| Typ 1 wie: | **bestimmter Artikel + Adjektiv + Substantiv** | *die acht Monate alte Tochter, ...* |
| Typ 2 wie: | **unbestimmter Artikel + Adjektiv + Substantiv** | *eine junge Mutter, ...* |
| Typ 3 wie: | **Nullartikel + Adjektiv + Substantiv** | *vergangenen Jahres, ...* |

▶ Ü 1–3

**5a Kennen Sie persönlich einen Menschen, den man als Helden/Heldin bezeichnen kann? Schreiben Sie einen kurzen Text über Ihren Helden / Ihre Heldin: Was ist passiert? Wie haben sich die Personen verhalten? Tipp: Adjektive machen den Text interessanter.**

*Die achtjährige Pia Knill rettete einen Rentner vor dem Erfrieren. Der herzkranke Mann war ...*

**b Hängen Sie die Texte in Ihrem Kurs aus. Stimmen Sie dann ab, welche Person in Ihrem Kurs der *Held des Alltags* ist.**

▶ Ü 4

# Vom Glücklichsein

1a Was sind für Sie Glückssymbole? Wählen Sie aus.

b Welche Symbole, Zahlen oder Buchstaben sind in Ihrem Land Glückssymbole?

2a Was gehört für Sie zum Glück? Wählen Sie fünf Begriffe aus dem Kasten aus. Welche Wörter würden Sie noch ergänzen?

| Reichtum | Harmonie | Gesundheit | Auto | Arbeit | Freunde | Haus |
|---|---|---|---|---|---|---|
| Naturgenuss | Schönheit | Lottogewinn | Familie | Karriere | Liebe | Frieden |
| Freiheit | Hobbies | Freude | Entspannung | Erfolg | Ruhe | |

b Begründen Sie Ihre Auswahl und vergleichen Sie im Kurs.

*Am wichtigsten ist für mich Gesundheit. Was nützt mir Geld, wenn ich krank bin?*

3a Familie Behrens hat fünf Kinder. Was, glauben Sie, bedeutet für diese Familie Glück?

## Man muss etwas tun für sein Glück.

Familie Behrens berichtet

1 Wir haben fünf Kinder. Drei davon kamen auf einen Streich. Als wir erfuhren, dass wir Drillinge bekommen würden, waren wir überglücklich. Von Anfang an haben wir positiv 5 gedacht. „Ach du lieber Gott, wie soll das werden!" – solche Gedanken kamen uns nicht in den Sinn. Gespannt und erwartungsvoll waren wir, haben viel überlegt und geplant, auch alles dafür getan, dass die Schwangerschaft gut ver- 10 lief. Als die drei dann gesund und munter auf die Welt kamen, waren wir überglücklich.

Doch man muss sich nichts vormachen: Das Leben mit fünf kleinen Kindern ist enorm anstrengend. Wir schlafen nur selten eine 15 Nacht durch. Morgens um sechs beginnt der Stress und abends um acht endet er. Die drei Kleinen sind jetzt fast drei Jahre alt und sehr mobil. Man muss ständig alle im Blick haben. Dazwischen Anna, unsere fünfjährige Tochter 20 und Hannes, unser achtjähriger Sohn. Beide wollen auch zu ihrem Recht kommen. Es war sehr schwierig, Hilfe von außen zu erhalten. Als Familie mit fünf Kindern haben wir schon jede Menge Absagen von Haushaltshilfen und 25 Au-pair-Mädchen bekommen. Wir sind sozusagen unvermittelbar. Zum Glück greifen uns beide Großmütter kräftig unter die Arme.

Das Glück fällt nicht vom Himmel. Man muss schon einiges dafür tun. Für uns heißt 30 das auch, die eigenen Wünsche eine Zeit lang zurückzustellen. So ist es für uns zurzeit kaum möglich, abends zusammen wegzugehen. Nur weil wir das akzeptiert haben und dem Vergnügen nicht hinterherweinen, geht es uns 35 gut. Wenn uns aber doch mal eine kurze Auszeit gegönnt wird, können wir sie umso mehr genießen. Neulich sind wir nach Berlin gefahren. Ganz ohne Kinder, nur zu zweit. Dort waren wir in einem Musical und haben 40 Freunde besucht. Es war fast so wie früher. Nein, besser. Weil es etwas Besonderes war. Man muss solche Glücksmomente genießen. Die gibt es natürlich auch mit Kindern. Wenn die Kleinen zufrieden vor sich hinspielen oder 45 im Rudel spazieren gehen, dann sind wir Eltern besonders stolz.

b Lesen Sie den Text. Unterstreichen Sie die Ausdrücke 1–5 im Text und ordnen Sie die passenden Erklärungen a–e zu.

1 _e_ jemandem / sich eine Auszeit gönnen
2 ___ jemandem unter die Arme greifen
3 ___ etwas fällt nicht vom Himmel
4 ___ unvermittelbar sein
5 ___ auf einen Streich

a keine Zusage bekommen können
b jemandem behilflich sein, helfen
c gleichzeitig, auf einmal
d etwas ist nicht ohne Mühe zu erreichen
e sich Freizeit nehmen, Pause machen

c In welcher Reihenfolge werden im Text die Hauptinformationen genannt?

___ anstrengendes Leben, kein Schlaf
___ Hilfe der Großmütter
___ alle Babys gesund und munter
___ nur manchmal eine Auszeit
_1_ große Vorfreude: Drillinge
___ keine Haushaltshilfe und kein Au-pair-Mädchen

d Formulieren Sie die Stichpunkte aus 3c zu Sätzen aus.

▶ Ü 1–3

**4a Sie haben eine Karte von guten Freunden bekommen. Worum geht es?**

*Ab sofort haben wir kürzere Nächte und weniger Freizeit, aber 3790 g mehr Glück!*

*Worte und Zahlen können kaum ausdrücken, wie glücklich wir sind! Aber für alle, die es interessiert, gibt es hier trotzdem die üblichen Eckdaten: Wir waren etwa 13 Stunden im Kreißsaal, die Geburt verlief weitgehend normal. Uns dreien geht es gut. Unsere Eva war bei der Geburt 54 cm lang und wog 3790 g.*

*Die glücklichen, übermüdeten Eltern*
*Susanne und Heiner*

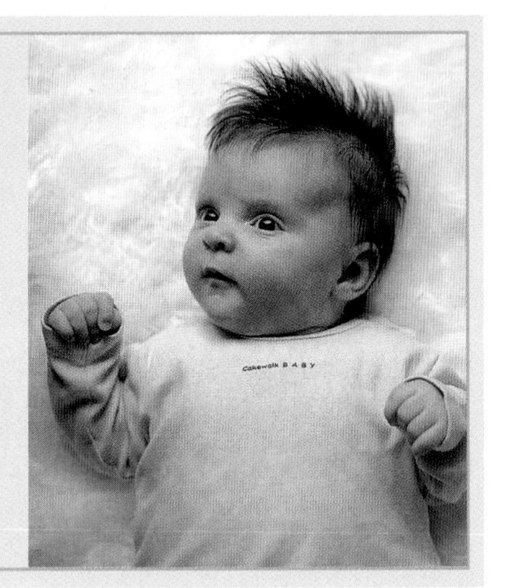

**b Sie wollen Ihren Freunden zur Geburt des Kindes gratulieren. Dabei helfen Ihnen die Redemittel. Ordnen Sie die Redemittel in die Tabelle ein und sammeln Sie weitere im Kurs.**

Ich bin sehr froh, dass … / Herzlichen Glückwunsch! / Ich freue mich sehr/riesig für Euch. / Alles erdenklich Gute! / Ich möchte Euch zur Geburt Eures Sohnes / Eurer Tochter beglückwünschen. / Das ist eine tolle Nachricht! / Ich wünsche Eurem Kind viel Glück. / Es freut mich, dass … / Ich schicke Euch die allerbesten Wünsche. / …

| gute Wünsche aussprechen / gratulieren | Freude ausdrücken |
|---|---|
| | |

**c Schicken Sie Ihren Freunden eine Antwort-E-Mail. Schreiben Sie etwas zu den folgenden Punkten. Überlegen Sie sich dabei eine passende Reihenfolge der Punkte.**

- Fragen Sie, wann Sie Ihre Freunde besuchen können.
- Bedanken Sie sich für die Nachricht und beglückwünschen Sie die Eltern.
- Erkundigen Sie sich nach dem Baby.
- Fragen Sie die Eltern, was Sie dem Kind als Geschenk kaufen können.

▶ Ü 4

1.8

**5a Sie hören ein Interview mit Prof. Weinberger zum Thema „Glück". Hören Sie das Interview zunächst einmal ganz und entscheiden Sie, ob die Aussagen richtig oder falsch sind.**

| | r | f |
|---|---|---|
| 1. Herr Weinberger hilft bei Entscheidungen in persönlichen Lebensfragen. | ☐ | ☐ |
| 2. Die Weltdatenbank des Glücks wurde in Amerika eingerichtet. | ☐ | ☐ |
| 3. Das Alter der Leute ist bei der Berechnung des Glücksfaktors wichtig. | ☐ | ☐ |
| 4. Wohlstand ist das Wichtigste, um glücklich zu sein. | ☐ | ☐ |
| 5. Im Alter ist man nicht so glücklich wie in der Jugend. | ☐ | ☐ |

**b Hören Sie das Interview noch einmal. Ergänzen Sie die Tabelle.**

| Wo die glücklichsten Menschen leben | |
|---|---|
| Platz 1 | Malta, ... |
| Platz 2 | |
| Platz 3 | Luxemburg, ... |
| Platz 4 | |
| Platz 5 | Neuseeland, ... |
| Platz 6 | Großbritannien, El Salvador |
| Platz 7 | Österreich, Brasilien |
| Platz 8 | Italien, Singapur, Chile |
| Platz 9 | Mexiko, Venezuela, Dom. Republik, Argentinien |
| Platz 10 | Tschechien, Portugal, Israel, Uruguay |

▶ Ü 5

**6a Lesen Sie die Redemittel und ordnen Sie die Überschriften zu.**

| widersprechen – zweifeln – Meinung äußern – zustimmen | |
|---|---|
| 1. ________________<br>Ich bin der Meinung/Ansicht, dass ...<br>Ich stehe auf dem Standpunkt, dass ...<br>Ich denke/meine/glaube/finde, dass ...<br>Ich bin davon überzeugt, dass ... | 2. ________________<br>Der Meinung bin ich auch.<br>Ich bin ganz deiner/Ihrer Meinung.<br>Das stimmt. / Das ist richtig. / Ja, genau.<br>Da hast du / haben Sie völlig recht. |
| 3. ________________<br>Das stimmt meiner Meinung nach nicht.<br>Das ist nicht richtig.<br>Ich sehe das anders.<br>Da muss ich dir/Ihnen aber widersprechen. | 4. ________________<br>Also, ich weiß nicht ...<br>Ich habe da so meine Zweifel.<br>Ob das wirklich so ist ...<br>Stimmt das wirklich? |

**b Diskutieren Sie in Gruppen. Beziehen Sie auch die Ergebnisse der Umfrage ein.**

– Welche Voraussetzungen müssen erfüllt sein, damit man glücklich leben kann?
– Was ist für die Menschen in Ihrem Land am wichtigsten, um glücklich zu sein?
– In welchem Land wären Sie am glücklichsten?

# Anne-Sophie Mutter (* 29. Juni 1963)

## Weltberühmte Violinistin

Anne-Sophie Mutter

© Harald Hoffmann / DG

Nur wenige Künstlerinnen haben einen ähnlich nachhaltigen Einfluss auf die klassische Musikszene ausgeübt wie Anne-Sophie Mutter. Sie wusste schon als Kind, was sie wollte, und hat ihren Traum verwirklicht. Bereits als 7-Jährige gewann sie den Wettbewerb „Jugend musiziert" mit Auszeichnung. 1976 fiel sie Herbert von Karajan auf, unter dessen Leitung sie ein Jahr später bei den Salzburger Pfingstkonzerten als Solistin auftrat. Diese Zusammenarbeit öffnete der Geigerin die Türen zum internationalen Erfolg. Mutter wurde schnell weltweit als herausragende Künstlerin anerkannt, wurde zum Stargast internationaler Ensembles und arbeitete mit den größten Dirigenten. Ihre Popularität nutzt sie für Benefizprojekte und die Förderung des musikalischen Nachwuchses. Mutter, die eine Stradivari-Geige spielt, bekam für ihr soziales Engagement mehrere Auszeichnungen.

**Anne-Sophie Mutter beantwortete einen Fragebogen, der ein wenig Einblick in ihre Persönlichkeit gibt. Hier ein Ausschnitt:**

Mein wichtigster Charakterzug
*Ich bin ein Optimist, ein Idealist.*

Was mir bei meinen Freunden am wichtigsten ist
*Die Echtheit ihrer Freundschaft.*

Meine größte Schwäche
*Ungeduld (aber ich zeige sie selten).*

Liebste Beschäftigung
*Mit meinen Kindern zu spielen.*

Mein Traum von Glück
*Das ist mein Geheimnis!*

Was wäre für mich das größte Unglück?
*Eine schlechte Mutter zu sein.*

Was ich gerne sein möchte
*Ich bin auf dem Weg dahin ...*

Land, in dem ich leben möchte
*Da, wo ich wohne: Deutschland und Österreich.*

Meine Helden im wirklichen Leben
*Der Dalai Lama und alle Verfechter der Menschenrechte.*

Meine Helden/Heldinnen der Geschichte
*Mozart, Gandhi, Mutter Theresa.*

Reform, die ich am meisten bewundere
*Alle diejenigen, die noch nicht abgeschlossen sind: Gleiche Rechte für Frauen, Abschaffung der Rassentrennung, Verbot der Kinderarbeit.*

Wie ich sterben möchte
*Ohne es zu merken.*

Derzeitige Geisteshaltung
*Ein Leben ohne Musik ist ein Leben im Irrtum.*

Fehler, denen ich mit der größten Toleranz begegne
*Solche, die aus tiefer Liebe gemacht werden, denn das sind keine wirklichen Fehler.*

Mehr Informationen zu Anne Sophie Mutter: 

**Wählen Sie zu zweit fünf Fragen und formulieren Sie fünf weitere Fragen. Interviewen Sie sich gegenseitig. Präsentieren Sie anschließend dem Kurs zusammenfassend die Antworten Ihres Partners.**

## 1 Vergangenheit

| **Präteritum (meistens)**<br>von Ereignissen schriftlich berichten<br>bei Hilfs- und Modalverben | **Perfekt (meistens)**<br>von Ereignissen mündlich berichten | **Plusquamperfekt**<br>von Ereignissen berichten, die vor einem anderen in der Vergangenheit passiert sind |
|---|---|---|
| | **haben/sein (im Präsens)**<br>**+ Partizip II** | **haben/sein (im Präteritum)**<br>**+ Partizip II** |
| | **Bildung des Partizip II** | |
| **a regelmäßig:** | **a regelmäßig:** ohne Präfix: | sagen – **ge**sag**t** |
| Verbstamm + Präteritum-signal **-t-** + Endung:<br>träumen – träum**te** | trennbares Verb:<br>untrennbares Verb:<br>Verben auf -ieren: | aufhören – auf**ge**hör**t**<br>verdienen – verdien**t**<br>faszinieren – faszinier**t** |
| **b unregelmäßig:** | **b unregelmäßig:** ohne Präfix: | nehmen – **ge**nomm**en** |
| Präteritumstamm + Endung:<br>wachsen – w**u**chs | trennbares Verb:<br>untrennbares Verb: | aufgeben – auf**ge**geb**en**<br>verstehen – verstand**en** |

Merke: kennen – kannte – habe gekannt bringen – brachte – habe gebracht
denken – dachte – habe gedacht wissen – wusste – habe gewusst

## 2 Deklination der Adjektive

**Typ 1**
bestimmter Artikel + Adjektiv + Substantiv

| | Singular m | Singular n | Singular f | Pl. |
|---|---|---|---|---|
| Nom. | **e** | **e** | **e** | **en** |
| Akk. | **en** | **e** | **e** | **en** |
| Dat. | **en** | **en** | **en** | **en** |
| Gen. | **en** | **en** | **en** | **en** |

auch nach:
- Demonstrativartikel
  *dieser, dieses, diese*
  *jener, jenes, jene*
  *derselbe, dasselbe, dieselbe*
- Fragewort
  *welcher, welches, welche*
- Indefinitartikel
  *jeder, jedes, jede*
  *alle* (Plural!)

**Typ 2**
unbestimmter Artikel + Adjektiv + Substantiv

| | Singular m | Singular n | Singular f | Pl. |
|---|---|---|---|---|
| Nom. | **er** | **es** | **e** | **e** |
| Akk. | **en** | **es** | **e** | **e** |
| Dat. | **en** | **en** | **en** | **en** |
| Gen. | **en** | **en** | **en** | **er** |

im Singular ebenso nach:
- Negationsartikel
  *kein, kein, keine*
- Possessivartikel
  *mein, mein, meine …*

Im Plural nach Negations-artikel und Possessivartikel immer **en**.

**Typ 3**
Nullartikel + Adjektiv + Substantiv

| | Singular m | Singular n | Singular f | Pl. |
|---|---|---|---|---|
| Nom. | **er** | **es** | **e** | **e** |
| Akk. | **en** | **es** | **e** | **e** |
| Dat. | **em** | **em** | **er** | **en** |
| Gen. | **en** | **en** | **er** | **er** |

auch nach:
- Zahlen
- Indefinitartikel im Pl.
  *einige, viele, wenige, etliche, andere, manche*
- Indefinitartikel im Sg.
  *viel, mehr, wenig*
- Relativpronomen im Genitiv
  *dessen, deren*

# Die Chefin

1 Sehen Sie den Film und fassen Sie kurz zusammen, worum es geht.

2 a Sehen Sie jetzt die erste Filmsequenz und arbeiten Sie in Gruppen. Wovon träumt Sybille Milde? Welche Probleme kommen nun auf sie zu?

b Beschreiben Sie Sybille Mildes Weg zur Sterneköchin.

c Worauf ist sie stolz und wodurch wurde sie bekannt?

3 a Beschreiben Sie Mimik und Gestik von Sybille Milde.

b Sammeln Sie in Partnerarbeit Adjektive, die zu Sybille Milde passen. Benutzen Sie auch ein Wörterbuch.

selbstsicher, rational, …

c Sprechen Sie im Kurs über den Eindruck, den Sybille Milde auf Sie macht.

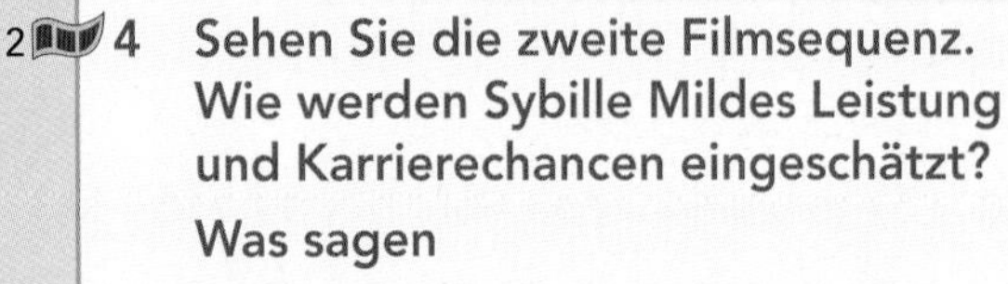

4 Sehen Sie die zweite Filmsequenz. Wie werden Sybille Mildes Leistung und Karrierechancen eingeschätzt? Was sagen

a Andreas Eggenwirth, Kenner der Szene,

b Thomas Hessler, Restaurantinhaber,

c die Gäste?

Thomas Hessler

Andreas Eggenwirth

5 Im Film haben Sie folgende Wendungen gehört. Ordnen Sie die richtigen Erklärungen zu.

| | |
|---|---|
| 1. am Ball bleiben | a öffentlich bekannt werden |
| 2. etwas unter einen Hut bringen | b eine Sache aktiv weitermachen |
| 3. das Sagen haben | c verschiedene Tätigkeiten oder Meinungen gut miteinander verbinden |
| 4. ans Tageslicht kommen | d Entscheidungen treffen und sie durchsetzen |

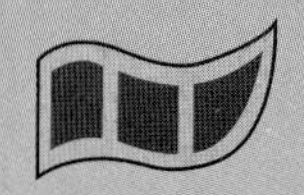

6 a Sybille Milde wollte schon immer Kinder. Was sagt sie zu den Aspekten Karriere, Geld und Alter? Sehen Sie den Film noch einmal. Machen Sie Notizen und vergleichen Sie.

b Was denken Sie über Sybille Mildes Aussagen? Diskutieren Sie im Kurs.

7 a Lesen Sie den Text über Frauen und Berufstätigkeit und unterstreichen Sie die wichtigsten Aussagen.

Haben Frauen und Männer bis dahin gemeinsam studiert, gemeinsam den Einstieg in den Beruf geschafft, zeigt die Statistik bei den Frauen ab 30 einen Knick: Während Männer in der Unternehmens- und Einkommenshierarchie nach oben klettern, bleiben die Frauen stecken oder springen gleich ganz von der Karriereleiter. (...)

Nach der Entscheidung für Kinder bekommen Frauen im Schnitt gleich zwei Kinder, bleiben im Durchschnitt zweieinhalb Jahre zu Hause und verpassen damit völlig den Anschluss an die Karriere. Zwar sind fast zwei Drittel der deutschen Mütter berufstätig, doch vier von fünf arbeiten in karrierefeindlichen Teilzeitmodellen. (...) Studierte Frauen bekommen doppelt so häufig keine Kinder wie Frauen mit Hauptschulabschluss.

In Deutschland fehlt die Ganztagsbetreuung: Nur für 8,5 Prozent der Kinder unter drei Jahren und für 14,3 Prozent der Schulkinder steht ein Krippen- oder Hortplatz zur Verfügung.

b Vergleichen Sie die beschriebene Situation mit der in Ihrem Land.

c Was erleichtert die Familiengründung? Diskutieren Sie über Arbeitszeitmodelle, Betreuungsangebote, finanzielle Unterstützung und Rollenverteilung von Mann und Frau.

8 Drei Jahre später: Sybille und Daniel planen den nächsten Tag. Spielen Sie eine kleine Szene am Esstisch.

# Wohnwelten

1 **Sehen Sie sich die Bilder an. Welches gefällt Ihnen am besten? Warum entscheiden sich Menschen, an diesem Ort zu leben?**

## Sie lernen

- Wichtige Informationen aus einem Text über Baumhäuser verstehen . . . . . . . . . . . . . Modul 1
- Informationen aus Radiointerviews über Obdachlosigkeit vergleichen . . . . . . . . Modul 2
- Eine Grafik über Wohnen und Wohlfühlen beschreiben . . . . . . . . . . . . . . . . . . . . . . . . Modul 3
- Aus einem Text Argumente für und gegen das Wohnen bei den Eltern sammeln . . . . . . Modul 4
- Eine Meinung äußern und Ratschläge geben (in einem Brief und in Gesprächen) . . . . . . . Modul 4

## Grammatik

- Kausal-, Konzessiv- und Konsekutivsätze . . . Modul 1
- Komparativ und Superlativ . . . . . . . . . . . . . . Modul 3

**2a Welcher „Wohn-Typ" sind Sie? Kreuzen Sie die Aussagen an, die zu Ihnen passen.**

- [A] Die Natur und der Wechsel der Jahreszeiten sind für mich sehr wichtig.
- [C] Um mich wohl zu fühlen, brauche ich viele Kneipen und Geschäfte in meiner Nähe.
- [B] Die Hektik der Großstadt gefällt mir nicht, aber auf dem Land ist es mir zu ruhig.
- [A] Ich möchte meine Nachbarn gut kennen, denn so kann man sich gegenseitig helfen.
- [B] Ab und zu gehe ich gern ins Kino, aber jeden Abend ausgehen ist nichts für mich.
- [C] Ich gebe einen großen Teil meines Einkommens für meine Wohnung aus.
- [C] Ich sehe regelmäßig die neuesten Filme und besuche interessante Ausstellungen.
- [B] Am liebsten möchte ich überall zu Fuß hingehen können.
- [A] Ich brauche viel Platz und einen großen Garten, weil ich gern einen Hund hätte.
- [C] Ich will machen können, was ich will, ohne dass meine Nachbarn darüber sprechen.
- [A] In meiner Freizeit will ich vor allem Ruhe.
- [B] Wenn ich durch die Stadt gehe, freue ich mich immer, wenn ich Bekannte treffe.
- [B] Es ist schrecklich, wenn man ständig im Stau steht und dann keinen Parkplatz findet.
- [A] Zur Arbeit und zum Einkaufen muss ich mit dem Auto fahren, aber das stört mich nicht.
- [C] Ich kann auf das Auto verzichten, wenn das öffentliche Verkehrssystem gut funktioniert.

**b Welche Buchstaben haben Sie angekreuzt? Lesen Sie die Auswertung auf Seite 188. Trifft diese Beschreibung wirklich auf Sie zu?**

# Baumhaus = Traumhaus?

**1 Sehen Sie sich das Foto an, bevor Sie den Text lesen. Könnte das Ihr Traumhaus sein? Begründen Sie.**

**2 Lesen Sie den Text und ergänzen Sie die Punkte.**

1. Gründe für den Kauf eines Baumhauses: ______________________
2. Gründe gegen den Kauf eines Baumhauses: ______________________
3. Folgen des „Baumhaus-Trends": ______________________

## Unter dem Dach der Natur

Für viele ist es ein Traum aus ihrer Kindheit: unter dem grünen Dach eines alten Baumes aufwachen – im eigenen Baumhaus. Immer mehr Deutsche entdecken das Baumhaus für sich, weil sie der Natur näher sein wollen. Die Sehnsucht nach einem naturverbundenen Leben ist groß, besonders bei Menschen, die in hektischen Großstädten leben und von Betonwüsten umgeben sind. Viele wünschen sich nach einem anstrengenden Bürotag eine Oase der Ruhe und darum schaffen sie sich einen Schrebergarten, ein Hausboot oder ein Baumhaus an. Letzteres ist ein eher neuer Trend.

Das Baumhaus stellt eine Luxusversion des normalen Gartenhäuschens dar. Die Menschen wollen neben ihrem technisierten Leben der ursprünglichen Natur ein Stück näher kommen. Trotzdem sollen die Häuser allen modernen Komfort bieten. Deshalb haben einige der rund 500 bereits gebauten Baumhäuser Klimaanlage und Heizung oder Internetanschluss und Whirlpool.

Die Nachfrage ist so groß, dass die schottische Baumhausfirma Dream bereits neue Mitarbeiter einstellen musste. 24 Baumhäuser hat die Firma auch schon in deutschen, schweizerischen oder niederländischen Gärten gebaut.

Immer mehr Menschen verwirklichen sich diesen Traum, obwohl so ein Baumhaus sehr teuer ist. Baumhäuser zwischen 9 und 14 Quadratmetern Wohnfläche kosten bis zu 25.000 Euro. Die teuerste Variante kann auch schon mal 120.000 Euro kosten, die einfachste Version für Kinder gibt es ab 7.000 Euro. Viele Kunden sind Eltern oder Großeltern. Ihre Kinder oder Enkel sollen ein originelles Spielzeug haben, und sie wollen es natürlich auch selbst nutzen. Denn man kann sich dorthin mit einem Buch und einem Glas Wein zurückziehen und sich wunderbar vom Alltag erholen. Da Übernachtungen im Baum sehr beliebt sind, gibt es in Schweden und auf Hawaii Baumhäuser sogar als Hotelzimmer. Auch in Dresden bietet ein Hotel eine solche Schlafmöglichkeit, sodass dort die Gäste unter den Sternen einschlafen können.

▶ Ü 1–2

**3 Welche Rolle spielt das Leben in der Natur für Sie?**

**4a Ergänzen Sie die Textzusammenfassung mit den passenden Konnektoren.**

denn, weil/da, obwohl, trotzdem, deshalb, so ... dass, darum, sodass

Immer mehr Menschen kaufen sich ein Baumhaus, ______________ ihnen die Natur in ihrem Alltagsleben fehlt. Stadtmenschen suchen die Ruhe der Natur, ______________ so können sie sich vom Berufsstress erholen. ______________ will niemand auf Komfort verzichten. Viele Baumhäuser sind ______________ modern ausgestattet, ______________ sie sogar über einen Internetanschluss oder einen Whirlpool verfügen. ______________ diese Baumhäuser sehr teuer sind, wollen sich immer mehr Kunden ihren Kindheitstraum erfüllen. Die Nachfrage ist enorm gestiegen, ______________ die Firma Dream immer mehr neue Mitarbeiter einstellen muss. Auch Reisende wollen gerne im Baum übernachten. ______________ gibt es mittlerweile einige Baumhotels.

**b Ordnen Sie die Konnektoren in die Tabelle ein.**

| | Grund (kausal) | Gegengrund (konzessiv) | Folge (konsekutiv) |
|---|---|---|---|
| **Hauptsatz + Nebensatz** | *weil* | | |
| **Hauptsatz + Hauptsatz** | | | |
| **Hauptsatz + Hauptsatz (Verb direkt hinter Konnektor)** | | | |

▶ Ü 3–7

**5 Arbeiten Sie zu zweit. Ihr Partner gibt Ihnen einen Satz mit Konnektor vor. Vervollständigen Sie den Satz. Dann tauschen Sie. Lassen Sie Ihrer Fantasie freien Lauf.**

*Er wohnt im 12. Stock, obwohl ...*

*Wir möchten auf dem Land leben, denn ...*

*Ich suche eine kleinere Wohnung, weil ...*

# Ohne Dach

1 **Sehen Sie sich die Fotos an. Was bedeutet „Obdachlosigkeit"?**

2 **Die folgenden Begriffe haben oft mit „Obdachlosigkeit" zu tun. Ordnen Sie sie den entsprechenden Rubriken zu. Es gibt mehrere Möglichkeiten.**

Freiheit Alkohol Frustration Sozialamt Einsamkeit Hygiene Randgruppe
Krankheit Schmutz Erfolglosigkeit Ausgrenzung Perspektive
Armut Arbeitslosigkeit Unabhängigkeit Wohnheim Isolation Suppenküche
Scheidung Angst Hoffnung Zukunft Chancenlosigkeit Familie
Notunterkunft Schulden Freunde Ausweglosigkeit Intoleranz

| persönliche Situation | Ursachen | Gefühle | Gesellschaft | Hilfsangebote |
|---|---|---|---|---|
| *Hygiene* | *Arbeitslosigkeit* | | | |

3 Wählen Sie drei Begriffe aus und erläutern Sie diese in Zusammenhang mit „Obdachlosigkeit".

*Ich denke, fast allen Obdachlosen fehlt eine Perspektive. Sie sehen keine möglichen Alternativen mehr für sich und deshalb fehlt ihnen die Motivation, etwas an ihrem Leben zu ändern ...*

*Schulden spielen in Zusammenhang mit den Ursachen von Obdachlosigkeit eine große Rolle. Viele verlieren ihre Arbeit, können die Miete und andere Rechnungen nicht mehr bezahlen und ...*

1.9

4a Hören Sie nun ein Radiointerview. Welche Aspekte werden angesprochen?

– ______________________________

– ______________________________

– ______________________________

b Hören Sie das Interview noch einmal und ergänzen Sie das Schema in Stichworten.

Klaus

| Gründe für die Obdachlosigkeit | momentane Situation |
|---|---|
| *arbeitslos* | |

Andreas

| Gründe für die Obdachlosigkeit | momentane Situation |
|---|---|
| | |

c Welche Gemeinsamkeiten und welche Unterschiede stellen Sie bei Klaus und Andreas fest?

5 Wie ist die Situation obdachloser Menschen in Ihrem Land? Berichten Sie über mögliche Ursachen und Hilfsangebote.

6 Was können wir tun, um zu helfen? Was kann oder muss der Staat tun? Diskutieren Sie.

▶ Ü 1–2

# Eine Wohnung zum Wohlfühlen

1.10

**1a Hören Sie den Dialog. Wie reagiert Maria auf Annas Besuch und warum?**

**b Anna und Maria vergleichen die neue Wohnung mit Marias alter Wohnung.
Hören Sie den Dialog noch einmal und ordnen Sie die Adjektive, die Sie hören, zu.**

Adjektive in der Grundform: *schön,* __________

Adjektive im Komparativ: *heller,* __________

Adjektive im Superlativ: *am schönsten,* __________

**c Ergänzen Sie nun die Regeln.**

**Komparativ**

1. Das Adjektiv bekommt die Endung *-er* .
2. Bei einigen einsilbigen Adjektiven wird *a, o, u* zu ____, ____, ____.
3. Bei einigen Adjektiven auf *-el* und *-er* entfällt das ____ .

**Superlativ**

1. Das Adjektiv bekommt die Endung: *am* + Adj. + Endung ____.
2. Endet ein Adjektiv auf *-d, -s, -sch, -st, -ß, -t, -x, -z* bekommt das Adjektiv die Endung ____ .

**Vergleichen**

Ergänzen Sie *als* oder *wie*.

Marias neue Wohnung ist nicht *so* günstig *wie* die alte. — Grundform + ______

Sie liegt *genauso* zentral _____ die alte.

Sie ist viel *größer* _____ Marias alte Wohnung. — Komparativ + ______

▶ Ü 1–4

**2 Wie unterscheidet sich Ihre jetzige Wohnsituation von einer früheren? Tauschen Sie sich mit Ihrem Partner aus.**

*Meine alte Wohnung war günstiger, aber ...*

3 Was braucht der Mensch, um sich zu Hause wohlzufühlen? Sammeln Sie im Kurs Ideen und erstellen Sie eine Rangliste. Was ist für Sie am wichtigsten? Begründen Sie.

*ruhige Lage, nette Nachbarn, ...*

4a Wir haben in Leipzig eine kleine Umfrage gemacht. Beschreiben Sie die Statistik und benutzen Sie die Redemittel.

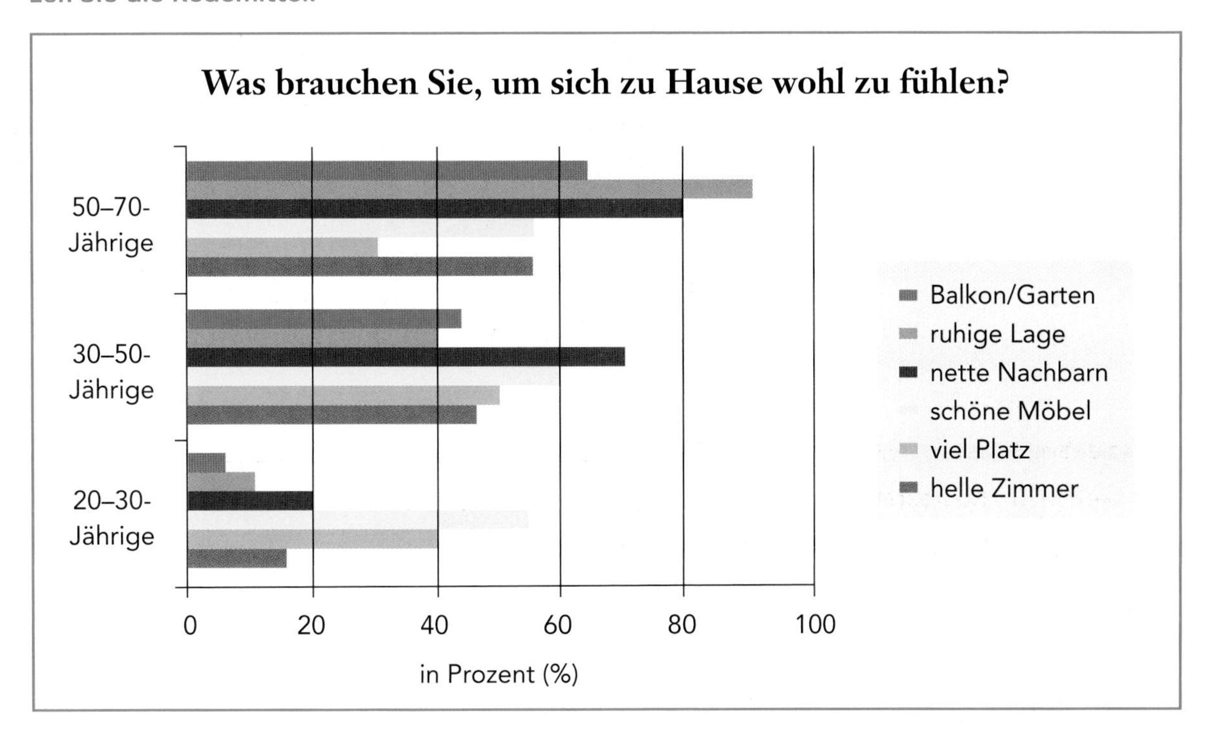


| Eine Grafik beschreiben | |
|---|---|
| **Einleitung:** | **Hauptpunkte beschreiben:** |
| Die Grafik zeigt … | Auffällig/Bemerkenswert/Interessant ist, dass … |
| Die Grafik informiert über … | Die meisten … / die wenigsten … |
| Die Grafik gibt Informationen über … | An erster Stelle … / An letzter (unterster) Stelle steht/stehen, sieht man … |
| Die Grafik stellt … dar. | Am wichtigsten … |
| | … Prozent sagen/meinen … |
| | Im Vergleich zu … |
| | Im Gegensatz zu … |
| | Ungefähr die Hälfte ... |

b Vergleichen Sie die Umfrage mit Ihrer Rangliste. Welche Unterschiede stellen Sie fest? ▶ Ü 5

# Hotel Mama

**1a Was denken Sie? Was bedeutet der Begriff „Nesthocker"?**

Das ist ...

- ☐ jemand, dem eine gemütliche, warme Wohnung sehr wichtig ist.
- ☐ ein junger Mensch, der ungewöhnlich lange bei seinen Eltern wohnt.
- ☐ eine Person, die am liebsten zu Hause bleibt und selten ausgeht.

**b Gibt es in Ihrer Sprache ein ähnliches Wort?**

**c Was fällt Ihnen zu dem Begriff „Nesthocker" ein?
Erstellen Sie im Kurs gemeinsam ein Assoziogramm.**

**2a Lesen Sie den Text und unterstreichen Sie die Informationen, die auf die Fragen *wer, wo, was, warum* antworten.**

## Bei Mama ist's am schönsten

Ein voller Kühlschrank, frische Wäsche, ein geputztes Bad – bei dem Begriff „Hotel Mama" denken viele an einen Betrieb, der hält, was ein gutes Hotel verspricht.

*Ursachen und Gründe*

Neben reiner Bequemlichkeit sind finanzielle und psychologische Gründe dafür verantwortlich, dass Jugendliche in Deutschland immer länger zu Hause wohnen bleiben. Viele Untersuchungen nennen Geldprobleme und längere Ausbildungszeiten als wichtige Ursachen für die gestiegene Zahl von „Nesthockern". Damit eine gute Ausbildung bezahlt werden kann, bleiben viele Jugendliche länger zu Hause. Aber nicht nur mit der eigenen Wohnung, sondern auch mit Heirat und der Planung einer eigenen Familie warten die jungen Leute immer länger.

______________________

„Hotel Mama vor allem bei jungen Männern beliebt", meldet das Statistische Bundesamt. 80 Prozent der Männer und nur 66 Prozent der Frauen im Alter von 20 Jahren leben noch bei den Eltern. Von den 25-Jährigen leben insgesamt noch 29 Prozent bei den Eltern. Die Zahlen beweisen: Der Trend ist eindeutig.

______________________

Frauen sind meistens schneller unabhängig, weil sie eher ins Berufsleben eintreten und nicht noch Wehr- oder Ersatzdienst leisten müssen. Außerdem binden sie sich früher. Im Durchschnitt heiraten Frauen mit 27 Jahren, Männer mit über 29 Jahren.

______________________

In Deutschland ist der „typische Nesthocker" wissenschaftlich identifiziert: männlich, ledig, gebildet und Sohn gut verdienender Eltern. Dieser Typ hat festgestellt, dass sich seine lange Ausbildungszeit und seine hohen finanziellen Ansprüche besonders komfortabel dadurch verbinden lassen, dass er bei den Eltern wohnen bleibt.

Die Gründe für den späten Auszug sind vielschichtig und immer individuell. Die Psychologin Elke Herms-Bohnhoff hat verschiedene „Nesthocker-Typologien" entwickelt, darunter die „Lebensplaner": In ihrem Beruf sind sie fleißig, sehen es dafür aber als selbstverständlich an, dass die Eltern sie beherbergen, damit sie ihr Ziel erreichen. Eine weitere Nesthocker-Gruppe sind die „Anhänglichen", die gemeinsame Fernseh- oder Spielabende mit der Familie lieben.

______________________

Überhaupt hat sich die Eltern-Kind-Beziehung geändert, ist ausgeglichener und partnerschaftlicher geworden: Fast 90 Prozent der 12- bis 25-Jährigen geben an, mit ihren Eltern gut klarzukommen. Eine räumliche Trennung gehört auch wegen liberalerer Erziehungsmethoden daher nicht mehr selbstverständlich zum Ablösungsprozess von den Eltern.

b Ordnen Sie die Überschriften den Textabschnitten zu.

Moderne Familie – Ursachen und Gründe – Typologie der Nesthocker – Der Trend in Zahlen – Frauen verlassen das Elternhaus schneller

c Welche Gründe werden im Text <u>für</u> den Trend zum „Hotel Mama" genannt? Tragen Sie diese hier ein. Sammeln Sie weitere Argumente.

| Pro „Hotel Mama" |
| --- |
| *lange Ausbildungszeiten* |

| Contra „Hotel Mama" |
| --- |
| *auf eigenen Beinen stehen* |

d Was spricht Ihrer Meinung nach <u>gegen</u> das „Hotel Mama"? Diskutieren Sie mit Ihrem Partner / Ihrer Partnerin und vergleichen Sie im Kurs.

▶ Ü 1

1.11

3 Hören Sie drei Aussagen. Wo wohnen die Personen und warum? Wie unterscheiden sie sich von den im Text beschriebenen „typischen Nesthockern"?

Felix, 22

Claudia, 21

Simon, 24

Wo?

______ ______ ______

Warum?

______ ______ ______

______ ______ ______

▶ Ü 2

4a Sie bekommen von einem deutschen Brieffreund Post. Überfliegen Sie den Brief und fassen Sie das Problem Ihres Freundes in einem Satz zusammen.

*Liebe/r ...,* *Düsseldorf, den 26. Oktober 20...*

*wie geht es Dir und Deiner Familie? Tut mir leid, dass ich mich so lange nicht gemeldet habe. Aber wie Du weißt, habe ich gerade meine Ausbildung als Krankenpfleger begonnen und musste mich erstmal so richtig einarbeiten. Jetzt ist der erste Stress vorbei und ich überlege, ob ich von zu Hause ausziehen soll. Ich verstehe mich zwar ganz gut mit meinen Eltern und meiner Schwester, aber mein Zimmer ist mir langsam doch zu eng. Das Geld wäre zwar knapp, denn während der Ausbildung verdiene ich natürlich nicht so viel, aber ich hätte endlich meine eigenen vier Wände. Andererseits müsste ich dann auch alles alleine machen, was wahrscheinlich auch ganz schön anstrengend ist, wenn man müde von der Arbeit nach Hause kommt. Was würdest Du denn an meiner Stelle tun? Lass Dir nicht so viel Zeit wie ich und melde Dich bald.*

*Viele Grüße,*
*Dein Sebastian*

b Ihr Freund möchte Ihre Meinung erfahren und Ratschläge von Ihnen bekommen. Welche Redemittel können Ihnen dabei helfen? Ordnen Sie die Redemittel zu und sammeln Sie weitere im Kurs.

Ich denke, dass / Du solltest / Du könntest / Auf keinen Fall solltest Du / Am besten ist / Meiner Meinung nach / Wenn Du mich fragst, dann / An Deiner Stelle würde ich ...

| Meinung äußern | Ratschläge geben |
|---|---|
| | |

c Finden Sie im Kurs gemeinsam verschiedene Möglichkeiten für die Einleitung und den Schlusssatz und beantworten Sie dann den Brief Ihres Freundes. Berücksichtigen Sie dabei folgende Punkte:

- Wie Ihre momentane Wohn- und Lebenssituation aussieht.
- Wie die jungen Leute in Ihrem Land wohnen.
- Was die Vor- und Nachteile eines Auszugs aus Ihrer Sicht sind.
- Was Sie an Sebastians Stelle tun würden.

▶ Ü 3–4

5 **Partnerarbeit – Rollenspiel: Entscheiden Sie sich für eine der drei Situationen und übernehmen Sie eine Rolle.**

**Lukas, 21 Jahre** (Automechaniker)
Sie haben gerade eine wirklich gute Anstellung gefunden. Sie verdienen zwar genug, um von zu Hause auszuziehen, sind sich aber noch nicht ganz sicher.

Sie können unter anderem folgende Sätze verwenden:
Endlich habe ich ...
Ja, aber ich bin mir noch nicht sicher. ...
Ich befürchte nur, ...

**Julia, 25 Jahre** (Verkäuferin)
Sie kennen Lukas sehr gut. Seit drei Jahren leben Sie schon in einer eigenen Wohnung und versuchen Lukas auch zu diesem Schritt zu ermutigen.

Dann kannst du ja jetzt ...
Du kommst schon damit klar ...
Es ist höchste Zeit, ...

**Matthias, 23 Jahre** (Student)
Sie wohnen in einer Wohngemeinschaft und finanzieren Ihr Studium mit einem Job als Kellner. Das Café schließt und Sie finden keine neue Stelle. Sie können sich die Miete nicht mehr leisten und müssen ausziehen. Ihre Eltern haben Ihnen angeboten, dass Sie wieder bei ihnen einziehen können.

Sie können unter anderem folgende Sätze verwenden:
Sie haben mir angeboten, ...
Ich habe wohl keine Wahl. ...
Ich kann dir nicht versprechen, ...

**Johannes, 25 Jahre** (Student)
Sie sind der Mitbewohner von Matthias und raten ihm davon ab, wieder zu Hause einzuziehen. Sie bieten ihm finanzielle Unterstützung an.

Überleg dir das gut. ...
Wenn du möchtest, kann ich ...
Da kannst du dir Zeit lassen. ...

**Ralf, 54 Jahre** (Anwalt)
Ihre Tochter arbeitet seit einem Jahr als Ärztin und wohnt immer noch zu Hause. Zur Klinik braucht sie über eine Stunde mit dem Auto. Sie sind der Meinung, dass dies für Ihre Tochter eine zusätzliche Belastung ist. Sie raten ihr dazu, sich eine Wohnung in der Nähe der Klinik zu suchen.

Sie können unter anderem folgende Sätze verwenden:
Sag mal, wäre es nicht besser ...
Verstehe mich nicht falsch, aber ...
Wir helfen dir schon. ...

**Maria, 30 Jahre** (Ärztin)
Sie möchten eigentlich noch nicht ausziehen, denn Sie haben weder sehr viel Geld noch die Zeit, eine Wohnung zu suchen. Sie versuchen, Ihrem Vater Ihren Standpunkt klarzumachen.

Wie meinst du das? ...
Es ist nicht einfach, ...
Ich finde aber, ...

▶ Ü 5

# König Ludwig II. (1845 – 1886)

## Märchenkönig und Technikfreak
## Sein ungewöhnliches Leben in den Schlössern

*Das Königsschloss Neuschwanstein in Hohenschwangau*

Über den „bayerischen Märchenkönig" gibt es viele Geschichten und Gerüchte. Man beschreibt ihn als verträumt, menschenscheu und realitätsfern. Er war ein König mit extremen Ideen und einem ganz eigenen Stil. Ludwig liebte die Einsamkeit. Er zog sich gerne zurück: in die Natur, die Kunst, die Musik und in die Traumwelt seiner Schlösser. In den Alpen fand er die ideale Kulisse für seine architektonischen Visionen. Hier ließ er die Schlösser Neuschwanstein, Linderhof und Herrenchiemsee bauen.

Mit größter Neugierde verfolgte der König den technischen Fortschritt. Er brauchte die modernste Technik, um seine Fantasien zu verwirklichen. Viele seiner Wohnräume erinnern an Opern- oder Theaterbühnen. Seine größte Leidenschaft waren Farb-, Licht- und Klangeffekte. In einem seiner Schlafzimmer schien ein Mond von einem künstlichen Sternenhimmel auf sein Bett. Orangenbaum-Imitationen und das Rauschen eines künstlichen Wasserfalls umgaben den schlafenden König. Eine weitere Attraktion versteckt sich in Ludwigs Speisezimmer: Das „Tischlein-deck-dich", ein versenkbarer Tisch, an dem der König speisen konnte, ohne dass sein Personal ihn störte. Ein Stockwerk tiefer befand sich die Küche. Dort deckte man den Tisch und fuhr ihn dann mit einem Aufzug durch eine Öffnung im Boden ins Speisezimmer. Alleine war der König während seiner Mahlzeiten aber selten.

*„Tischlein-deck-dich" im Schloss Herrenchiemsee*

Gedeckt war immer für vier Personen. Meistens leisteten ihm Mitglieder des französischen Hofes Gesellschaft: sein Vorbild Ludwig XIV. und andere. Obwohl es diese Gäste nur in Ludwigs Fantasie gab, führte er mit ihnen Gespräche und trank ihnen zu.

## Wohnen im Märchenschloss auch im 21. Jahrhundert?

**Wohnen im Märchenschloss – Traum oder Alptraum?**

**Hohenschwangau** – (...) Schlossverwalter Klaus-Peter Scheck ist seit 1993 der Chef von Schloss Neuschwanstein. Von 1994 bis 2002 hat er sogar im Schloss gewohnt. Nach Betriebsschluss ist hier aber „tote Hose", sagt er. Es sei denn, der König schaut vorbei. In den acht Jahren, in denen Scheck hier oben lebte, ist ihm das sechs Mal passiert. Spukt es auf Schloss Neuschwanstein? Scheck lacht. Verrückte, die sich für Ludwig II. halten, haben ihn durch die Sprechanlage aufgefordert, die Tore zu öffnen. Ihre Majestät wolle wieder ins Schloss einziehen. Seinen Wohnsitz auf Schloss Neuschwanstein hat Klaus-Peter Scheck aber nicht deswegen aufgegeben, sondern wegen der vielen Touristen. Dieser Andrang wäre auch dem König zu viel. Er wollte damals, dass niemand außer ihm und seinen Dienern das Innere seines Märchenschlosses zu Gesicht bekommt.

*(Münchner Merkur Nr. 172: 28.07.05)*

Mehr Informationen zu Ludwigs Schlössern: 

**Sammeln Sie Informationen über Persönlichkeiten aus dem In- und Ausland, die für das Thema „Wohnen" interessant sind, und stellen Sie sie im Kurs vor. Sie können dazu die Vorlage „Porträt" im Anhang verwenden.**

Beispiele aus dem deutschsprachigen Bereich:
Walter Gropius – Friedensreich Hundertwasser

## 1 Konnektoren

Hauptsatz + Nebensatz: *Die Eltern bleiben in der Wohnung, **obwohl** sie zu groß ist.*

Hauptsatz + Hauptsatz: *Die Eltern bleiben in der Wohnung, **denn** die Miete ist billig.*

Hauptsatz + Hauptsatz (Verb direkt hinter Konnektor): *Die Miete ist billig, **deshalb** bleiben die Eltern in der Wohnung.*

| | **Kausalsätze (Grund)** | **Konzessivsätze (Gegengrund)** | **Konsekutivsätze (Folge)** |
|---|---|---|---|
| Hauptsatz + Nebensatz | da, weil | obwohl | …, sodass …<br>so…, dass … |
| Hauptsatz + Hauptsatz | denn | | |
| Hauptsatz + Hauptsatz (Verb direkt hinter Konnektor) | | trotzdem | deshalb, darum<br>deswegen |

## 2 Graduierung

regelmäßig ohne Umlaut

| Grundform | Komparativ | Superlativ |
|---|---|---|
| klein<br>hell<br>billig | klein**er**<br>hell**er**<br>billig**er** | **am** klein**sten**<br>**am** hell**sten**<br>**am** billig**sten** |

regelmäßig mit Umlaut

| Grundform | Komparativ | Superlativ |
|---|---|---|
| warm<br>lang | wärm**er**<br>läng**er** | **am** wärm**sten**<br>**am** läng**sten** |
| jung<br>klug | jüng**er**<br>klüg**er** | **am** jüng**sten**<br>**am** klüg**sten** |
| groß | größ**er** | **am** grö**ßten** |

Adjektive auf -d, -t, -s, -ß, -sch,-st, -z

| Grundform | Komparativ | Superlativ |
|---|---|---|
| breit<br>wild<br>heiß<br>hübsch<br>kurz | breit**er**<br>wild**er**<br>heiß**er**<br>hübsch**er**<br>kürz**er** | **am** breit**esten**<br>**am** wild**esten**<br>**am** heiß**esten**<br>**am** hübsch**esten**<br>**am** kürz**esten** |

unregelmäßig

| Grundform | Komparativ | Superlativ |
|---|---|---|
| gut<br>viel<br>hoch<br>nah | besser<br>mehr<br>höher<br>näher | am besten<br>am meisten<br>am höchsten<br>am nächsten |

Merke: Adjektive im Komparativ oder Superlativ vor Substantiven erhalten zusätzlich die Kasusendungen. Deklination wie in der Grundform (siehe Kapitel 1).

*Wir haben uns für die größer**e** Wohnung entschieden.*

Vergleich

*genauso/so* + Grundform + *wie* — *Dein Balkon ist **genauso groß wie** meiner.*
*Meine Wohnung ist nicht **so groß wie** deine.*

Komparativ + *als* — *Deine Wohnung ist viel **heller als** meine.*

*anders + als* — *Die neue Wohnung ist ganz **anders** geschnitten **als** die alte.*

1 Sehen Sie sich den ganzen Film an. Wie wirken die Familien auf Sie?

## Familie Leupelt

Vater Herbert
*Auf eine Art möchte ich meine Freiheit haben. Ich hätte ganz gern, wenn die beiden zwei Straßen weiter wohnen würden.*

Mutter Renate
*Ich bin die Chefin im Haushalt. Anschaffen kann ich nur meinem Mann etwas. Meine Tochter sagt, „lass mein Zeug in Ruh". Ich kann's aber nicht. Ich gehe hoch und mache so einige Handgriffe.*

Tochter Angelika, 46
*Zu Hause bin ich das kleine Kind, das Befehle entgegennimmt und sich nach den Regeln richtet, ob's mir passt oder nicht.*

Enkel Maximilian

## Familie Zeisig

Vater Reinhold

Sohn Robert, 32
*Meine Mutter macht eigentlich komplett alles. Das ist doch verdammt schön.*

Mutter Evi
*Ich mag halt alles geordnet. Da hat der Robert überhaupt kein Interesse dran. Wahrscheinlich haben wir ihn zu sehr verwöhnt.*

Freundin Nicole
*Aber es ist immer die Mama im Spiel. Die Mama ist immer da, Mama, Mama, Mama!*

## Familie Retzlaff

Mutter Gisela
*Ich will, dass sie selbstständig werden. Doch der Verstand sagt so, und das Herz sagt etwas anderes. Das Herz sagt, ich finde es schön, wenn sie da sind.*

Sohn Matthias, 35
*Vieles macht meine Mutter einfach. Ich würde es auch machen, aber sie kommt mir immer zuvor, sie hat mehr Zeit. So wird man halt bedient und hofiert.*

Sohn Martin, 30
*Ich denke, dass ich in meiner Selbstständigkeit und Entwicklung eingeschränkt bin.*

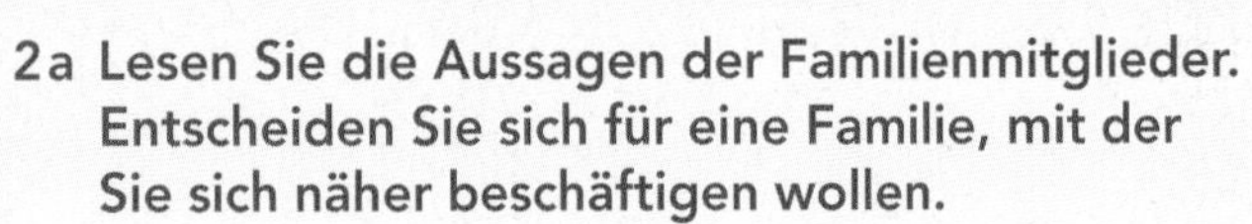

2a Lesen Sie die Aussagen der Familienmitglieder. Entscheiden Sie sich für eine Familie, mit der Sie sich näher beschäftigen wollen.

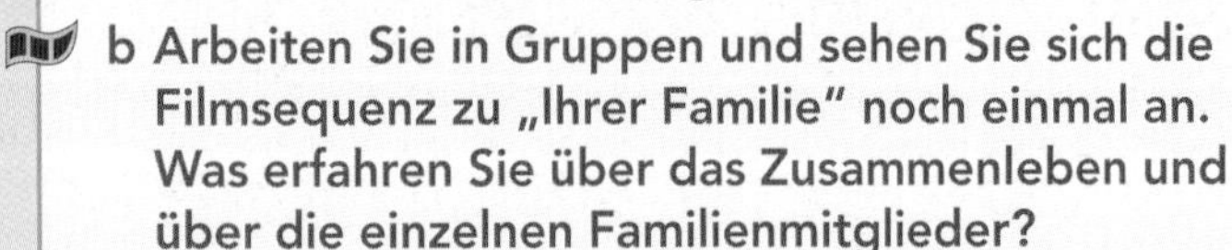

b Arbeiten Sie in Gruppen und sehen Sie sich die Filmsequenz zu „Ihrer Familie" noch einmal an. Was erfahren Sie über das Zusammenleben und über die einzelnen Familienmitglieder?

c Warum wohnen die erwachsenen Kinder noch zu Hause?

d Was gefällt Ihnen, was gefällt Ihnen nicht an der Familie?

3 Stellen Sie die Familie vor und vergleichen Sie die drei Familien im Kurs miteinander.

4a Überlegen Sie sich in Ihrer Gruppe einen Dialog zwischen den Familienmitgliedern. (z. B. beim Essen, Putzen, im Garten, ...).

b Spielen Sie die Szene.

c Sprechen Sie über die Szene und Ihre Rolle. Was hat Ihnen an der Rolle gefallen, was nicht?

**5 a Das eine schließt das andere aus. Suchen Sie elf Gegenteilpaare.**

selbstbewusst Macht abhängig ängstlich Risiko behindern
ändern Hoffnung Freiheit sich lösen festhalten

loslassen selbstständig Kontrolle Verzweiflung sich binden Sicherheit
mutig fördern schüchtern Ohnmacht gleich bleiben

**b Wählen Sie drei Begriffe aus. Welche Assoziationen verbinden Sie mit den Begriffen? Sammeln Sie im Kurs**

Mutter Erde Mutterliebe Mutterrolle mutterseelenallein Muttersöhnchen
Muttersprache Rabenmutter Schwiegermutter Stiefmutter Übermutter

**6 a Evi Zeisig, Renate Leupelt und Gisela Retzlaff gehen ganz in ihrer Mutterrolle auf. Beschreiben Sie die Aktivitäten der Mütter auf den Fotos. Was machen sie noch alles für ihre erwachsenen Kinder?**

**b Würde sich etwas ändern, wenn sie weniger für ihre Kinder tun würden? Diskutieren Sie.**

**7 Wie sieht die Zukunft der „Nesthocker" aus?**

# Wie geht's denn so?

1a Sehen Sie die Bilder an und diskutieren Sie im Kurs. Welche Ratschläge werden hier gegeben?

## Sie lernen

Zwischenüberschriften zu einem Text über das Lachen formulieren . . . . . . . . . . . . Modul 1

Per Brief eine Anfrage an einen Verein schreiben . . . . . . . . . . . . . . . . . . . . . . . . . . Modul 2

Informationen aus Texten über Schokolade auswerten . . . . . . . . . . . . . . . . . Modul 3

Über den Tagesrhythmus sprechen . . . . . . . Modul 4

Tipps gegen Stress geben (in Gesprächen und in einem Forums-Beitrag) . . . . . . . . . . . Modul 4

## Grammatik

Trennbare und untrennbare Verben . . . . . . . Modul 1

Pluralbildung der Substantive . . . . . . . . . . . Modul 3

b Ordnen Sie die Satzelemente zu und schreiben Sie die Sprichwörter zu den Bildern.

1 _d_ Den Kopf halt kühl, die Füße warm, ...
2 ___ Nach dem Essen sollst du ruhn ...
3 ___ Mit den Hühnern ins Bett ...
4 ___ Iss morgens wie ein Kaiser, mittags wie ...
5 ___ Ein Apfel am Tag, ...

a ... und mit ihnen aufstehen.
b ... mit dem Doktor kein' Plag.
c ... ein Edelmann, abends wie ein Bettler.
d ... das macht den besten Doktor arm.
e ... oder tausend Schritte tun.

2 Wählen Sie drei Sprichwörter aus. Warum sollte man den Ratschlägen folgen?

3 Welchen Rat befolgen Sie bereits? Welches Sprichwort möchten Sie in Zukunft in die Tat umsetzen?

4 Gibt es in Ihrer Sprache ähnliche Sprichwörter? Wählen Sie ein Sprichwort aus, übersetzen und erklären Sie es im Kurs.

# Lach mal wieder

▶ Ü 1

1 Wie oft lachen Sie? Wann haben Sie das letzte Mal herzhaft gelacht?

2a Lesen Sie den folgenden Text und formulieren Sie für jeden Abschnitt eine Überschrift.

## Lachen ist gesund

1 ____________________

Die gesunde Wirkung des Lachens ist inzwischen allgemein bekannt. Doch im „Ernst des Lebens" hat das Lachen manchmal wenig 5 Chancen. Während Kinder bis zu 400-mal am Tag lachen, tun Erwachsene das im Durchschnitt nur noch 15-mal. Immer mehr Menschen treffen sich deshalb in Lachclubs. Lachen ist eine spezielle Ausdrucksform des Menschen und 10 wirkt sozial, physisch und psychisch ausgleichend. Es ist eigentlich eine besondere Form des Atmens.

____________________

Im Körper bringt das Lachen bis zu 300 15 Muskeln in Bewegung und löst eine Fülle von Vorgängen aus. Zunächst werden verschiedene Muskelgruppen angespannt (Gesichtsmuskeln, Brustkorb, etc.). Später entspannt sich der Körper spürbar. Beim Lachen atmet man tiefer, es 20 gelangt mehr Sauerstoff in den Körper. Das Immunsystem produziert beim Lachen mehr Abwehrkräfte und das Gehirn schüttet Glückshormone aus.

____________________

25 Die Wissenschaft, die die Wirkung des Lachens auf Körper und Psyche untersucht, heißt Gelotologie (vom griechischen „gelos" – lachen). Den Anstoß für diese Forschung gab Mitte der 60er-Jahre der US-amerikanische 30 Journalist Norman Cousins. Als er mit 49 Jahren unheilbar erkrankte, versuchte er es mit einer ungewöhnlichen Therapie. Er setzte alle Medikamente ab, zog von der Klinik ins Hotel und verbrachte die Zeit mit lustigen Filmen, 35 Büchern und Comics. Das Lachen vertrieb die Schmerzen und heilte ihn schließlich sogar. Inzwischen wird die Lachtherapie vielseitig angewandt.

____________________

40 Um die therapeutische und gesundheitserhaltende Wirkung des Lachens intensiver zu nutzen, hat der indische Arzt Mandan Katrina vor einigen Jahren das sogenannte Lach-Yoga oder Hasya-Yoga entwickelt. Praktiziert wird es 45 in Lachclubs und jeder kann mitmachen, Jung und Alt. Weltweit sollen es inzwischen rund 3.000 Clubs sein und auch in Deutschland werden sie immer populärer. Treffen zum gemeinsamen Lachen beginnen mit Atemübungen. 50 Danach werden verschiedene Formen des Lachens trainiert. Besonderheit des Lach-Yogas ist, dass ohne Grund gelacht wird. Es geht tatsächlich „nur" um das richtige Anspannen von Muskeln. Werden diese aktiviert, schüttet das 55 Gehirn Glückshormone aus.

b Lesen Sie die Aussagen 1–4. Wo finden Sie diese Informationen im Text? Geben Sie die Zeilen an.

1. Die Abwehrkräfte werden vermehrt und Glückshormone freigesetzt.
2. Man lacht grundlos und trainiert verschiedene Arten des Lachens.
3. Lachen ist nur eine besondere Art zu atmen, hält aber Körper und Seele in Balance.
4. Durch das Lachen können Schmerzen gelindert und Krankheiten geheilt werden.

▶ Ü 2

▶ Ü 3–4

c Welche Informationen im Text waren neu für Sie? Was fanden Sie besonders interessant?

3 **Können Sie sich vorstellen, in einen Lachclub zu gehen? Begründen Sie. Informieren Sie sich im Internet über Lachclubs. Gibt es auch einen in Ihrer Nähe?**

*Ich möchte das gerne mal probieren, weil …* *Ich lache eigentlich oft und darum …*

1.14

4a **Im Text finden Sie trennbare und untrennbare Verben. Hören Sie zu und markieren Sie den Wortakzent.**

auslösen – anspannen – entspannen – ausschütten – untersuchen – erkranken – verordnen – absetzen – verbringen – vertreiben – anwenden – entwickeln – mitmachen – beginnen

b **Welche Verben sind trennbar? Welche sind untrennbar? Ordnen Sie die Verben zu.**

G

| A: Trennbare Verben | B: Untrennbare Verben |
|---|---|
| *aus \| lösen* | *entspannen* |

c **Erweitern Sie A und B um zusätzliche Verben.**

▶ Ü 5

5a **Lesen Sie 1 bis 3 und ergänzen Sie jeweils die Sätze 4 und 5.**

| | A mitmachen | B entspannen |
|---|---|---|
| 1. Aussage: | Ich mache bei dem Lachkurs mit. | Lachyoga entspannt mich. |
| 2. Imperativ: | Mach mit, das ist lustig! | Entspann dich, alles ist okay! |
| 3. *zu* + Inf.: | Es ist toll, Lachyoga mitzumachen. | Es ist schwer, sich zu entspannen. |
| 4. NS, z.B. mit *weil*: | Der Kurs ist gut, weil alle ________ ________ | Lachen tut gut, weil ________ ________ |
| 5. Perfekt: | Ich habe von Anfang an ________ ________ | Beim Lachen habe ich mich ________ ________ |

b **Bilden Sie zehn Sätze wie in 5a. Benutzen Sie Verben aus Ihren Listen A und B.**

*A*
*1. Kerstin holt mich um 19.00 Uhr ab.*
…

*B*
*1. Wir verbringen die Ferien am Meer.*

▶ Ü 6–9

1.15

6a **Selten so gelacht – Lesen und hören Sie die beiden Witze. Über welchen Witz können Sie lachen?**

1. Zwei Ratten sitzen vor dem Fenster.
   Da fliegt eine Fledermaus vorbei.
   Sagt die eine Ratte zu der anderen:
   „Schau, ein Engel!"
2. Warum summen die Bienen? –
   Weil sie den Text vergessen haben!

b **Wer kennt einen Witz? Erzählen Sie im Kurs.**

# Fast Food – Slow Food

**1a** **Beschreiben Sie die Bilder. Wo und in welchen Situationen isst man diese Gerichte?**

**b** **Was und wie essen Sie? Beantworten Sie die Fragen.**

1. Wie oft kochen Sie in der Woche selbst? ______
2. Wie lange darf Kochen für Sie maximal dauern? ______
3. Wie wichtig ist es für Sie, in Ruhe essen zu können? ______
4. Was essen Sie gerne, wenn Sie wenig Zeit haben?
   ______
5. Wo kaufen Sie Ihre Lebensmittel meistens ein?
   ______
6. Wie oft gehen Sie in ein Restaurant essen? ______
7. Wie muss gutes Essen für Sie sein? Nennen Sie zwei Adjektive.
   ______

**c** **Arbeiten Sie in Gruppen. Fassen Sie die Ergebnisse zusammen und stellen Sie sie vor.**

*Gruppe 1:*
*In unserer Gruppe kochen nur zwei Personen täglich. Der Rest steht nur am Wochenende in der Küche. Das Kochen macht den Personen unterschiedlich viel Spaß. Drei Personen sagen, dass das Kochen maximal 30 Minuten dauern darf, zwei meinen, das Kochen kann auch bis zu zwei Stunden dauern ...*

▶ Ü 1

1.16

**2a Andreas ist Besitzer eines Slow Food-Restaurants. Hören Sie den Beginn eines Gesprächs. Wie erklärt er seiner Bekannten Brigitte dieses Symbol?**

1.17

**b Hören Sie nun das ganze Gespräch und markieren Sie während des Hörens, ob die Aussagen richtig oder falsch sind.**

| | | r | f |
|---|---|---|---|
| a | Die Schnecke steht für vegetarisches Essen. | ☐ | ☐ |
| b | Die Slow Food-Bewegung ist 1986 entstanden. | ☐ | ☐ |
| c | Mitarbeiter von McDonalds haben damals demonstriert. | ☐ | ☐ |
| d | Der Verein hat knapp 60.000 Mitglieder aus 35 Ländern. | ☐ | ☐ |
| e | Viele essen Fast Food, weil sie im Stress sind. | ☐ | ☐ |
| f | Fast Food ist in der Qualität besser geworden. | ☐ | ☐ |

**3 Sie haben einen Flyer von Slow Food gelesen und interessieren sich für diesen Verein. Sie überlegen, ob Sie vielleicht Mitglied werden möchten. Deshalb schreiben Sie eine Anfrage an Slow Food.**

SLOW FOOD
*Nordhessen*
*Veranstaltungen Winter - Frühling*
Slow Food®
Deutschland e.V.

**a Überlegen Sie, welche Art Brief Sie schreiben. Markieren Sie die zutreffenden Aussagen.**

☐ persönlicher Brief ☐ formeller Brief
☐ Du-Form ☐ Sie-Form

**b Wie beginnen und wie beenden Sie Ihre Anfrage? Kreuzen Sie an.**

☐ Liebe(r) … ☐ Sehr geehrte Damen und Herren, …
☐ Viele Grüße ☐ Mit freundlichen Grüßen
☐ Liebe Grüße

**c Formulieren Sie eine mögliche Einleitung, in der Sie schreiben, warum Sie sich an den Verein wenden. Benutzen Sie eine der folgenden Wendungen.**

*Ich wende mich heute an Sie, weil …* *Ich schreibe Sie heute an, weil …*
*Mit diesem Brief möchte ich Kontakt mit Ihnen aufnehmen, weil …*

**d Sie möchten den Verein um Informationsmaterial bitten. Sammeln Sie in der Gruppe Redemittel, die eine Bitte ausdrücken.**

*Es wäre sehr freundlich von Ihnen, wenn …*

▶ Ü 2

**e Formulieren Sie nun den Brief. Schreiben Sie etwas zu folgenden Punkten:**

- Wo Sie von dem Verein gelesen haben.
- Warum der Verein für Sie interessant ist.
- Welche Informationen Sie gern erhalten möchten (Ziele des Vereins? Vorteile der Mitgliedschaft? Kosten? Veranstaltungen?).
- Bitten Sie um Informationsmaterial.

# Eine süße Versuchung ...

1a Welche Süßigkeit mögen Sie am liebsten? Machen Sie im Kurs eine Umfrage.

*Vanillepudding, Schokolade, Tiramisu, ...*

b Welche Adjektive beschreiben Ihre Lieblingssüßigkeit am besten?

süßlich, sauer, bitter, scharf, gewürzt, sahnig, fruchtig, säuerlich, herb, gepfeffert, leicht, köstlich, aromatisch, zuckersüß, cremig, zartbitter

2a Wissenswertes rund um die Schokolade: Lesen Sie die Texte und ordnen Sie den passenden Titel zu.

**Wie entstand die Schokolade?** ____

**Was ist drin in Schokolade?** ____

**Wo isst man am meisten Schokolade?** *4*

**Macht Schokolade glücklich?** ____

1 Die Hauptbestandteile der Schokolade sind schnell verraten: Neben Kakao enthält jede Tafel Vollmilchschokolade etwa 30 Prozent Fett und bis zu 50 Prozent Zucker. Kein Wunder also, dass in 100 Gramm des süßen Vergnügens viele Kalorien stecken. In fast jede Schokolade werden Geschmacksverbesserer gegeben. Milch- oder Sahnepulver machen das Ganze schön cremig. Nüsse und Nougat, Karamell und Marzipan sorgen für zusätzliche Geschmacksvarianten. Das bitter-herbe Aroma von Bitterschokolade entsteht dadurch, dass sie mindestens 60 Prozent Kakao enthält.

2 Schokolade ist Nervennahrung. Sie enthält ein ganzes Paket von Substanzen, die unsere Psyche beeinflussen, z.B. Koffein. Viel größere Einflüsse auf die menschliche Psyche hat der hohe Zuckergehalt. Durch das Naschen der süßen Köstlichkeiten wird das Glückshormon Serotonin produziert.

3 Die Mayas in Mittelamerika zählten zu den größten Schokoladenfans. Ethnologen entdeckten in einem 1500 Jahre alten Gefäß Kakao. Schon 600 Jahre vor Christus heilten Indianer mit Hilfe eines Getränks aus Kakao Fieber und Husten. Später entwickelten die Azteken, die auf dem Gebiet des heutigen Mexikos lebten, die Traditionen weiter. Sie mischten Kakaopulver mit Wasser. Die mit Honig gesüßte Variante dürfte dem heutigen Kakao am nächsten stehen.

4 Schokoliebhaber gibt es überall auf der Welt. Spitzenreiter im Schokoladenessen sind die Schweizer: 12 Kilo isst jeder Schweizer pro Jahr. Danach folgen die Österreicher, Iren, Norweger, Dänen und Deutschen. Mehr als acht Kilo Schokolade isst ein Deutscher pro Jahr. Hier steigt die Zahl der feinen Schokoladenläden. Für Kinder gibt es eine ganze Reihe spezieller Produkte wie zum Beispiel das berühmte Kinderüberraschungsei.

b Welche Information aus den Texten ist für Sie am interessantesten? Begründen Sie.

*Mich hat total überrascht, dass ...* *Besonders interessant finde ich ...*

*Erstaunlich finde ich ...* *Für mich war neu ...*

3 **An welchen Fest- und Feiertagen verschenkt man in Ihrem Land Schokolade?**

*In meinem Land schenkt man sich zu Ostern keine …*
*Bei uns bekommen die Frauen am Valentinstag …*

▶ Ü 1

4a **Plural der Substantive. Bei den Substantiven lernt man am besten die Pluralform gleich mit. Es gibt jedoch auch einige Orientierungshilfen zur Bildung des Plurals. Ordnen Sie die Pluralendungen in der Tabelle zu. Wenn nötig, nehmen Sie die Texte zu Hilfe. Ergänzen Sie dann die Pluralform der Beispiele.**

~~-(")ø~~ -s -(")er -(e)n -(")e

| Typ | Pluralendung | Welche Substantive? | Beispiel |
|---|---|---|---|
| I | *-(")ø* | – maskuline Substantive auf -en/-er/-el<br>– neutrale Substantive auf -chen/-lein | Singular: der Norweger<br>Plural: *die Norweger* |
| II | | – fast alle femininen Substantive (96%)<br>– maskuline Substantive auf -or<br>– alle Substantive der n-Deklination | Singular: die Geschmacksvariante<br>Plural: ____________ |
| III | | – viele maskuline und neutrale Substantive (ca. 70%) | Singular: der Hauptbestandteil<br>Plural: ____________ |
| IV | | – einsilbige neutrale Substantive<br>– einige maskuline Substantive<br>– Substantive auf -tum | Singular: das Kind<br>Plural: ____________ |
| V | | – viele Fremdwörter<br>– Abkürzungen<br>– Substantive mit -a/-i/-o/-u im Auslaut | Singular: der Schokoladenfan<br>Plural: ____________ |

b **Bilden Sie mit Hilfe der Angaben im Kasten den Plural von folgenden Substantiven:**

der Kuchen – der Ernährungstipp – die Schokoladensorte – die Zutat – das Restaurant – der Feinschmecker – das Foto – das Kaffeehaus – der Produzent – das Glas – die Mahlzeit – das Getränk – der Gast – das Gericht – die Nachspeise – der Koch – die Süßigkeit

▶ Ü 2

c **Ergänzen Sie in den Sätzen die Endungen. Ergänzen Sie dann die Regel.**

a Kakao, Fett und Zucker gehören zu den Hauptbestandteile__ von Schokolade.
b Schokolade schmeckt allen Kinder__ sehr gut.
c In Schokoriegel__ ist oft eine Cremefüllung enthalten.

Der Dativ Plural bekommt die Kasusendung ___.
Ausnahme: Substantive, die im Plural auf -s enden.

▶ Ü 3

# Bloß kein Stress!

1a Sind Sie ein Frühaufsteher oder ein Nachtmensch? Fällt Ihnen das Aufstehen schwer oder springen Sie morgens um sechs fröhlich aus den Federn? Berichten Sie.

▶ Ü 1–2

b Wie sieht ein typischer Tag bei Ihnen aus? Was machen Sie wann? Notieren Sie Stichpunkte und vergleichen Sie mit Ihrem Partner / Ihrer Partnerin. Was ist gleich? Wo sind Unterschiede?

*Im Gegensatz zu Peter mache ich am Nachmittag immer ...*
*Bei uns ist das ähnlich. Wir beide gehen um 8.30 Uhr ...*

*Bei mir ist das ganz anders.*
*Während Peter abends ..., mache ich ...*

c Wann können Sie am besten konzentriert lernen bzw. arbeiten? Wann sind Sie besonders müde?

2 Lesen Sie den Text und fassen Sie die Hauptaussagen mündlich zusammen.

Früher bestimmte die Natur mit ihrem Licht- und Dunkelwechsel den Alltag der Menschen. Wir entwickelten einen typischen Biorhythmus mit einem Leistungshoch am Tag und einem Leitstungstief in der Nacht. Gleichzeitig bestimmten genetische, innere Uhren einen Grundrhythmus. Das Sonnenlicht spielte dabei eine wichtige Rolle. Es stellt die inneren Uhren täglich neu auf einen 24-Stunden-Rhythmus mit Aktivitäts- und Ruhephasen ein. Doch seit der Erfindung der Glühbirne macht der Mensch die Nacht zum Tag. Wir leben immer mehr gegen unseren Biorhythmus, denn die inneren Uhren lassen sich nicht ohne Weiteres verstellen. Als Folge von Schlafmangel und Übermüdung häufen sich Fehler, Unfälle und Krankheiten.

▶ Ü 3

1.18

**3a** Hören Sie einen Radiobeitrag zum Thema „Biorhythmus". Wann ist unsere Leistungsfähigkeit am höchsten? Notieren Sie.

**b** Was macht man am besten wann? Hören Sie den Beitrag noch einmal und ergänzen Sie das Schema in Stichpunkten.

▶ Ü 4

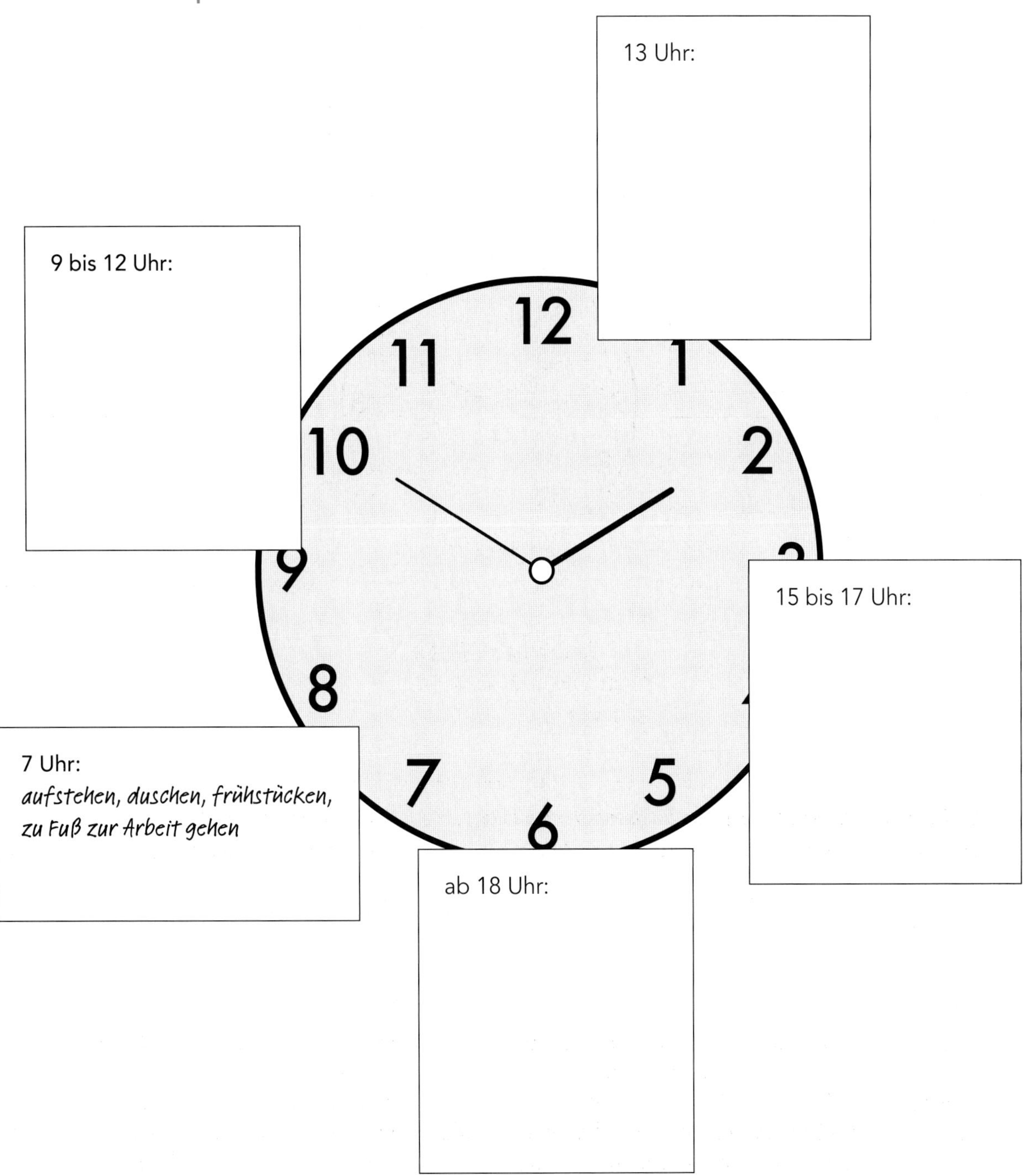


**c** Was halten Sie von den Empfehlungen? Vergleichen Sie mit Ihrem Tagesablauf.

# Bloß kein Stress!

**4a Sehen Sie sich die folgenden Situationen an. In welcher wären Sie besonders gestresst? Beschreiben Sie andere Situationen, in denen Sie sehr gestresst waren oder immer wieder sind.**

Es ist 16 Uhr und Helena hat morgen um 9 Uhr eine wichtige Prüfung. Sie hat aber erst die Hälfte des Prüfungsstoffes gelernt.

Heute ist Michaels erster Tag in der neuen Firma. Er kennt die neuen Kollegen nicht und auch die Arbeitsaufgaben sind neu für ihn.

Lola und Daniel heiraten in drei Wochen und wollen ein großes Fest machen. Allerdings haben sie bis jetzt noch nichts organisiert.

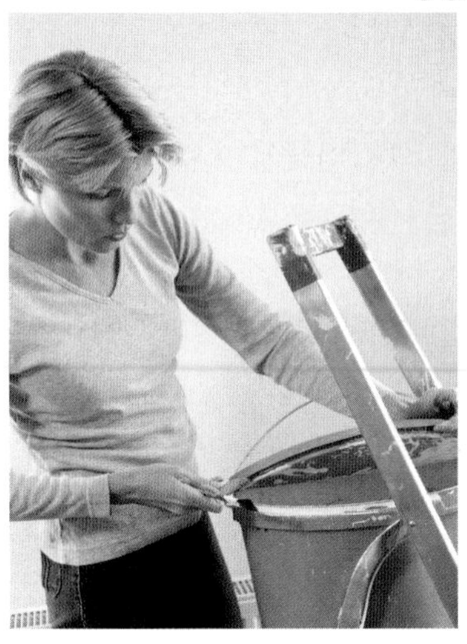

Endlich hat Sybille eine neue Wohnung gefunden. In zwei Wochen kann sie schon einziehen. Aber sie muss noch die alte Wohnung renovieren und einen Nachmieter finden.

**b Arbeiten Sie in kleinen Gruppen und wählen Sie zwei Situationen aus. Was können die Personen tun? Erarbeiten Sie Lösungsmöglichkeiten und vergleichen Sie diese im Kurs.**

*Michael sollte zuerst mit seiner Chefin reden und ...*
*Sybille kann eine Anzeige aufgeben und ...*

**5 Wie kann man sich in Stresssituationen entspannen? Formulieren Sie mit Ihrem Partner fünf Tipps.**

*Vor dem Schlafengehen ein Glas heiße Milch trinken, das hilft beim Einschlafen.*
*Ein langer Spaziergang ist ein gutes Mittel gegen Stress.*

**6 Sie wollen sich über Stress informieren und suchen im Internet nach Informationen. Dabei stoßen Sie auf ein Stress-Management-Forum und finden folgenden Beitrag:**

NEUER BEITRAG | ANTWORTEN

| AUTOR | NACHRICHT: Stress in der Firma |
|---|---|
| Doris | Hallo,<br>seit ich in dieser neuen Firma arbeite, fühle ich mich so richtig gestresst. Eigentlich macht mir die Arbeit Spaß, aber gleichzeitig bin ich total überfordert. Ich muss mit einem Computerprogramm arbeiten, mit dem ich mich nicht gut auskenne und alles muss immer schnell gehen. So habe ich auch gar keine Zeit, mich richtig einzuarbeiten. Die Chefin ist eigentlich ganz nett, die Kollegen auch. Aber ein Kollege macht mir das Leben schwer. Wenn er einen Fehler macht oder etwas noch nicht erledigt hat, schiebt er es mir in die Schuhe. Ich bin schon so gestresst, dass ich mich gar nicht mehr richtig konzentrieren kann und auch nachts nicht schlafen kann. Wer hat ähnliche Erfahrungen gemacht und kann mir vielleicht helfen? |

**a Sie wollen mit einem eigenen Beitrag antworten. Nummerieren Sie in welcher Reihenfolge Sie am besten über die einzelnen Punkte sprechen.**

☐ Tipps geben ☐ über eigene Erfahrungen berichten ☐ Verständnis für Doris' Situation äußern

**b Welche Redemittel passen zu welchem Gliederungspunkt?**

| | | |
|---|---|---|
| Ich kann gut verstehen, dass ...<br>Es ist ganz natürlich, dass ...<br>Es ist verständlich, dass ... | An Deiner Stelle würde ich ...<br>Mir hat ... sehr geholfen.<br>Ich würde Dir raten, ... | Ich habe ähnliche Erfahrungen gemacht, als ...<br>Mir ging es ganz ähnlich, als ...<br>Bei mir war das damals so: ... |

**c Was wollen Sie schreiben? Notieren Sie Stichpunkte.**

| Erfahrungen | Tipps |
|---|---|
| *Praktikum im Ausland* | *mit Chef/Chefin sprechen* |
| ... | ... |

**d Formulieren Sie Ihren Beitrag aus. Anschließend hängen alle Kursteilnehmer ihre Beiträge unter den Beitrag von Doris an der Wand auf, sodass ein richtiges Forum entsteht. Wählen Sie einen weiteren Beitrag aus, auf den Sie antworten wollen.**

# Lindt & Sprüngli

## Eine Erfolgsgeschichte

Im Jahr 1845 beschlossen der Konditor David Sprüngli-Schwarz und sein Sohn Rudolf Sprüngli-Ammann, in ihrer kleinen Konditorei in Zürich Schokolade in fester Form herzustellen.

Die neue Schleckerei fand rasch den Zuspruch der feinen Züricher Gesellschaft, sodass man nach zwei Jahren die Schokoladenfabrikation in eine kleine Fabrik verlagerte und kurz darauf eine weitere große Konditorei eröffnete.

Als sich Rudolf Sprüngli-Ammann 1892 aus dem Berufsleben zurückzog, war er für die Qualität seiner Produkte bekannt und als Fachmann hoch angesehen. Seine Geschäfte teilte er unter den beiden Söhnen auf. Der jüngere David Robert erhielt die beiden Confiserien, die unter ihm und seinen Nachfolgern weltweit bekannt wurden. Dem älteren der Brüder, Johann Rudolf Sprüngli-Schifferli sprach der Vater die Schokoladenfabrik zu. Der weitsichtige und risikofreudige Unternehmer vergrößerte zunächst die Fabrikanlagen und brachte sie auf den neuesten Stand der Technik. 1899 erbaute er eine neue Fabrik und erwarb die zwar kleine aber berühmte Schokoladenmanufaktur von Rodolphe Lindt in Bern. Durch diesen Schritt gingen nicht nur die Anlagen, sondern auch die Fabrikationsgeheimnisse und die Marke von Rodolphe Lindt auf die junge Firma über. Lindt war der wohl berühmteste Schokoladenfabrikant seiner Zeit.

*Rudolf Sprüngli-Amman*

*Rodolphe Lindt*

Er entwickelte 1879 ein Verfahren, das ihm ermöglichte, Schokolade herzustellen, die in Aroma und Schmelz allen anderen ihrer Zeit hoch überlegen war.

Seine „Schmelzschokolade" wurde rasch berühmt und trug wesentlich zum weltweiten Ruf der Schweizer Schokolade bei. 1905 schieden Rodolphe Lindt und seine Verwandten aus der Firma aus. In den ersten 20 Jahren des vergangenen Jahrhunderts erlebte die Schweizer Schokoladenindustrie eine fast unvorstellbare Blütezeit vor allem im Export. An diesem Aufschwung hatte Lindt & Sprüngli kräftig Anteil. Um 1915 exportierte die Firma rund drei Viertel ihrer Produktion in 20 Länder auf der ganzen Welt. Allerdings führten die Wirtschaftskrisen der 20er- und 30er-Jahre nach und nach zu einem vollständigen Verlust sämtlicher ausländischer Märkte. Der Zweite Weltkrieg brachte strenge Einfuhrbeschränkungen für Zucker und Kakao und 1943 die Rationierung. Lindt & Sprüngli überstand alle diese Krisenzeiten. Nach dem Krieg wuchs die Nachfrage fast lawinenartig an, zuerst im Inland, später auch im Ausland. Heute verfügt die Gruppe über Gesellschaften mit eigener Produktion in der Schweiz, in Deutschland, Frankreich, Italien, Österreich und in den USA, Vertriebsgesellschaften in England, Spanien, Schweden, Polen, Kanada, Mexiko und Australien sowie Verkaufsbüros in Hongkong und Dubai. Die Schokoladenfabrik Lindt & Sprüngli AG ist seit 1986 eine Aktiengesellschaft in überwiegend schweizerischem Besitz.

Mehr Informationen zu Lindt & Sprüngli 

**Sammeln Sie Informationen über Persönlichkeiten aus dem In- und Ausland, die für das Thema „Ernährung und Gesundheit" interessant sind, und stellen Sie sie im Kurs vor. Sie können dazu die Vorlage „Porträt" im Anhang verwenden.**

Beispiele aus dem deutschsprachigen Bereich: Sebastian Kneipp – Julius Maggi – Julius Meindl

## 1 Trennbare und untrennbare Verben

| Präfixe | Beispiele |
|---|---|
| trennbar | **ab**/fahren, **an**/kommen, **auf**/hören, **aus**/sehen, **bei**/stehen, **dar**/stellen, **ein**/richten, **empor**/steigen, **fort**/laufen, **her**/kommen, **hin**/fallen, **los**/fahren, **mit**/nehmen, **nach**/denken, **vor**/stellen, **weg**/laufen, **weiter**/arbeiten, **wieder**/sehen, **zu**/hören |
| untrennbar | **be**nutzen, **emp**fehlen, **ent**fernen, **er**ziehen, **ge**brauchen, **hinter**lassen, **miss**lingen, **ver**gessen, **zer**brechen |

Merke: In den folgenden Fällen wird das trennbare Verb nicht getrennt:
- im Nebensatz: *Er sagte, dass er die Therapie absetzt.*
- wenn das Verb ein Partizip Perfekt ist: *Er hat die Therapie abgesetzt.*
- wenn das Verb im Infinitiv mit oder ohne *zu* steht: *Er hat begonnen, die Therapie abzusetzen. / Er möchte die Therapie absetzen.*

## 2a Pluralbildung der Substantive

| Typ | Plural-endung | Welche Substantive? | Beispiele |
|---|---|---|---|
| I | -(")Ø | – maskuline Substantive auf -en/-er/-el<br>– neutrale Substantive auf -chen/-lein | der Norweger > die Norweger<br>das Märchen > die Märchen |
| II | -(e)n | – fast alle femininen Substantive (96%)<br>– maskuline Substantive auf -or<br>– alle Substantive der n-Deklination | die Variante > die Variante**n**<br>der Doktor > die Doktor**en**<br>der Student > die Student**en** |
| III | -(")e | – viele maskuline und neutrale Substantive (ca. 70%)<br>– einige einsilbige feminine Substantive | der Bestandteil > die Bestandteil**e**<br>die Stadt > die Städt**e** |
| IV | -(")er | – einsilbige neutrale Substantive<br>– einige maskuline Substantive<br>– Substantive auf -tum | das Kind > die Kind**er**<br>der Mann > die Männ**er**<br>der Irrtum > die Irrtüm**er** |
| V | -s | – Fremdwörter aus dem Englischen und Französischen<br>– Abkürzungen<br>– Substantive mit -a/-i/-o/-u im Auslaut | der Fan > die Fan**s**<br>der PKW > die PKW**s**<br>das Auto > die Auto**s** |

## 2b Dativ Plural

Der Dativ Plural bekommt die Kasusendung -n. Ausnahme: Substantive, die im Plural auf -s enden.

| Nominativ Plural | die Kinder | die Auto**s** |
|---|---|---|
| Dativ Plural | den Kinder**n** | den Auto**s** |

# Alexander-Technik

1 Sehen Sie sich die Grafik an. Wie verbreitet sind Rückenschmerzen in Deutschland und was sind die Ursachen dafür?

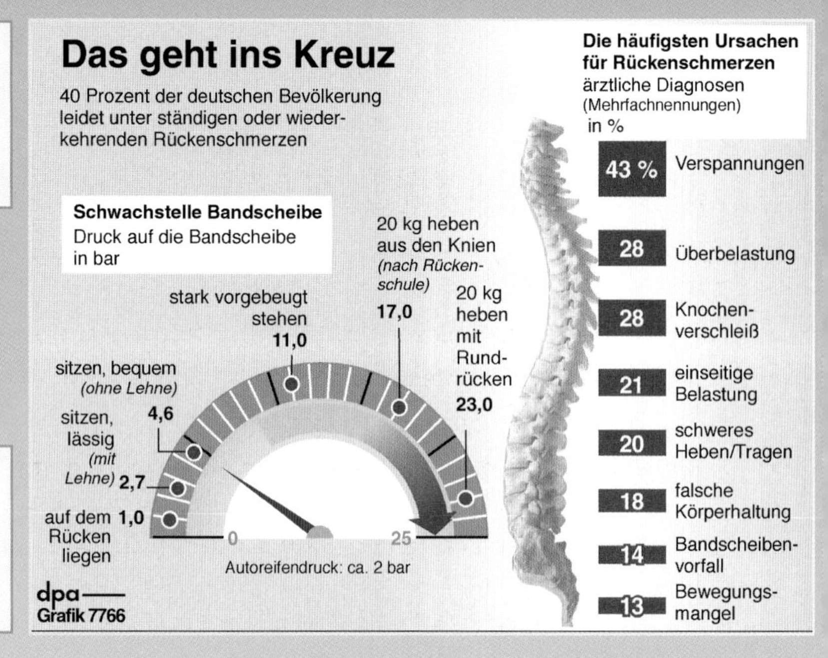


2 Welche Berufe oder Situationen können besonders zu Problemen mit dem Rücken führen und was kann man dagegen tun?

3 Sehen Sie den Film. Was ist die Alexander-Technik?

1 4a Sehen Sie die erste Filmsequenz. Was erfahren Sie über Mirah Gericke?

b Was unternimmt sie gegen ihre Schmerzen? Mit welchen Ergebnissen?

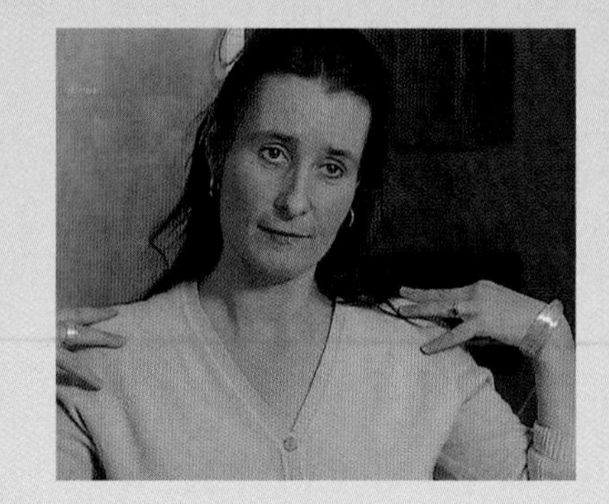

2 5a Sehen Sie die zweite Filmsequenz. Machen Sie Notizen: Wie und was lernen die Patienten durch die Alexander-Technik?

b Überprüfen Sie Ihre Ergebnisse im Kurs.

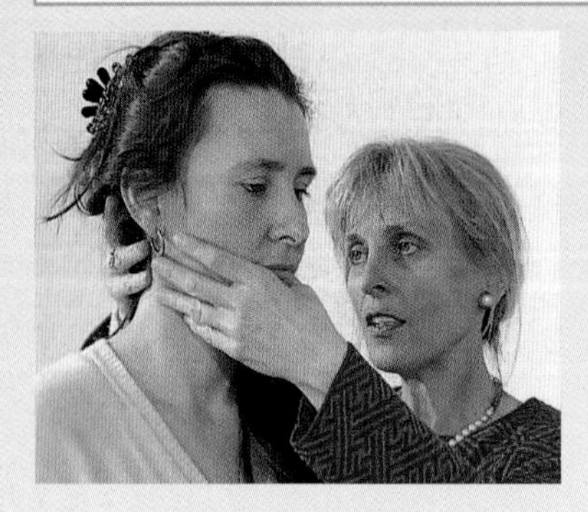

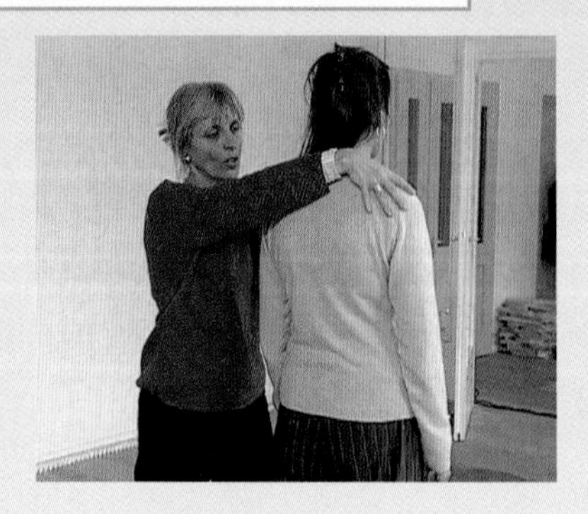

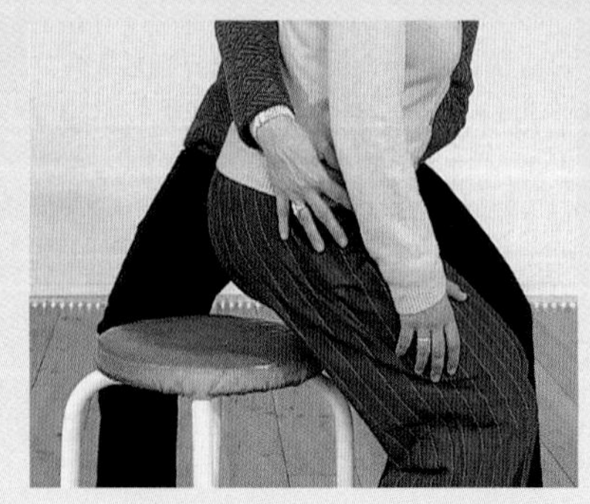

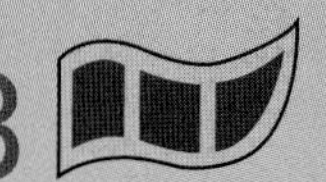

6a Wo kann man sich mit der Alexander-Technik behandeln lassen und wer trägt die Kosten dafür?

b Wie ist die Bezahlung von Arztbesuchen und Therapien in Ihrem Land geregelt?

3 7 Sehen Sie die dritte Filmsequenz. Wie hat Frederick Matthias Alexander die Technik entwickelt? Ergänzen Sie die folgenden Sätze. Verwenden Sie die angegebenen Wörter.

1. Alles fing damit an, dass Frederick Matthias Alexander dauernd …
2. Kein Arzt konnte …
3. Deswegen begann er …
4. Er merkte bald, dass es beim Sprechen wichtig ist, …

Bewegungen und Haltung – heiser – entspannen – gesamter Körper – helfen – beobachten

4 8 Sehen Sie die vierte Filmsequenz. Was erzählt Geraldine Marmier über ihre Gesundheitsprobleme und was hat sie durch die Alexander-Technik gelernt?

9 Welche anderen Methoden kennen Sie, die helfen, Verspannungen abzubauen?

# Freizeit und Unterhaltung

1 **Beschreiben Sie die Fotos. Was machen die Leute? Wo auf der Welt wurden die Fotos vermutlich gemacht?**

## Sie lernen



## Grammatik

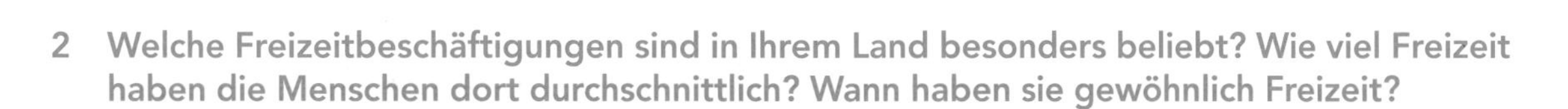

2 Welche Freizeitbeschäftigungen sind in Ihrem Land besonders beliebt? Wie viel Freizeit haben die Menschen dort durchschnittlich? Wann haben sie gewöhnlich Freizeit?

3 Machen Sie ein Interview mit Ihrem Nachbarn / Ihrer Nachbarin. Was macht er/sie am liebsten in seiner/ihrer Freizeit? Wann hat er/sie Freizeit und wie viel Freizeit hat er/sie? Berichten Sie anschließend im Kurs.

# Spiel ohne Grenzen

1a Sehen Sie sich das Foto an.
Kennen Sie dieses Spiel?
Gibt es das Spiel in Ihrem Land?
▶ Ü 1 Wie heißt es da?

b Spielen Sie gern?
Was ist Ihr Lieblingsspiel?
Welches Spiel ist in Ihrem Land besonders beliebt?

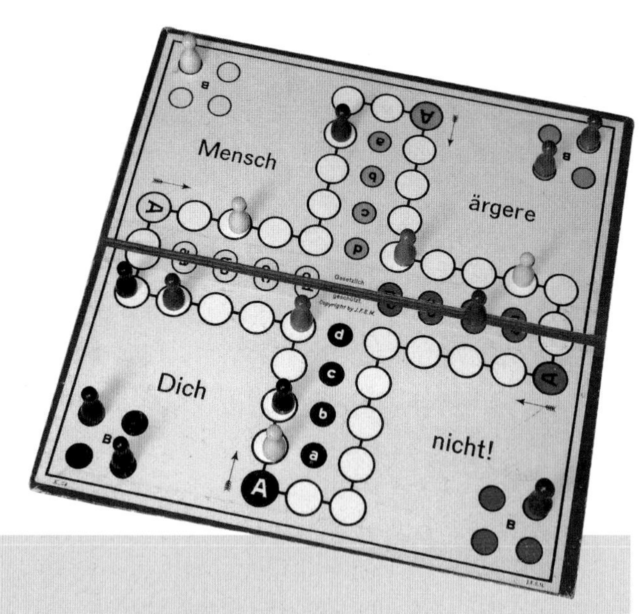


2 Lesen Sie das Interview mit der Soziologin Brigitte Schwarz und ergänzen Sie anschließend die Sätze 1–5 mit den Informationen aus dem Interview.

## Warum spielt der Mensch?

Warum ist es für so viele Menschen interessant, wenn 22 Männer einem Ball hinterherlaufen? Warum spielen Menschen stundenlang miteinander Skat? Warum legen wieder andere begeistert ein Puzzle? Wir haben dazu die Soziologin Brigitte Schwarz befragt.

*Zunächst interessiert uns, ob uns der Spieltrieb angeboren ist.*

Ja, Kinder müssen spielen, um sich normal entwickeln zu können. Durch das Spiel wird die Wahrnehmung geschult, die geistigen Fähigkeiten bilden sich aus, auch die Motorik und das Sozialverhalten entwickeln sich auf diese Weise. Wir lernen durch das Spiel unsere Welt kennen.

*Warum spielen Erwachsene?*

Aus Lust am Spiel, aus Tradition, aus Gründen der Geselligkeit und um sich die Zeit zu vertreiben. Menschen spielen in ihrer Freizeit, um sich zu erholen und um zu entspannen. Spielt man alleine, erfährt man Ruhe. Spielt man zusammen mit anderen, erlebt man Geselligkeit und Freundschaft. Manche Spiele haben Wettbewerbscharakter, die Spieler messen ihre körperlichen oder geistigen Fähigkeiten und vergleichen diese miteinander.

*Können Sie uns auch sagen, wann die Menschen mit dem Spielen begonnen haben?*

Die Menschen haben sich bereits vor Jahrtausenden die Zeit mit Brettspielen vertrieben. Man befragte beim Spiel die Götter und geheimnisvolle Kräfte nach der Zukunft. Feldherren vergangener Zeiten stellten mithilfe der Urform des Brettspiels Schlachten nach, um diese so zu simulieren und zu analysieren.

*Gibt es bei Spielen kulturelle Unterschiede?*

Spiele sind immer auch ein Spiegel der Gesellschaft. So wie sich unsere Sprachen und Religionen unterscheiden, so unterscheiden sich auch unsere Spiele. Aber trotzdem haben viele Spiele kulturelle und nationale Grenzen überschritten. Denken Sie nur an Backgammon oder Schach.

*Können Sie beschreiben, wie sich der Spielemarkt in Deutschland entwickelt hat?*

Spieleklassiker sind bis heute Schach, Backgammon, Skat und Canasta. Daneben werden Brettspiele aller Art angeboten: Kinder- und Erwachsenenspiele, Strategie-, Abenteuer-, Sciencefiction- und Fantasyspiele. Damit die Nachfrage so groß bleibt, werden laufend neue Spiele entwickelt. Auch wenn heute mehr gespielt wird als früher, weil die Menschen mehr Zeit und Geld haben, sind die Beweggründe des Spielens doch gleich geblieben.

1. Spielen ist wichtig für die kindliche Entwicklung, ...
2. Erwachsene spielen, ...
3. Früher haben die Menschen gespielt, ...
4. Spiele unterscheiden sich ...
5. Auf dem deutschen Spielemarkt ...

▶ Ü 2

**3a Ergänzen Sie die indirekten Fragen.**

| direkte Frage | indirekte Frage |
|---|---|
| Ist uns der Spieltrieb angeboren? | Zunächst interessiert uns, *ob uns der Spieltrieb angeboren ist.* |
| Wann haben die Menschen mit dem Spielen begonnen? | Können Sie uns sagen, ______ |
| Gibt es bei Spielen kulturelle Unterschiede? | Wir möchten gern wissen, ______ |

**b Ergänzen Sie die Regeln.**

G

**Indirekte Fragesätze**

Der indirekte Fragesatz klingt oft höflicher, offizieller und wird besonders häufig in geschriebenen Texten verwendet (z.B. in Anfragen).

Ja-/Nein-Frage → indirekter Fragesatz beginnt mit: ______

W-Frage → indirekter Fragesatz beginnt mit: ______

In der indirekten Frage steht das Verb ______.

▶ Ü 3–4

**4a Finalsätze: Markieren Sie die Subjekte in den folgenden Beispielen und ergänzen Sie die Regel.**

G

Mit einem Finalsatz wird ein Ziel oder eine Absicht ausgedrückt.

| | |
|---|---|
| Ein Kind muss spielen, **damit** es sich normal entwickelt.<br>Ein Kind muss spielen, **um** sich normal **zu** entwickeln. | Subjekt im Hauptsatz = Subjekt im Nebensatz<br>______ oder ______ |
| Ein Kind muss spielen, **damit** sich seine Motorik entwickelt. | Subjekt im Hauptsatz ≠ Subjekt im Nebensatz<br>______ |

**b Kreuzen Sie an, wo auch ein Satz mit *um ... zu* möglich ist, und bilden Sie diesen.**

1. Damit die Studenten die Sprache üben, organisiert die Lehrerin ein Lernspiel. ☐
2. Sie müssen die Spielregeln kennen, damit sie das Spiel spielen können. ☐
3. Martha fährt in die Stadt, damit sie sich das neueste Computerspiel kaufen kann. ☐
4. Franz ist Mitglied in einem Skatclub geworden, damit er neue Leute trifft. ☐
5. Ich erkläre ihm das Spiel, damit wir es gemeinsam spielen können. ☐

▶ Ü 5–7

**5 Notieren Sie drei Fragen mit *Wozu?* oder *Warum?*. Werfen Sie jemandem im Kurs einen Ball zu und stellen Sie eine Frage. Sie bestimmen, ob die Frage mit *um ... zu* oder *damit* beantwortet wird. Dann wird der Ball weitergeworfen.**

*A: Wozu lernst du Deutsch? Antworte mit „um ... zu". B: Ich lerne Deutsch, um eine bessere Arbeit zu finden. – B: Wozu braucht man einen Computer? Antworte mit ...*

# Endlich Freizeit!

1a **Sehen Sie sich die Grafik an. Was sind die beliebtesten Freizeitaktivitäten in Österreich? Beschreiben Sie die Entwicklung und versuchen Sie, mögliche Gründe dafür zu finden.**

**Freizeitaktivitäten der ÖsterreicherInnen**

Von je 100 Befragten nennen als regelmäßige Freizeitaktivät (mindestens einmal pro Woche)

| Menschen, Medien, Motoren | Trend | 2005 | 2003 | 2002 | 2001 | Durchschnitt 1996–2001 |
|---|---|---|---|---|---|---|
| Fernsehen | → | 88 | 89 | 89 | 91 | 87 |
| Zeitungen/Zeitschriften lesen | ↘ | 68 | 74 | 69 | 74 | 73 |
| sich mit der Familie beschäftigen | ↘ | 51 | 56 | 53 | 57 | 54 |
| mit Freunden etwas unternehmen | ↗ | 48 | 47 | 47 | 48 | 45 |
| wandern / spazieren gehen | ↘ | 42 | 46 | 41 | 41 | 39 |
| faulenzen / nichts tun | ↘ | 41 | 48 | 46 | 46 | 43 |
| über wichtige Dinge reden | ↘ | 36 | 45 | 42 | 44 | 41 |
| sich mit dem Computer beschäftigen | ↗ | 35 | 33 | 29 | 29 | 20 |
| essen gehen | ↘ | 35 | 38 | 35 | 40 | 36 |
| Buch lesen | → | 34 | 36 | 35 | 33 | 33 |
| Video-/DVD-Filme sehen | ↗ | 32 | 29 | 27 | 29 | 25 |
| Einkaufs-, Schaufensterbummel machen | ↘ | 30 | 36 | 33 | 40 | 36 |
| Sport treiben | ↘ | 22 | 24 | 26 | 22 | 22 |
| Gesellschafts-/Kartenspiele spielen | ↘ | 19 | 22 | 19 | 22 | 21 |
| Gottesdienst/Kirche besuchen | ↘ | 18 | 20 | 21 | 19 | 19 |
| sich weiterbilden | → | 16 | 16 | 19 | 17 | 16 |
| Videospiele (Playstation o.Ä.) machen | ↗ | 12 | 11 | 12 | 9 | 8 |

Auszug aus einer Repräsentativbefragung von 1000 Personen ab 14 Jahren in Österreich in den Jahren 1996 bis 2005, Institut für Freizeit und Tourismusforschung 2005

b **Wie haben sich Ihre Freizeitaktivitäten in den letzten Jahren verändert? Was haben Sie zum Beispiel vor zehn Jahren besonders oft gemacht, was vor fünf Jahren? Berichten Sie.**

*Vor zehn Jahren war ich ständig im Fitness-Studio. Das mache ich heute gar nicht mehr.*
*Kino war mein großes Hobby vor ein paar Jahren. Aber jetzt gehe ich lieber ...*

c **Finden Sie im Kurs für eine Aktivität, die Ihnen Spaß macht, einen Partner / eine Partnerin und verabreden Sie sich. Einigen Sie sich auf Treffpunkt, Uhrzeit und die genaue Aktivität.**

*A: Wie wär's, wenn wir uns um drei vor dem Schwimmbad treffen?*
*B: Nein, das ist zu früh. Ich kann erst um fünf. Wo genau ist das Schwimmbad? Vielleicht treffen wir uns lieber gleich an der U-Bahn. ...*

▶ Ü 1

1.19

**2a Hören Sie den ersten Abschnitt eines Radiobeitrags und ergänzen Sie die Informationen.**

Freizeit: durchschnittlich ___________ Stunden täglich

Schwerpunkt bei den Männern: ______________________________

Schwerpunkt bei den Frauen: ______________________________

1.20

**b Lesen Sie die Aussagen. Hören Sie dann den zweiten Abschnitt des Beitrags und entscheiden Sie: Wer sagt was?**

| Aussagen | Bernd | Uschi | Lara | Tom |
|---|---|---|---|---|
| 1. Es macht mir Spaß, lustige Seiten im Netz zu entdecken. | | | X | |
| 2. Ich ärgere mich, wenn ich nur hin- und herzappe, anstatt den Fernseher auszumachen. | | | | |
| 3. Seitdem wir keinen Fernseher mehr haben, unternehmen wir viel mehr. | | | | |
| 4. Im Internet informiere ich mich über die Freizeitangebote in meiner Stadt. | | | | |
| 5. Ich sehe nicht oft fern, aber ich mag Filme auf DVD. | | | | |
| 6. Ich kann meine Freizeit nicht genießen. | | | | |
| 7. Ich kann mich gut entspannen, wenn etwas Interessantes im Fernsehen kommt. | | | | |
| 8. Neben dem Fernsehen muss genug Zeit für andere Dinge bleiben. | | | | |
| 9. Ich verbringe ziemlich viel Zeit in Chat-Rooms oder in einem Forum. | | | | |
| 10. Wenn ich mehr Zeit habe, werde ich mein Hobby wieder pflegen. | | | | |

**c Hören Sie den Abschnitt noch einmal und machen Sie Notizen zur Freizeitgestaltung der Personen.**

*Bernd: zwei Jobs, wenig Zeit; oft zu müde, um aktiv zu sein; …*

**d Sagen Sie einen Satz über eine der Personen. Die anderen raten.**

*A: Diese Person vergisst oft die Zeit, wenn sie im Internet ist.* *B: Das ist Bernd.*

▶ Ü 2

**3 Welche Medien spielen in Ihrer Freizeitgestaltung eine Rolle? Sprechen Sie mit Ihrem Partner / Ihrer Partnerin und berichten Sie im Kurs.**

▶ Ü 3

**4 Wählen Sie eine Freizeitaktivität und recherchieren Sie das Angebot dazu an Ihrem Kursort. Berichten Sie im Kurs.**

*Hier gibt es drei große Schwimmbäder. Das größte liegt direkt am Stadtpark und hat täglich von 7 Uhr bis 23 Uhr geöffnet. Dorthin würde ich gerne gehen, man kann dort außerdem …*

# Abenteuer im Paradies

**1a** **Lesen Sie die Überschrift und sehen Sie die Fotos an. Worum könnte es in diesem Text gehen?**

**b** **Lesen Sie nun den Text. Wo ist Lukas? Was macht er dort? Vermuten Sie.**

## Verloren im endlosen Grün

1 Lukas war nur kurz stehen geblieben, irgendetwas hatte ihn in den Fuß gestochen. Er beugte sich kurz zu seinem Fuß, konnte aber nichts entdecken. Als er wieder aufsah, waren die anderen verschwunden. Eben waren sie doch noch da gewesen.
5 Er wollte nach ihnen rufen, aber dann fand er es zu lächerlich. Weit konnten sie ja nicht sein und was sollte schon passieren. Er lauschte einen Moment, vielleicht konnte er sie ja hören. Waren das nicht ihre Stimmen? Aber nein, er hörte nur Wasserrauschen und ein Durcheinander von merkwürdigen
10 Geräuschen – waren die Geräusche von Menschen – oder – waren es am Ende irgendwelche wilden Tiere?

Auf dem sandigen Boden war das Gehen anstrengend und die vielen grünen Blätter
15 schlugen ihm ins Gesicht. Er lachte über diese Situation, aber eigentlich fühlte er sich nicht mehr wohl. Er dachte an seine Freunde. Eben waren sie noch zu viert und jetzt musste er ohne sie zu ihrem
20 Platz zurückfinden. Heute Morgen hatten sie noch alle zusammen gefrühstückt und ihre Sachen für den Tag zusammengepackt. Dann waren sie gemeinsam aufgebrochen und alle waren gut gelaunt. Und jetzt war er plötzlich alleine. Vielleicht sollte er nicht weitergehen, sondern einfach hier auf seine
25 Freunde warten? Sie würden ihn bestimmt suchen und ihm helfen. Aber wenn nicht? Er spürte, wie langsam Panik in ihm aufstieg. Er merkte, dass er sich eigentlich die ganze Zeit kaum bewegt hatte. Er war gerade einmal ein paar Schritte gegangen. Und dann hörte er ...

**c** **Schreiben Sie die Geschichte zu zweit zu Ende, die Verben im Kasten helfen Ihnen. Jedes Team liest oder spielt dann seine Geschichte vor.**

(etwas) sein/werden · warten auf (jemanden) · bitten um (etwas)
(jemandem) helfen · (jemanden/etwas) suchen/bemerken/finden/hören ...
erschrecken vor (jemandem/etwas) · sich bedanken bei (jemandem) · (etwas) fühlen
(jemandem etwas) erklären · sich treffen mit (jemandem)

▶ Ü 1–2

1.24

**d** **Hören Sie <u>ein</u> mögliches Ende der Geschichte. Wo spielt sie?**

**2a Verben und Ergänzungen: Ordnen Sie die passenden Beispielsätze der Übersicht zu und notieren Sie den Infinitiv.**

Sie hat ihn gesucht. Sie erklärt ihm den Weg. Sie trifft sich mit ihm.
~~Das ist er.~~ Sie hat ihm geholfen. Sie denkt an ihn.

G

| | | |
|---|---|---|
| Verb + Nominativ | *Das ist er.* | *sein* |
| Verb + Akkusativ | | |
| Verb + Dativ | | |
| Verb + Dativ + Akkusativ | | |
| Verb + Präp. + Akkusativ | | |
| Verb + Präp. + Dativ | | |

**b Sammeln Sie weitere Verben, auch aus Ihren Geschichten zu 1c, und machen Sie ein Kursplakat.**

Verben und Ergänzungen

| **Verb + Nom.** | **Verb + Akk.** | Verb + Dat. | Verb + Präp. + Akk. | + Dat. |
|---|---|---|---|---|
| *sein, ...* | | | | |

▶ Ü 3–5

**3a Haben Sie selbst schon einmal ein Abenteuer erlebt? Schreiben Sie Ihre Geschichte oder schreiben Sie eine Geschichte zu einer der vier Zeichnungen. Verwenden Sie auch die Verben auf dem Kursplakat.**

**b Lesen und/oder spielen Sie Ihre Geschichte im Kurs vor.**

# Freizeit in Zürich

**1a Lesen Sie den Brief und machen Sie Notizen: Welche Vorschläge macht Gabi für den Freitagabend?**

Liebe Sara

Es freut mich sehr, dass Du endlich Zeit hast, mich in Zürich zu besuchen. Ich habe auch schon ganz viele Ideen, was wir am Freitag noch machen können. Ich hole Dich am Nachmittag um halb fünf am Bahnhof ab und dann fahren wir kurz zu mir und Du kannst Deine Sachen abstellen, meine Wohnung ansehen und Dich ein bisschen ausruhen.
Am Abend hätte ich Lust, ins Kino zu gehen (am liebsten in den Film „Sommer vorm Balkon" – ich schicke Dir eine Filmbeschreibung mit), oder wir gehen ins Theater. Im Schauspielhaus gibt es zurzeit „Der Parasit" von Friedrich Schiller oder (dann am Samstagabend) „Heimatflimmern", eine musikalische Alpenreise (die beiden Beschreibungen und Kritiken zu den Stücken findest Du auch anbei).
Worauf ich auch noch Lust hätte, das wäre eine Lesung. In der „Herzbaracke" gibt es eine Lesung aus Martin Suters Buch „Richtig leben mit Geri Weibel". Ich finde die Geschichten sehr lustig. Geri Weibel ist ein Mensch, der immer alles richtig machen will und vor allem grosse Angst hat, etwas zu tun, was „out" ist ...
Ich schicke Dir einen Text mit, dann kannst Du ja mal sehen, ob Dir die Geschichte gefällt und ob Du dazu Lust hast. Die „Herzbaracke" ist übrigens sehr schön gelegen, in der Nähe vom Bellevueplatz, richtig im See.
Oder wir machen etwas ganz anderes und gehen ins „Bazillus". Das ist ein Live-Club mit viel Jazz- und Funk-Musik. Da ist oft der Eintritt frei und meistens spielen verschiedene Musiker spontan zusammen.
Aber vielleicht möchtest Du lieber nichts machen und wir bleiben bei mir zu Hause. Dann koche ich uns was Gutes und wir können in Ruhe plaudern. Du siehst, uns wird bestimmt nicht langweilig ... Gib mir doch kurz Bescheid, worauf Du Lust hast, damit ich die Karten besorgen kann (falls Du ins Theater oder zur Lesung gehen willst). Und am Samstag mache ich dann mit Dir eine Stadtbesichtigungstour durch Zürich.

Ich freue mich sehr auf Dich. Ganz liebe Grüsse
Gabi

▶ Ü 1

**b Was interessiert Sie am meisten? Worüber möchten Sie mehr wissen oder was würden Sie am liebsten unternehmen?**

**2 Recherchieren Sie in Gruppen: Finden Sie Informationen über das Schauspielhaus, die „Herzbaracke" oder das „Bazillus" in Zürich.**

Das ... gibt es seit ... / ... wurde im Jahr ... gebaut/eröffnet.
Es liegt/ist in der ... Straße, Hausnummer ...
Es ist bekannt für ... / Viele Leute schätzen ... wegen ...
Auf dem Programm stehen oft ... / Hier treten oft ... auf.
Die Eintrittskarten kosten zwischen ... und ... Franken.

**3a** Welche Art von Filmen mögen Sie? Welche mögen Sie nicht? Markieren Sie und vergleichen Sie Ihre Auswahl im Kurs. Finden Sie einen Kino-Partner / eine Kino-Partnerin.

Krimi Drama Romanze Science-Fiction Animationsfilm Komödie Western
Heimatfilm Dokumentation Zeichentrickfilm Kurzfilm Horrorfilm
Literaturverfilmung Stummfilm Fantasy-Film

**b** Lesen Sie die Filmbesprechung zu „Sommer vorm Balkon". Um welche Art von Film handelt es sich?

Kurzinfo | Kritik | Clips & Trailer
Fotoshow | Filmory | Cast & Crew
Filmpreise | Soundtracks | Hier im Kino

KINOSUCHE
Ort oder PLZ-Bere

Wenn im heißen Berliner Sommer der Tag zur Neige geht, sitzen die Freundinnen, Singles und WG-Nachbarinnen Nike (**Nadja Uhl**) und Katrin (**Inka Friedrich**) gern bis tief in die Nacht auf dem Balkon und erörtern bei reichlich Wein ihre Probleme mit den Männern. Katrin, die arbeitslose Mutter eines Zwölfjährigen, fürchtet, bald zu alt für Jobsuche und Beziehungsmarkt zu sein. Nike dagegen scheint in Trucker Ronald (**Andreas Schmidt**) gerade den idealen Typ gefunden zu haben.

Romantische Großstadtpoesie gut ausgependelt zwischen leichtfüßiger Heiterkeit und einer Prise grimmigem Realismus in einer Beziehungsdramödie von **Andreas Dresen**.

Zur Fotosho
Impossible

**FOTOSHOW**

**FILMORY**

SCHON VERGESSEN?

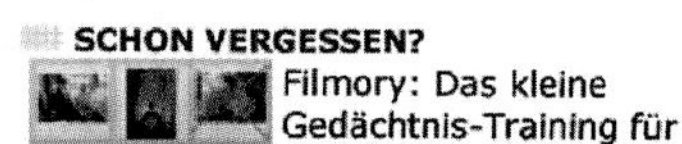

Filmory: Das kleine Gedächtnis-Training für

TOP even
Sofort online Karte

**c** Was ist Ihr Lieblingsfilm? Machen Sie eine Film-Hitliste im Kurs.

**d** Schreiben Sie eine kurze Filmbesprechung zu Ihrem Lieblingsfilm. Die Redemittel helfen Ihnen.

**über einen Film schreiben**

Der Film heißt … / Der Film „…" ist eine moderne Komödie / ein Spielfilm / ein …

In dem Film geht es um … / Er handelt von … / Im Mittelpunkt des Geschehens steht …

Der Film spielt in … / Schauplatz des Films ist …

Die Hauptpersonen im Film sind … / Der Hauptdarsteller ist …

Besonders die Schauspieler sind überzeugend/hervorragend/…

Der Regisseur ist … / Den Regisseur kennt man bereits von den Filmen „…" und „…"

▶ Ü 2

**4a Oder gehen Sie lieber ins Theater? Welche Wörter verbinden Sie mit „Theater"? Markieren Sie und ergänzen Sie weitere Wörter.**

Schauspieler Bühne Langeweile Publikum Regisseur Musik Unterhaltung Arbeit Programmheft Müdigkeit Spannung Pause Sekt Bühnenbild Kleidung Platzanweiser

______ ______ ______

▶ Ü 3 ______ ______ ______

**b Lesen Sie die Texte zu „Der Parasit" und „Heimatflimmern". Wählen Sie ein Stück aus und überreden Sie Ihren Partner / Ihre Partnerin, dieses Stück gemeinsam anzusehen.**

*Wir könnten doch ...* *Hast du (nicht) Lust ... ?*

**DER PARASIT**
Komödie von Friedrich Schiller
Regie: Matthias Hartmann

Ohne Skrupel gelangt der clevere Taugenichts Selicour, der glänzend von den Früchten anderer Leute Arbeit lebt, zu Ehre und Glück. Für seine Karriere scheut er sich nicht, andere in den Untergang zu stürzen. Aber die Geschädigten planen eine gerissene Intrige gegen Selicour ...

**Pressestimmen**
Am Ende ist das Publikum, „das den ganzen Abend Tränen über die köstlichen Pointen und das komödiantische Spiel der Protagonisten gelacht hat, vollends aus dem Häuschen. ‚Der Parasit. Eine Komödie von Friedrich Schiller', heißt es auf dem Programmheft, und unter der Regie von Matthias Hartmann ist da der große Tragiker der deutschen Literatur tatsächlich als Komödienschreiber von südländischer Leichtigkeit und von geradezu pariserischem Charme zu entdecken. Mit einem wundervollen Ensemble und in einem Bühnenbild von Martin Dolnik, das gerade so viel Schauplatz als nötig liefert, um das amüsante Ränkespiel in Gang zu halten."

*Der Bund*

▶ Ü 4

**HEIMATFLIMMERN**

Jürg Kienberger, Schweizer Musiker, Schauspieler, Komiker und Regisseur macht sich zusammen mit dem Österreicher Klaus Trabitsch und dem Deutschen Josef Brustmann auf eine musikalische Suche nach Alpengemeinsamkeiten und Alpenunterschieden. Wenn sich drei fremde Freunde aus Österreich, der Schweiz und Deutschland zusammentun und Musik machen, was kommt dabei heraus? Eine Alpengemeinsamkeit oder ein Alpenunterschied? (...) Das Trio greift in die verschiedensten alltagsmusikalischen Schubladen, bedient sich dies- und jenseits der Grenzen und präsentiert einen ebenso skurilen wie vielschichtigen Mix aus Jodel, Hits und Liftmusik, irgendwie fremd und doch vertraut. (...)

**Pressestimmen**
Ein „feinsinniges Musiktheaterstück".

*Neue Zürcher Zeitung*

**5 Sara und Gabi haben sich entschieden, zu der Lesung zu gehen.**

**a Lesen Sie die folgenden Wendungen und klären Sie sie gemeinsam mit einem Partner / einer Partnerin. Nutzen Sie auch ein Wörterbuch.**

etwas nimmt die ganze Aufmerksamkeit in Anspruch — jemandem aus dem Weg gehen — ein stummer Vorwurf — etwas (z.B. ein Vorschlag) bewegt jemanden sehr — das Lokal leer zu sehen gibt ihm einen Stich — jemand redet um den heißen Brei herum — jemandem verschlägt es die Sprache — das zu tun, fällt ihm im Traum nicht ein — seinen Ruf aufs Spiel setzen

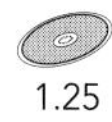
1.25

**b Hören Sie eine Kurzgeschichte aus der Lesung. Welche Ankündigung passt zu dieser Geschichte?**

1. In seiner Freizeit arbeitet Geri Weibel gerne als Trendsetter. Deswegen versucht er seine Bekannten zu überreden in das Lokal „Mucho Gusto" zu gehen. Hören Sie, wie Geri das macht.
2. Früher waren Geri Weibel und seine Freunde oft in dem Lokal „Mucho Gusto". Aber seit einiger Zeit ist dieses Lokal nicht mehr „in". Hören Sie, was Geri passiert.
3. Geri Weibels Bekannter Esteban versucht verzweifelt, in den Freundeskreis von Geri Weibel aufgenommen zu werden. Hören Sie, was Esteban alles versucht, um Geri als Freund zu gewinnen.

**c Hören Sie die Geschichte noch einmal und notieren Sie sich fünf Fragen zum Text. Ihr Partner / Ihre Partnerin antwortet.**

**6a Wählen Sie eine Stadt, die Sie gut kennen. Recherchieren Sie fünf unterschiedliche Vorschläge für ein Abendprogramm mit einem Freund / einer Freundin.**

| | Theater / Oper / Ballett / Lesung ... | Kino / Dia-Vortrag ... | Konzert / Musikclub ... | Bar / Lokal / Restaurant ... | Ausstellung / Museum / Ausflug / Sport ... |
|---|---|---|---|---|---|
| **Wo?** | | | | | |
| **Wann?** | | | | | |
| **Preis?** | | | | | |
| **Beschreibung (Notizen)** | | | | | |

**b Schreiben Sie Ihrem Freund / Ihrer Freundin einen Brief, in dem Sie die verschiedenen Vorschläge für das gemeinsame Abendprogramm beschreiben.**

# Doris Dörrie

## Regisseurin, Autorin, Produzentin

Doris Dörrie, 1955 in Hannover geboren, ist ein Allround-Talent: Sie ist nicht nur Regisseurin und Dozentin an der Filmhochschule, sondern auch Drehbuchautorin und Bestseller-Autorin. Nach dem Abitur ging sie 1973 in die USA und studierte Theaterwissenschaft und Film. Zwei Jahre später kehrte sie nach Deutschland zurück und begann ihr Studium an der Münchner Hochschule für Fernsehen und Film. 1978 schloss sie ihre Ausbildung ab.

Nach ihrem Studium drehte sie verschiedene Dokumentationen und Filme und wurde 1985 mit der Komödie „Männer" quasi über Nacht berühmt. Mit über fünf Millionen Zuschauern war „Männer" einer der erfolgreichsten deutschen Filme.

Weitere erfolgreiche Filme von Doris Dörrie: „Happy Birthday, Türke", „Keiner liebt mich", „Bin ich schön?".

Aber Dörrie macht nicht nur Filme, sondern schreibt auch sehr erfolgreich Kurzgeschichten, Erzählungen, Romane und Kinderbücher. So bezeichnete „Die Zeit" sie als eine der besten Erzählerinnen der deutschen Gegenwartsliteratur. Als Autorin debütierte sie 1987 mit dem Buch „Liebe, Schmerz und das ganze verdammte Zeug". Dann folgte „Was wollen Sie von mir?" und 1991 erschien ihr Erzählband „Für immer und ewig", über den der Starkritiker J. Kaiser schrieb, man fände dort „mehr klügere, originellere und einleuchtendere Beobachtungen über die langen Schwierigkeiten zwischenmenschlicher Beziehungen … als bei irgendeinem anderen Autor aus Dörries Generation." Weitere erfolgreiche Bücher: „Bin ich schön?" und „Was machen wir jetzt?".

Über Beschäftigungsmangel kann sich das Multitalent Doris Dörrie nicht beklagen. 2001 schlug sie sogar noch eine weitere Karriere ein und inszenierte an der Berliner Staatsoper Unter den Linden Mozarts „Cosi fan tutte". Zwei Jahre später brachte sie ebenfalls in Berlin Puccinis „Turandot" auf die Bühne. Ihre Ausflüge in das Bühnenfach wurden von der Kritik durchaus wohlwollend aufgenommen.

*Doris Dörrie*

Ihre Regie-Arbeit (Verdis „Rigoletto") am Nationaltheater in München wurde allerdings von der Kritik verrissen.

Für ihre vielseitigen Arbeiten wurde Doris Dörrie mehrfach ausgezeichnet. So erhielt sie beispielsweise das Bundesverdienstkreuz, den Bayerischen Filmpreis und die Goldene Leinwand.

Mehr Informationen zu Doris Dörrie 

**Sammeln Sie Informationen über Persönlichkeiten aus dem In- und Ausland, die für das Thema „Freizeit und Unterhaltung" interessant sind, und stellen Sie sie im Kurs vor. Sie können dazu die Vorlage „Porträt" im Anhang verwenden.**

Beispiele aus dem deutschsprachigen Bereich:
Elke Heidenreich – Moritz Bleibtreu –
Josef Hader – Kurt und Paola Felix –
Wolf Haas – Franka Potente – Caroline Link

## 1 Indirekter Fragesatz

Der indirekte Fragesatz klingt oft höflicher und offizieller. Er wird häufig in schriftlichen Texten verwendet (z.B. in Anfragen).

| **Direkter Fragesatz** | **Indirekter Fragesatz** |
|---|---|
| W-Frage:<br>***Warum*** *spielst du Schach?*<br>Ja-/Nein-Frage:<br>*Spielst du Schach?* | Indirekter Fragesatz eingeleitet mit W-Wort:<br>*Meine Schwester fragt,* ***warum*** *du Schach spielst.*<br>Indirekter Fragesatz eingeleitet mit *ob*:<br>*Mein Bruder fragt,* ***ob*** *du Schach spielst.* |

Zeichensetzung am Ende des indirekten Fragesatzes

| **Einleitender Satz** | **Zeichensetzung** |
|---|---|
| Aussage: *Er möchte wissen, ob du Schach spielst.* | → Punkt |
| Aufforderung: *Sag ihm bitte, ob du Schach spielst!* | → Punkt oder Ausrufezeichen |
| Frage: *Kannst du ihm sagen, ob du Schach spielst?* | → Fragezeichen |

## 2 Finalsatz mit *um ... zu* oder *damit*

Finalsätze drücken ein Ziel oder eine Absicht aus. Sie geben Antworten auf die Frage *Wozu?* oder in der gesprochenen Sprache auch oft auf die Frage *Warum?*.

| | |
|---|---|
| ● *Wozu brauchst du die Würfel?* | ■ *Ich brauche sie, um zu spielen.* |
| ● *Warum gehst du arbeiten?* | ■ *Ich gehe arbeiten, um Geld zu verdienen.* |

Gleiches Subjekt in Haupt- und Nebensatz → Nebensatz mit *um ... zu* oder *damit*

| | |
|---|---|
| ***Ich*** *gehe arbeiten, um Geld zu verdienen.* | Im Nebensatz mit *um ... zu* wird das Subjekt nicht wiederholt, das Verb steht im Infinitiv. |
| ***Ich*** *gehe arbeiten, damit* ***ich*** *Geld verdiene.* | Im Nebensatz mit *damit* muss das Subjekt genannt werden. |

Unterschiedliche Subjekte in Haupt- und Nebensatz → Nebensatz immer mit *damit*

***Ich*** *gebe dir die Würfel, damit* ***du*** *mit dem Spielen anfangen kannst.*

## 3 Verben und Ergänzungen

Das Verb bestimmt, wie viele Ergänzungen in einem Satz stehen müssen und in welchem Kasus.

| | |
|---|---|
| Verb + Ergänzung im Nominativ | *Er ist* ***Erster****.* |
| Verb + Ergänzung im Akkusativ | *Ich suche* ***den Würfel****.* |
| Verb + Ergänzung im Dativ | *Kannst du* ***mir*** *helfen?* |
| Verb + Ergänzung im Dativ und Akk. | *Sie erklärt* ***ihm den Spielablauf****.* |
| Verb + Ergänzung mit Präposition + Akk. | *Sie denkt* ***an ihre Freundin****.* |
| + Dativ | *Er spielt* ***mit seinem Neffen****.* |

# Fußball, Fans und Leidenschaften

1 a Fußball, Fans und Leidenschaften: Was fällt Ihnen dazu ein?
  b Sammeln und klären Sie Begriffe aus der Fußballwelt, z. B. Bundesliga, Torwart, …
2 Welche Namen deutscher Fußballclubs kennen Sie?

1 3 a Sehen Sie die erste Filmsequenz. Notieren Sie alle Informationen über Schalke 04 und die Arena und vergleichen Sie Ihre Ergebnisse.
  b Schalke 04 und die Stadt Gelsenkirchen gehören zusammen. Suchen Sie auf einer Deutschlandkarte, wo Gelsenkirchen liegt.

2 4 a Sehen Sie die zweite Filmsequenz. Was sagt der Trainer Ralf Rangnick über die Fans?
  b Fußball ist gerade für eine Region mit hoher Arbeitslosigkeit wichtig, meint der Trainer. Was denken Sie darüber?

3 5 a Sehen Sie die dritte Filmsequenz. Machen Sie Notizen.

| Verein | Fans | Spieler |
| --- | --- | --- |
| *Traditionsmannschaft,* | | |

  b Sehen Sie die Sequenz noch einmal und ergänzen Sie Ihre Notizen. Vergleichen Sie dann im Kurs.

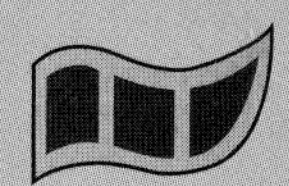

**6 a Beschreiben Sie einen „richtigen" Fan.**

4 **b Sehen Sie die vierte Filmsequenz und beantworten Sie die Fragen.**

1. Wie beschreibt Timo einen echten Schalke Fan?
2. Warum ist Timo Schalke-Fan?
3. Wie bereiten sich Timo und sein Freund auf ihren Stadionbesuch vor?
4. Fan zu sein ist nicht billig. Wie viel Geld gibt Timo aus und wofür?

5 **7 a Sehen Sie die fünfte Filmsequenz. Die Fans singen im Stadion das Vereinslied. Bringen Sie die Zeilen in die richtige Reihenfolge.**

Blau und Weiß ist unsere Fußballgarnitur
Dann wird der FC Schalke niemals untergeh'n
Tausend Freunde, die zusammensteh'n
Blau und Weiß ist ja der Himmel nur

**b Beobachten Sie die Fans während des Spiels und beschreiben Sie sie.**

6 **8 Sehen Sie die sechste Filmsequenz.**

**a Welche Fanartikel findet Timo besonders wichtig? Welche zeigt der Film noch?**

**b Welche Artikel würden Sie kaufen?**

**9 a Für welche Sportart begeistern sich die Menschen in Ihrem Land?**

**b Fans gibt es nicht nur im Sport, sondern auch ...**

**c Sind Sie auch ein Fan? Von wem oder wovon? Wie zeigen Sie das? Was machen Sie dafür? Wie viel Zeit und Geld ist Ihnen Ihre Leidenschaft wert?**

# Alles will gelernt sein

1 **Sehen Sie die Bilder an und lesen Sie die Beschreibungen. Welcher Tisch passt zu welchem Typ?**

A

B

C

## Sie lernen



## Grammatik

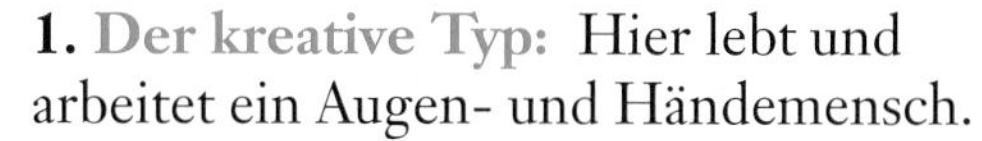

E

**1. Der kreative Typ:** Hier lebt und arbeitet ein Augen- und Händemensch. Sein Platz darf alles sein, nur nicht langweilig und farblos. Das Spiel mit Farben und Formen fasziniert ihn. Und so lässt er sich auch gerne beim Lernen vom Bunten und Schönen ablenken, denn „alle Theorie ist grau“, sagt dieser Mensch.

**2. Der Perfektionist:** Immer exakt, immer alles in einer Linie. So hat es der genaue Mensch gerne. Kein Stäubchen ist hier zu finden. Jeder Tag ist minutiös geplant, jeder Schritt ist gut überlegt, nichts ist dem Zufall überlassen. Unordnung ist dem Perfektionisten fremd, ja sogar ein Albtraum. „Weniger ist mehr“ ist sein Motto und das sieht man dem Schreibtisch auch an.

**3. Der „Ich-mache-alles-zusammen“-Typ:** So sehen Tische von Menschen aus, die sich nicht entscheiden können, was sie denn eigentlich machen wollen. Arbeiten? Essen? Telefonieren? Hier kommt alles zusammen. Irgendwann funktioniert hier nichts mehr. Etwas Ordnung würde diesem Arbeitsplatz gut tun. Für alle Bedürfnisse ist er einfach zu klein.

**4. Der Hochstapler:** Was du heute kannst besorgen, das verschiebe gleich auf morgen. Oder besser noch: auf übermorgen. Es gibt immer Menschen, die den inneren Unwillen gegen die nächste Aufgabe spüren. Und der lässt sich nicht verdrängen, aber sortieren. Ein Stapel hier, ein Haufen dort. Immer gut geordnet, die Dinge, die man längst erledigt haben sollte.

**5. Der praktische Typ:** Hier hat alles seinen Platz und trotzdem fehlt nichts. Das Unwichtige hat der Praktiker abgeheftet oder in den Müll geworfen. Das Wichtige wird gerade bearbeitet. Mit ein bisschen Musik macht die Arbeit auch richtig Spaß. Aber die Pausen hat der Praktiker auch nicht vergessen und gönnt sich gerne einen Kaffee, der schon griffbereit auf ihn wartet.

2 Wo und wie lernen Sie? Mit welchem Tisch lässt sich Ihr Lernort am ehesten vergleichen?

3 Was gefällt Ihnen an Ihrem Lernort? Was möchten Sie vielleicht ändern?

# Lebenslanges Lernen

1a Die Volkshochschulen sind die bedeutendsten Weiterbildungszentren für Erwachsene in Deutschland. Lesen Sie die Kurstitel aus dem Programmheft einer Volkshochschule. Was kann man in diesen Kursen lernen?

Der Handyführerschein

Babysitterkurs

Individuelle Farb- und Typberatung

Body-Training

Heimwerkerseminar

*In dem Kurs „Der Handyführerschein" kann man vielleicht lernen, wie man eine SMS sendet und empfängt.*

b Welche Gründe könnte man haben, um sich für diese Kurse zu entscheiden?

1.26

2a Hören Sie ein Interview mit drei Kursteilnehmern. Notieren Sie während des Hörens die Kurse und die Gründe für den Kursbesuch.

*Anne Bensler, 15 Jahre*

*Else Werner, 72 Jahre*

*Jörg Schubert, 24 Jahre*

Kurstitel: ____________ ____________ ____________

Gründe: ____________ ____________ ____________

____________ ____________ ____________

▶ Ü 1

b Fassen Sie anhand Ihrer Notizen die Aussagen der drei Kursteilnehmer zusammen.

1.27

**3a Hören Sie noch einmal, was Jörg Schubert sagt. Ergänzen Sie die Verben und Ausdrücke im Text, die mit *zu* + Infinitiv stehen.**

„Ich habe mich für das Heimwerkerseminar entschieden, denn ich ______________, mir eine eigene Wohnung zu suchen. Ich bin 24 und wohne noch immer bei meinen Eltern. Doch jetzt habe ich endlich ausgelernt und vor zwei Wochen __________ ich ______________, als Kaufmann zu arbeiten. Ich verdiene ganz gut und ____________________, eine eigene Wohnung zu mieten."

**b Infinitiv mit oder ohne *zu*? Markieren Sie.**

G

| | |
|---|---|
| 1 Ich habe vor, … | a [X] weiter Deutsch zu lernen.<br>b [ ] weiter Deutsch lernen. |
| 2 Du solltest unbedingt … | a [ ] die neuen Wörter zu lernen.<br>b [ ] die neuen Wörter lernen. |
| 3 Für mich ist es wichtig, … | a [ ] bald eine Arbeit zu finden.<br>b [ ] bald eine Arbeit finden. |
| 4 Mein Arzt hat mir verboten, … | a [ ] weiter zu rauchen.<br>b [ ] weiter rauchen. |
| 5 Ich werde … | a [ ] noch einen Kurs zu besuchen.<br>b [ ] noch einen Kurs besuchen. |
| 6 Ich bitte dich, … | a [ ] mir bei der Aufgabe zu helfen.<br>b [ ] mir bei der Aufgabe helfen. |

▶ Ü 2–3

**4 Sehen Sie sich die Kurstitel aus einem Programmheft der VHS an. Welchen Kurs / Welche Kurse würden Sie gern besuchen und warum? Benutzen Sie die Redemittel.**

**Entspannungstraining mit Yoga-Elementen**

**Windows – Grundlagen: Einsteigerkurs**

**Mittelmeerküche – die Liebe zum Essen**

**Fotografieren mit der Digitalkamera**

| **Wünsche und Ziele ausdrücken** | | |
|---|---|---|
| Ich hätte Lust, …<br>Ich hätte Zeit, …<br>Ich hätte Spaß daran, … | Ich wünsche mir, …<br>Ich habe vor, … | Für mich wäre es gut, …<br>Es ist notwendig, …<br>Für mich ist es wichtig, … |

▶ Ü 4–5

**5 Sammeln Sie Informationen zur Erwachsenenbildung in Österreich und in der Schweiz. Welche vergleichbaren Institutionen gibt es in Ihrem Land? Wie bilden sich Erwachsene in Ihrem Land weiter?**

# Besser lernen mit Computern?

1 **Welche Rolle spielt für Sie der Computer? Wie arbeiten Sie damit? Sammeln Sie sechs Fragen, beantworten Sie sie in Gruppen und stellen Sie Ihre Ergebnisse vor.**

▶ Ü 1–2

*1. Haben Sie einen eigenen Computer? 2. Wie oft benutzen Sie einen Computer? 3. ...*

2 **In den Medien wird immer wieder über den Einsatz von Computern im Unterricht und beim Lernen diskutiert.**

a **Lesen Sie zuerst die Begriffe und klären Sie sie im Kurs.**

die Kompetenz die Schulleistung
der Vorteil / der Nachteil das Videospiel
das Lernprogramm der soziale Status
die Quantität die Qualität die Studie

b **Lesen Sie nun die Stellungnahmen von zwei Medienexperten. Unterstreichen Sie dabei deren Argumente.**

*Dr. Herta Schomburg, Bildungsbeauftragte Neue Medien, Aachen*

**PRO:** Ich finde es bedauerlich, dass wir erst lange diskutieren müssen, bevor die neue Technik Teil des Schulunterrichts wird. Studien der OECD haben deutlich gezeigt, dass in Haushalten mit Computern bessere Schulleistungen bei den Kindern zu beobachten sind. Dabei wurde auch deutlich, dass viele Kinder bereits Lernprogramme zu Hause haben. Der Computer spielt also eine wichtige Rolle beim Lernen. Meiner Meinung nach ist ein wichtiges Argument für den Einsatz des Computers an der Schule, dass Computerkenntnisse im späteren Berufsleben von den Firmen und Betrieben vorausgesetzt werden. Darum müssen die Kinder in der Schule unbedingt lernen, wie ein Computer bedient wird. Außerdem müssen wir bedenken, dass es viele Menschen gibt, die ihren Kindern nicht einfach einen Computer kaufen können. Um den Schülern gleiche Chancen in der Schule und im Beruf zu ermöglichen, plädiere ich für den Einsatz des Computers an den Schulen. Und das so früh wie möglich.

*Dr. Sebastian Jacobi, Forschungsgruppe „Effektives Lernen", Stuttgart*

**CONTRA:** Nun wissen wir es endlich: Das Lernen mit dem Computer macht nicht klüger. Die Studien des Instituts für Wirtschaftsforschung haben deutlich gezeigt: Schüler, die einen Computer zu Hause haben, haben meist auch einen höheren sozialen Status. Und diese Kinder haben oft auch ohne Computer bessere Lernleistungen. Die Studien innerhalb dieser Gruppe machten klar, dass Kinder, die mit dem Computer arbeiten, lieber Videospiele spielen als lernen. Die Kinder ohne Computer hatten im Vergleich die größeren Lernerfolge. Und auch im Unterricht ist das Lernen in der Klasse und mit Büchern oft viel effektiver. Die sozialen Kompetenzen, die Kinder in der Gruppe gemeinsam erwerben, sind für ihre Zukunft meiner Ansicht nach entscheidender als das Computerwissen. In der Schule sollte es für die Chancengleichheit extra Angebote für den Umgang mit dem Computer geben. Dabei gilt: Nicht die Quantität sondern die Qualität ist für seinen sinnvollen Einsatz wichtig. Aber im normalen Unterricht hat der Computer nichts verloren.

▶ Ü 3

3a Sammeln Sie die Argumente aus den Texten an der Tafel.

b Mit welchen Redemitteln argumentieren die Experten? Sammeln Sie und ergänzen Sie die Liste mit eigenen Ausdrücken.

*Ich finde es ...* *... haben deutlich gezeigt, dass ...*

4a Sind Sie für oder gegen Computer im Unterricht? Schreiben Sie nun selbst eine Stellungnahme zum Thema. Das Beispiel hilft.

Schritt 1:
Sammeln Sie Argumente aus dem Text für Ihren Standpunkt.

Schritt 2:
Sammeln Sie weitere eigene Argumente.

Schritt 3:
Bauen Sie Ihren Text auf:
- Schreiben Sie, welche Ansicht Sie vertreten.
- Nennen Sie Ihr erstes, zweites, drittes ... Argument.
- Schreiben Sie einen abschließenden Satz.

**Beispiel:**

**Einstieg** *Wir haben selbst einen Computer zu Hause, aber ich bin trotzdem gegen den Einsatz von Computern an der Schule. Ich finde, dass verschiedene Gründe dagegen sprechen.*

**Argument 1** *Der wichtigste Grund ist für mich, dass der normale Unterricht die Chance bietet, in der Gruppe zu lernen und sich gegenseitig zu unterstützen. Beim Unterricht mit dem Computer sitzt häufig jeder alleine vor seinem Bildschirm.*

**Argument 2** *Ich finde es wichtig, dass alle die gleichen Chancen haben. Nicht alle Familien haben einen Rechner zu Hause, sodass die Kinder keine Möglichkeit zum Üben am PC haben. Andere haben alte Computer und mit neuen Programmen gibt es dann Probleme.*

**Argument 3** *Wenn ich an meine Kinder denke, frage ich mich auch, ob sie wissen, wie man mit dem Computer sinnvoll lernt. Auch die Eltern wissen das nicht immer.*

**Schluss** *Sicher sollten Schüler einmal lernen, wie ein Computer funktioniert. Aber das kann die Schule in freien Stunden oder an Projekttagen anbieten. Und dann kommen die Eltern am besten gleich mit.*

▶ Ü 4

b Tauschen Sie Ihren Text mit Ihrem Nachbarn / Ihrer Nachbarin und markieren Sie Fehler wie im Beispiel. Tauschen Sie zurück und korrigieren Sie Ihren Text.

Original: *Wir haben eine Lernprogramm für Gramatik, mit dem ich arbeite gerne.*

Korrektur: *Wir haben ein Lernprogramm für Grammatik, mit dem ich gerne arbeite.*

▶ Ü 5

c Lesen Sie zuerst in Gruppen Ihre Stellungnahmen vor. Wer ist für, wer gegen den Computer im Unterricht? Welche neuen Argumente haben Sie gefunden?

d Sammeln Sie im Kurs weitere Themen, zu denen unterschiedliche Positionen möglich sind. Wählen Sie ein Thema aus und schreiben Sie eine weitere Stellungnahme.

# Können kann man lernen

**1a Sehen Sie das Bild an. Was ist hier los?**

1.28

**b Hören Sie das Lied und ergänzen Sie die Lücken.**

| schaffen | ~~Papier~~ | Wege | spät | Mut | soll | Grammatik | verschenken | Sätze |
|---|---|---|---|---|---|---|---|---|

Da sitz ich wieder mal vor dir,
du leeres Stückchen *Papier*.
Da liegst du weiß und bleich
statt wörterreich[1]
und gar nicht voll.
Ich weiß nicht, ich weiß nicht,
was ich schreiben ___________.

Das darf nicht wahr sein,
mir fällt kein Text ein.
Die Wörter kann ich nicht drängen.
Die Sätze lassen mich hängen[2].

Ich kann ___________ schon ganz gut.
Und auch beim Sprechen hab ich _______.
Doch wenn's ums Schreiben geht,
ist bei mir alles,
einfach alles, zu _________.

Das darf nicht wahr sein ...

Heut muss ich es ___________.
Ich mach mich bald zum Affen[3].

Ich darf nicht negativ denken,
darf keine Chance ___________.
Ich will bestehen, will endlich besteh'n!
Dann kann ich neue _______ gehen.

Das darf nicht wahr sein ...

Du musst einfach locker bleiben[4].
Lass mal die Gedanken treiben[5].
Dann können die Ideen blühen
und du brauchst dich nicht so mühen[6].
Erst ein Wort, dann zwei, dann _______,
dann kommt der Text, ganz ohne Hetze[7].

Kann es denn wahr sein?
Mir fällt ein Text ein.
Jetzt will ich die Wörter schreiben,
will, dass die Sätze bleiben.

Jetzt kann ich dir nur raten,
du musst einfach abwarten,
und wenn du meinst, nichts mehr zu wissen,
lass dich von der Muse küssen[8].

Kleines Glossar zum Lied:
1. mit vielen Worten
2. jemanden nicht unterstützen
3. sich lächerlich machen
4. entspannt sein
5. an nichts Besonderes denken
6. sich anstrengen
7. ohne Eile
8. sich von etwas inspirieren lassen

c Worum geht es in dem Lied? Waren Ihre Vermutungen zum Bild in Aufgabe 1a richtig?

d Kennen Sie Momente wie im Lied? Welche Ratschläge können Sie für solche Situationen geben?

**Ratschläge geben**

Versuch doch mal … Man kann … Da sollte man am besten …
Oft hilft … Ich kann euch nur raten, …
Man darf nicht … Du musst … Am besten wäre es …

▶ Ü 1–2

2a Geschriebene und gesprochene Sprache. Lesen Sie die Sätze.
Wie können Sie es mit Modalverben sagen?

G

1. Er hat die Erlaubnis, im Test ein Wörterbuch zu benutzen.
   *Er darf ein Wörterbuch benutzen.*
2. Es ist möglich, eine Pause zu machen.
   ______
3. Die Teilnehmer sind verpflichtet, den Test nach einer Stunde abzugeben.
   ______
4. Er hat die Absicht, nach dem Kurs ein Studium anzufangen.
   ______
5. Der Kandidat ist fähig, einen guten Test zu schreiben.
   ______
6. Es ist verboten, eine Grammatik zu benutzen.
   ______
7. Zuerst hatte er den Wunsch, wieder nach Hause zu gehen.
   ______
8. Für den Test ist es notwendig, die Aufgaben gut zu verstehen.
   ______
9. Er hat die Aufgabe, einen Text zum Thema „Mein Traumberuf" zu schreiben.
   ______
10. Er rät allen Kandidaten, sich zu entspannen.
    ______

▶ Ü 3

b Jeder schreibt einen Satz wie in Aufgabe 2a auf eine Karte. Person A zieht eine Karte, liest vor und Person B formuliert den Satz um.

*Unser Kurs ist fähig, interessante Texte zu schreiben.*

*Wir können interessante Texte schreiben.*

▶ Ü 4

# Lernen und Behalten

1a Lesen Sie den Text. Um was für eine Art von Text handelt es sich?

## Ein Fährmann gibt nicht auf!

Ein Fährmann steht vor folgendem Problem:

Er muss einen Fluss in einem kleinen Boot überqueren und dabei einen Wolf, ein Schaf und einen Kohlkopf mit zum anderen Ufer nehmen. Das Boot ist leider so klein, dass außer ihm immer nur ein Tier oder der Kohlkopf mit ins Boot passen. Dabei darf das Schaf nicht mit dem Kohlkopf allein bleiben, weil es ihn frisst. Ebenso frisst der Wolf das Schaf, wenn sie allein am Ufer zurückbleiben. Wie schafft der Fährmann es, alle auf die andere Seite zu bringen, ohne dass jemand dabei gefressen wird?

b Bilden Sie Gruppen und versuchen Sie, die Aufgabe zu lösen. Welche Gruppe schafft es zuerst?

*Zuerst muss der Fährmann ... Dann ... Danach ... Schließlich ...*

c Überlegen Sie, wie Sie die Aufgabe gelöst haben. Wie sind Sie vorgegangen? Was hat Ihnen bei der Lösung geholfen?

▶ Ü 1

1.29

2a Hören Sie den ersten Abschnitt eines Radiobeitrags zum Thema „Gedächtnistraining". Machen Sie zu folgenden Punkten Notizen.

Problem vieler Menschen: ______________________

Ziel des Bundesverbandes: ______________________

Kursinhalte: *alltägliche Dinge anders lösen,* ______________________

______________________

______________________

▶ Ü 2

1.30

b Hören Sie den zweiten Abschnitt des Beitrags, in dem Dr. Witt die Aufgabe des Fährmanns löst. Vergleichen Sie mit Ihrer Lösung.

c Dr. Witt spricht von zwei Lösungen für diese Aufgabe, erklärt aber nur eine. Erklären Sie den anderen Lösungsweg. Hören Sie dazu den zweiten Abschnitt noch einmal.

3a Lesen Sie den Text. Welche Lerntechnik wird hier vorgestellt? Was braucht man dafür?

## Wörter lernen – aber wie?

In die Schule geht man, damit man etwas lernt – klar. Wie man aber die Fakten am besten im Gehirn speichert und wieder abruft, ist nicht immer Gegenstand des Unterrichts. Dabei ist Lernen gar nicht so schwer! Der Lernstoff muss nur so aufbereitet werden, dass man ihn sich besser einprägen kann. Dabei helfen bestimmte Lernmethoden. Eine Methode wollen wir hier vorstellen: Die Karteikarten-Methode.

Für diese Methode werden nur wenige Dinge benötigt: ein kleiner Karteikasten mit drei Fächern und einem Stapel passender Karteikarten. Zuerst werden die Karteikarten beschriftet: Auf die Vorderseite schreibt man das neue Wort und einen Satz, in dem das neue Wort vorkommt. Auf die Rückseite wird die Übersetzung notiert.

Statt Sätze kann man auch Skizzen oder Assoziationshilfen verwenden. Sie entscheiden selbst, welche Sätze, Symbole oder Bilder Ihnen beim Behalten neuer Begriffe sinnvoll erscheinen. Zusätzlich sollten Sie auch die wichtigsten grammatischen Informationen notieren (z.B. Artikel, Plural, Verbformen).

Die beschrifteten Karteikarten werden in das erste Fach gelegt. Um die Wörter zu lernen, nehmen Sie die erste Karte aus dem Fach heraus, Sie lesen die Karte und übersetzen sie in Gedanken. Ist die Übersetzung richtig und sehr einfach, rückt die Karte direkt ins dritte Fach, war die Übersetzung richtig, aber Sie brauchten länger, um auf die richtige Antwort zu kommen, dann sortieren Sie die Karte ins zweite Fach.

Wenn die Antwort falsch ist, bleibt die Karte im ersten Fach. Vokabeln, bei denen man Fehler in der Übersetzung und/oder Grammatik gemacht hat, werden im Laufe der Zeit so oft wiederholt, bis sie ins zweite Fach gesteckt werden können. Danach nimmt man noch einmal die Karten aus dem zweiten Fach. Bei richtiger Lösung werden sie ins dritte gesteckt, bei falscher Lösung kommen sie wieder ins erste Fach.

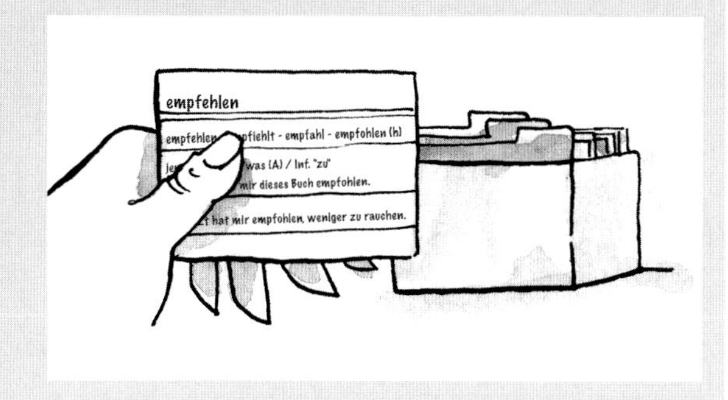


Wie bei vielen anderen Lernmethoden kommt es auch hier wesentlich darauf an, das Gelernte zu wiederholen: z.B. kennen Sie die Vokabeln aus dem dritten Fach heute, aber woran erinnern Sie sich noch in zwei Wochen?

Das Lernen mit Karten ist zum Glück überall möglich, wo man einen Kartenstapel in die Hand nehmen kann: in der Warteschlange genauso wie als Beifahrer im Auto. Und so können Sie die Karten aus dem Fach Ihrer Wahl mitnehmen und lernen (Fach 1 und 2) oder wiederholen (Fach 3). Viel Erfolg!

b Welche Tipps gibt der Text für das Beschriften von Karteikarten?

c Schreiben Sie für diese Wörter eine Karteikarte. Welche Angaben haben Sie auf der Karte notiert? Vergleichen Sie im Kurs.

*Methode* *einsortieren* *Stapel* *sinnvoll*

d Welche Lernmethoden nutzen Sie? Kennen Sie noch andere?

# Lernen und Behalten

4 Wie kann man am besten Wörter lernen? Lesen Sie die Tipps und formulieren Sie dazu passende Aufforderungssätze.

*Lerne mit allen Sinnen!*

Manche Menschen lernen mehr, schneller oder besser, wenn sie etwas sehen, andere, wenn sie etwas hören, wieder andere, wenn sie es schreiben. Am besten ist es, mehrere Lernwege zu kombinieren: sprechen, schreiben, lesen, hören.

____________________

Die erste Wiederholung sollte 20 Minuten nach dem ersten Lernen erfolgen, denn nach dieser Zeit vergisst man besonders viel. Die zweite Wiederholung sollte nach zwei Stunden stattfinden. Da merkt man, welche Wörter im Kopf geblieben sind.

____________________

Viele betrachten es als Unsinn, die Wörter aufzuschreiben. Aber das Aufschreiben von Wörtern ist enorm wichtig. Man erspart sich dadurch viel Lernarbeit, weil man sich beim Schreiben das Wort intensiv bildlich vorstellt.

____________________

Besser, als zu viele Vokabeln auf einmal zu lernen, ist es, kleinere Gruppen zu bilden und sie zeitlich gut zu verteilen. Ein Lerngesetz sagt: Den Anfang und das Ende einer solchen Gruppe merkt sich das Gedächtnis fast automatisch.

5a Schreiben Sie anonym auf einen Zettel, welche Probleme Sie beim Lernen haben. Was ist für Sie schwierig? Sammeln Sie die Zettel im Kurs ein.

*Ich habe große Probleme damit, dass die Wörter anders geschrieben als gesprochen werden.*

b Lesen Sie die Lernprobleme im Kurs vor. Geben Sie Tipps, wie man diese Probleme lösen kann.

*Ich versuche immer im Wörterbuch nachzuschauen. Dann schreibe ich das Wort auf und spreche es mehrmals laut.*

**6a** Schreiben Sie einen Kursratgeber zum Thema „Deutsch lernen". Sammeln Sie zuerst Aspekte, die zum „Deutsch lernen" gehören. Überlegen Sie, über welchen Aspekt Sie schreiben wollen.

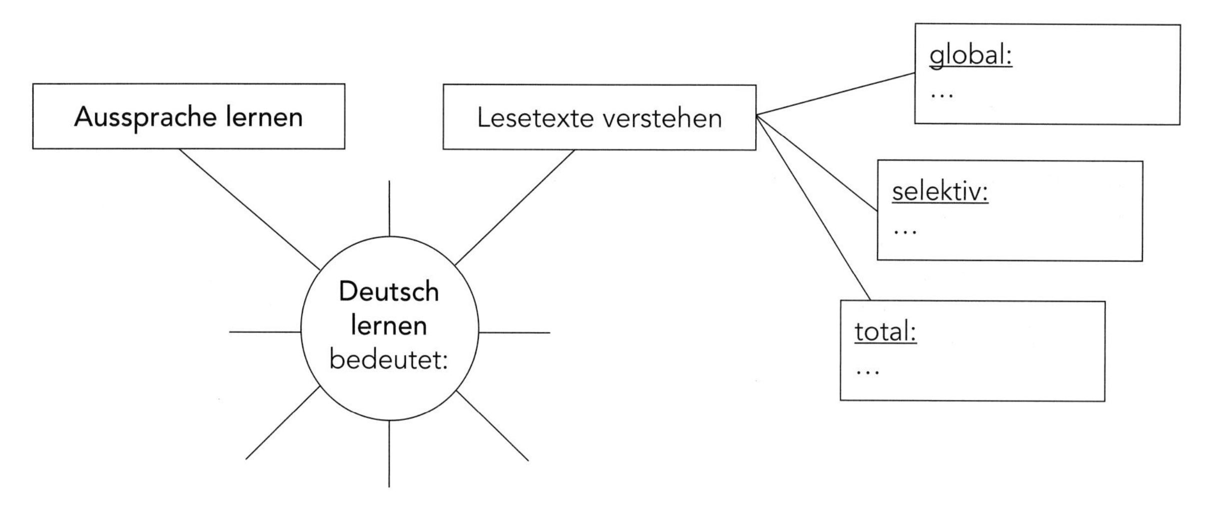


**b** Bilden Sie Gruppen. Jede Gruppe bearbeitet einen Aspekt. Notieren Sie zuerst Stichpunkte.

**Welche Probleme?** | **Welche Tipps?** | **Welche Erfahrungen?**

**c** Ordnen Sie die Redemittel den drei Gruppen Probleme, Tipps, Erfahrungen zu. Kennen Sie noch andere?

Empfehlenswert ist, wenn ... / Wir haben gute (schlechte) Erfahrungen gemacht mit ... / Wenn man ... lernt, sollte man ... / Für viele ist es problematisch, wenn ... / Wir schlagen vor ... / Dabei sollte man beachten, dass ... / Wir würden raten, ... / Wir geben die folgenden Empfehlungen: ... / Es ist besser, wenn ... / Es ist immer schwierig ... / ... bereitet vielen (große) Schwierigkeiten / Man könnte ... / Sinnvoll (hilfreich, nützlich) wäre, wenn ... / Wir haben oft bemerkt, dass...

| Probleme | Tipps | Erfahrungen |
|---|---|---|
| | | |

**d** Schreiben Sie nun den Kursratgeber zu Ihrem Aspekt. Geben Sie darin anderen Kursteilnehmern Lerntipps. Bearbeiten Sie dabei die folgenden Punkte:

- Warum Sie diesen Aspekt gewählt haben.
- Welche Schwierigkeiten und Probleme es dabei gibt.
- Ihre eigenen Erfahrungen mit diesen Problemen.
- Welche Tipps und Lösungsvorschläge Sie für andere Lerner haben.

**e** Gestalten Sie die Ratgeber (Farbe, Fotos ...) und hängen Sie sie im Kurs aus.

▶ Ü 3

# Johann Heinrich Pestalozzi

## Der Wegbereiter der Volksschule im 19. Jahrhundert

Der am 12. Januar 1746 in Zürich geborene Schweizer Pädagoge und Sozialreformer vertrat die Idee, dass auch die unteren Gesellschaftsschichten gebildet sein sollten. Sein Ziel war, „den Menschen zu stärken“ und ihn dahinzubringen, „sich selbst helfen zu können“.

Dabei kam es ihm darauf an, die intellektuellen, sittlich-religiösen und handwerklichen Kräfte der Kinder zu fördern. In seinem Buch „Wie Gertrud ihre Kinder lehrt“ hat er 1801 zum ersten Mal seine pädagogischen Ideen systematisch beschrieben, die er im Armenhaus auf dem Neuhof sammelte. Pestalozzi gründete zusammen mit seiner Frau Anna 1775 eine Erziehungsanstalt für Kinder auf Gut Neuhof im Aargau, wo er zunächst als Landwirt tätig war. 1798 übernahm er das Waisenhaus in Stahns. Gerade in diesem Waisenhaus konnte Pestalozzi grundlegende pädagogische Erfahrungen machen. 1804 errichtete er in Yverdon-les-Bains (Kanton Waadt) zusammen mit einer Reihe bedeutender Mitarbeiter ein Erziehungsinstitut von Weltruf. In zahlreichen Schriften entwickelte er seine *Idee der Elementarbildung* weiter und forderte eine naturgemäße Erziehung und Bildung, die die Fähigkeiten des Kopfes (intellektuellen Kräfte), des Herzens (sittlich-religiöse Kräfte) und der Hand (handwerklichen Kräfte) harmonisch entwickelt. Für die intellektuelle Bildung sind nach Pestalozzi konkrete Beispiele und praktische Erfahrungen der Schüler besonders wichtig.

Interne Streitigkeiten in der Lehrerschaft um seine Nachfolge führten dazu, dass das Institut in Yverdon schließen musste. 1825 zog sich Pestalozzi zurück auf den Neuhof, wo er am 17. Februar 1827 im Alter von 81 Jahren starb und am alten Schulhaus in Birr beerdigt wurde. Anlässlich seines 100. Geburtstages (1846) erbaute ihm der Kanton Aargau an der Fassade des neuen Schulhauses ein Denkmal.

Pestalozzis pädagogische Erkenntnisse wurden von Adolph Diesterweg und Friedrich Wilhelm August Fröbel aufgenommen und methodisch umgesetzt.

*Johann Heinrich Pestalozzi*

Pestalozzi gilt als der geistige Schöpfer der modernen Volksschule. Auch heute tragen viele Schulen noch seinen Namen.

Mehr Informationen zu Pestalozzi 

**Sammeln Sie Informationen über Persönlichkeiten aus dem In- und Ausland, die für das Thema „Lernen“ interessant sind, und stellen Sie sie im Kurs vor. Sie können dazu die Vorlage „Porträt“ im Anhang verwenden**
Beispiele aus dem deutschsprachigen Bereich: Frederic Vester, Rudolf Steiner, Vera F. Birkenbihl

## 1 Infinitiv mit und ohne *zu*

| Infinitiv **ohne *zu*** nach: | Infinitiv **mit *zu*** nach: |
| --- | --- |
| 1. Modalverben: *Er muss arbeiten.*<br>2. werden (Futur I): *Ich werde das Buch lesen.*<br>3. bleiben: *Wir bleiben im Bus sitzen.*<br>4. lassen: *Er lässt seine Tasche liegen.*<br>5. hören: *Sie hört ihn rufen.*<br>6. sehen: *Ich sehe das Auto losfahren.*<br>7. gehen: *Wir gehen baden.*<br>8. lernen*: *Hans lernt schwimmen.*<br>9. helfen*: *Ich helfe das Auto reparieren.*<br><br>*) Nach *lernen und helfen* kann auch ein Infinitiv mit zu stehen.<br>*Er lernt, Auto zu fahren.*<br>*Er hilft, das Auto zu reparieren.* | 1. einem Substantiv + Verb:<br>den Wunsch haben, die Möglichkeit haben, die Absicht haben, die Hoffnung haben, Lust haben, Zeit haben, Spaß machen<br>*Er hat den Wunsch, Medizin zu studieren.*<br><br>2. einem Verb:<br>anfangen, aufhören, beginnen, beabsichtigen, scheinen, bitten, empfehlen, erlauben, gestatten, raten, verbieten, vorhaben, sich freuen …<br>*Wir haben vor, die Prüfung zu machen.*<br><br>3. *sein* + Adjektiv:<br>es ist wichtig/notwendig/schlecht/gut/richtig/falsch …<br>*Es ist wichtig, regelmäßig Sport zu treiben.* |

## 2 Modalverben

| **Modalverb** | **Bedeutung** | **Alternativen** |
| --- | --- | --- |
| dürfen | Erlaubnis | es ist erlaubt zu + Inf., es ist gestattet zu + Inf., die Erlaubnis haben zu + Inf., das Recht haben zu + Inf. |
| nicht dürfen | Verbot | es ist verboten zu + Inf., es ist nicht erlaubt zu + Inf., keine Erlaubnis haben zu + Inf. |
| können | a Möglichkeit<br><br>b Fähigkeit | die Möglichkeit/Gelegenheit haben zu + Inf., es ist möglich zu + Inf.<br><br>imstande sein zu + Inf., die Fähigkeit haben/besitzen zu + Inf., in der Lage sein zu + Inf. |
| mögen | Wunsch, Lust | Adverb: gern, Lust haben zu + Inf. |
| müssen | Notwendigkeit | es ist notwendig zu + Inf., gezwungen sein zu + Inf., es ist erforderlich zu + Inf., es bleibt einem nichts anderes übrig, als zu + Inf., haben zu + Inf. |
| sollen | Forderung | den Auftrag / die Aufgabe haben zu + Inf., aufgefordert sein zu + Inf. |
| wollen | eigener Wille, Absicht | die Absicht haben zu + Inf., beabsichtigen zu + Inf. , vorhaben zu + Inf., planen zu + Inf. |

# Projekt Eule

1 a Was fällt Ihnen zum Vogel Eule ein?

b Überlegen Sie, was mit „Projekt Eule" gemeint sein könnte.

2 Sehen Sie den Film. Fassen Sie zusammen, worum es geht.

3 Redewendungen verstehen. Lesen Sie die Sätze und klären Sie, was die markierten Ausdrücke bedeuten.

a Ich habe keine Ahnung von Computern und vom Internet. Das sind **böhmische Dörfer** für mich.

b Norbert macht täglich Sport und liest viel, weil er körperlich und geistig **auf Trab bleiben** will.

c Er ist so gut trainiert im Schach, der **lässt sich** nicht von dir **abhängen**.

4 a Sehen Sie den Film noch einmal. Bilden Sie zwei Gruppen und notieren Sie Informationen zu den Fragen.
Gruppe A notiert aus der Sicht der „Senioren-Schüler", Gruppe B notiert aus der Sicht der „Schüler-Lehrer".

Warum nehmen sie an dem Projekt teil?

Was lernen sie?

Welche Erfahrungen machen sie?

b Tauschen Sie Ihre Informationen aus.

 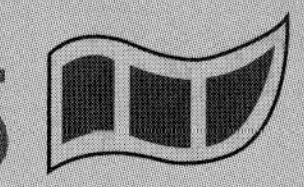

5a Beschreiben Sie die Atmosphäre in dem Projekt.
b Verändert das Projekt etwas zwischen den Generationen?

1 6a Sehen Sie die Sequenz „Gedächtnistraining". Welche Aufgaben müssen die Senioren lösen? Was fällt ihnen leicht, was schwer?
b Kennen Sie noch andere Übungen zum Gedächtnistraining? Sammeln Sie und probieren Sie aus, ob Sie fit sind.

2 7 Sehen Sie die Filmsequenz „Fakten zum Projekt". Stellen Sie Fakten und Zahlen über das Projekt Eule zusammen.
- Gründung
- Anzahl der Kurse
- Anzahl der Senioren-Schüler
- Kursangebot

8 „Was Hänschen nicht lernt, lernt Hans nimmermehr." Was meinen Sie dazu?
9 Kennen Sie ähnliche Initiativen? Hätten Sie Lust, in so einem Projekt mitzuarbeiten?

# Berufsbilder

1a Sehen Sie die Bilder an und beschreiben Sie einen dieser Jobs.

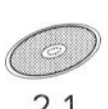
2.1

b Hören Sie vier Erfahrungsberichte. Über welche Tätigkeiten wird berichtet? Welche positiven und negativen Aspekte werden genannt?

Taxifahrer

Erntehelfer bei der Weinlese

Maskottchen

Küchenhilfe

## Sie lernen



## Grammatik

Stadtführer

Möbelpacker

Zimmermädchen

Interviewer

2 Als was haben Sie schon gejobbt? Welche Erfahrungen haben Sie gemacht? Was war interessant?

# Wünsche an den Beruf

1a Notieren Sie fünf Punkte, die Ihnen im Beruf sehr wichtig sind. Erstellen Sie dann im Kurs eine Liste mit den Wünschen der Männer und der Frauen. Gibt es Unterschiede?

b Die Grafik zeigt, welche Wünsche Schüler und Schülerinnen in Deutschland an ihren zukünftigen Beruf haben. Vergleichen Sie die Kurs-Liste mit der Grafik.

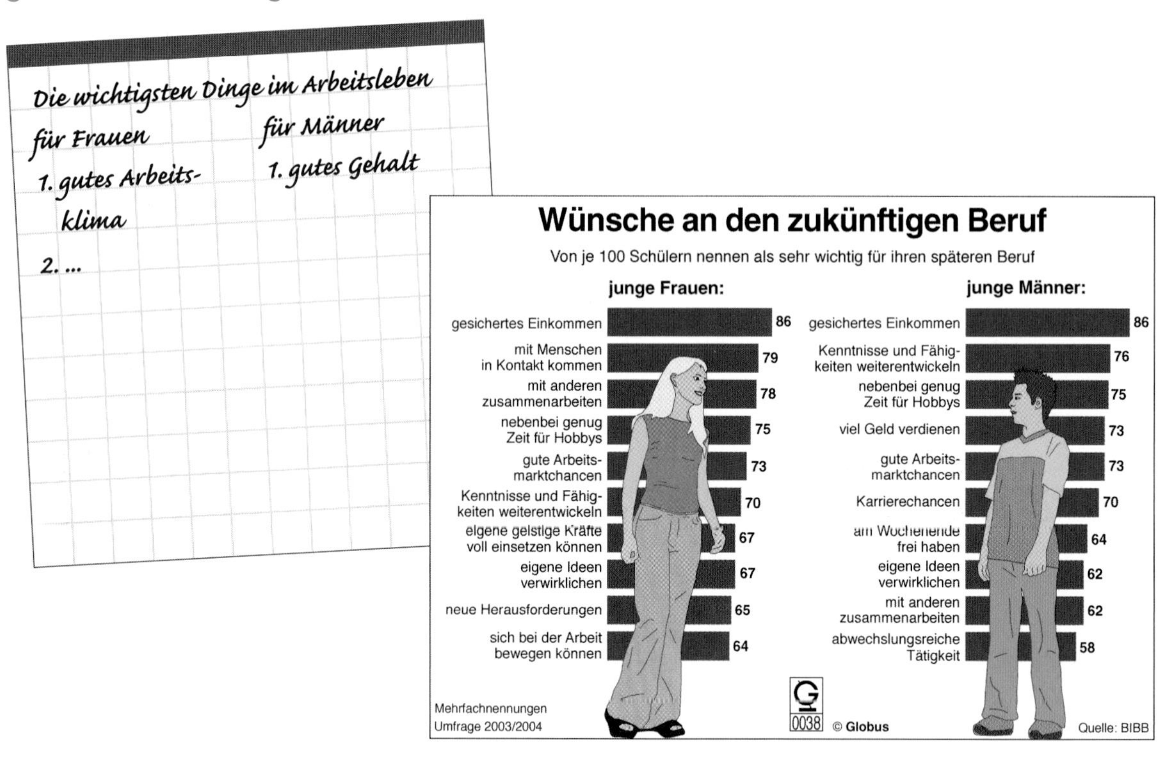


▶ Ü 1–2

c Was vermuten Sie? Warum sind die Wünsche bei Männern und Frauen unterschiedlich?

2.5

2a Hören Sie eine Straßenumfrage, in der vier Personen erzählen, wie sie sich ihr Berufsleben in zwei Jahren vorstellen. Machen Sie Notizen zu den Personen (Beruf, aktuelle Situation, Wünsche an die Zukunft).

▶ Ü 3

2.6

b Welche zwei Tempusformen benutzen die Personen in der Umfrage, um über die Zukunft zu sprechen? Hören Sie noch einmal Person 1. Ergänzen Sie die Tempusformen und notieren Sie je einen Beispielsatz.

G

Zukünftiges ausdrücken

P _ _ _ _ _ _ (oft mit Zeitangabe, z. B. „morgen", „in drei Wochen" ...)

_______________________________________________

F _ _ _ _ I „____________" + Infinitiv

_______________________________________________

c Oft verwendet man das Futur I, um Vermutungen auszudrücken. Kreuzen Sie an, was in den Sätzen ausgedrückt wird.

| | Zukünftiges | Vermutung |
|---|---|---|
| 1. Ich muss los, meine Freundin wird schon auf mich warten. | ☐ | ☐ |
| 2. Wir werden gemeinsam in Urlaub fahren. | ☐ | ☐ |
| 3. Wo ist denn Ihr Kollege? – Er wird in einer Besprechung sein. | ☐ | ☐ |

▶ Ü 4

3a Notieren Sie auf einem Zettel Ihren Namen, was Sie gerade machen und welche Vorstellungen Sie von Ihrer beruflichen Zukunft haben. Notieren Sie alles, was helfen kann, damit Ihre Vorstellungen Realität werden. Dann werden die Zettel gemischt und verteilt.

*Nora:*
*Momentan: Teamassistentin in einem Büro*
*Zukunftstraum: Reiserouten für Touristen ausarbeiten und planen, viel reisen, Hotels und Restaurants suchen, Preise aushandeln*
*gute Voraussetzungen: Kenne viele Hotels, bin schon viel gereist*

b Ziehen Sie einen Zettel und stellen Sie die Wünsche der Person vor, ohne den Namen zu verraten.

*Diese Person hier arbeitet in einem Büro als Teamassistentin. Ihr Zukunftstraum sieht so aus: Sie wird bald nicht mehr in diesem Büro arbeiten, sondern sie wird Reiserouten für ...*

c Die anderen raten, von wem der Zettel ist. Jeder begründet seine Vermutung und alle einigen sich auf eine Person.

4 Suchen Sie im Internet mithilfe der Begriffe „Berufswahlmagazin" und „Wunschberuf" eine Seite, die bei der Berufswahl hilft. Geben Sie die von Ihnen in 1a genannten Wünsche an den Beruf ein. Erhalten Sie neue Ideen für Ihren Traumberuf? Recherchieren Sie Informationen zu diesem Beruf und stellen Sie ihn kurz vor.

# Ideen gesucht

**1a Auf der Suche nach einer neuen Arbeit braucht man manchmal neue Impulse. Hier finden Sie drei ungewöhnliche Jobideen. Wählen Sie eine Idee aus und beschreiben Sie sie.**

**Handwerker-Expressdienst**
24 Stunden für SIE da!
Mobil: 0133 – 300 20 103

Ihr Regal hängt schief?
Der Kleine hat die Wand eingecremt?
Die Gardinenstange will nicht an die Wand?
Probleme beim Teppichverlegen?
Der Rasenmäher macht keinen Mucks mehr?
Kleine und größere Katastrophen?
... Da kann ich helfen ...

**Schnell anrufen!!!**
Kompetenter Handwerker kommt sofort!
*Unproblematisch – schnell – und gar nicht teuer*
7.00 – 17.00 Uhr, 25,– € / Std.; Notdienst nach Absprache

| Tel. 0133 – 300 20 103 | Tel. 0133 – 300 20 103 | Tel. 0133 – 300 20 103 | Tel. 0133 – 300 20 103 | Tel. 0133 – 300 20 103 | Tel. 0133 – 300 20 103 | Tel. 0133 – 300 20 103 | Tel. 0133 – 300 20 103 |
|---|---|---|---|---|---|---|---|

Siggi Hausmann hilft, wenn nichts läuft, wie es soll. Noch vor kurzem hatte er selbst eine Baufirma, dann kam die Pleite. Heute arbeitet er mit dem, was ihm blieb: einem Werkzeugkasten, seinem handwerklichen Talent und seinem Mut, etwas Neues anzupacken.

Annika Kramann hilft anderen dabei, sich zu entscheiden. Zuerst wusste sie selbst nicht, was sie machen sollte. Klar war nur, dass sie in ihrer Arbeit unglücklich war. Sie ging zu einem Coach. Und da wusste sie: Das ist genau das, was sie machen will.

Hilfe!
Ich muss mich entscheiden!

Suchen Sie eine neutrale Gesprächspartnerin?

| | |
|---|---|
| Ich biete: | Systemische Beratung |
| Zielgruppe: | Menschen, die sich nicht entscheiden können, die in ein Thema verstrickt sind und nicht wissen, was sie tun sollen, was sie brauchen. |
| Themen: | Ausbildung, Studium, Beruf, Beziehungskrisen |
| – Ort: | Heidelberg |
| – Konditionen: | 40 Euro / Std. Studenten: 20 Euro |
| – Kontakt: | Annika Kramann, 06221 – 844287709 |

*Unser Spezial zum Sommer!*

**Lastminute-Picknick**

Sonntag, Sonne und nix im Kühlschrank? Wir versorgen Euch ruckzuck mit einem großartigen Picknick und leckeren Snacks. Geschirr, Besteck und Gläser liefern wir gleich mit. Auf Wunsch alle Leckereien in einem dekorativen Korb.

Zum Beispiel:
Dicke-Freunde-Picknick für zwei Personen:
Auswahl an kalten Brat- und Grillspezialitäten (Frikadellen, Hähnchenschenkel, u.v.m.)
Zwei Sorten Salat, Baguette oder Brötchen
Kleine Käseplatte, Überraschungsdessert
Getränke nach Wahl (Saft, Wein, Bier, ...)
für € 44,-

**Picknick-Alarm**
**0221-113779086 (Lieferung frei Haus)**
**www.picknick-alarm.de**

Die Geschwister Dieter und Steffi Hausmark liefern Picknick im Raum Köln. Die Idee wurde in ihrer WG geboren, in der eines Sonntags im Haus nichts mehr zu Essen zu finden war. Sie träumten von einem leckeren Picknick im Park und erfüllen heute anderen Menschen diesen Traum.

**b** Welche Geschäftsidee wird Ihrer Meinung nach den größten Erfolg haben? Warum?

**2a** Bilden Sie Gruppen. Welche Fähigkeiten und Talente gibt es in Ihrem Team?

*Ich kann nähen!* *Caner kann gut organisieren.* *Du spielst doch so gut Klavier.*

**b** Welchen Service, welches Produkt könnte Ihr Team entwickeln?

| Für wen? Für welche Situation? | Was? |
|---|---|
| *Menschen, die nicht nähen können und in eine neue Wohnung ziehen.* | *Kissen, Gardinen, Vorhänge etc. für die neue Wohnung. Alles fertig bis zum Umzug. „Neuer Look fürs neue Heim"?* |

**c** Klären Sie folgende Fragen:

1. Wie nennen Sie Ihre Dienstleistung / Ihr Produkt?
2. Was kostet Ihr Angebot / Ihr Produkt?
3. Welchen Service bieten Sie an?
4. Wie kann man Sie erreichen?

**d** Entwerfen Sie einen Aushang, mit dem Sie für sich werben. Welche Wörter möchten Sie verwenden?

innovativ zuverlässig persönlich 24-Stunden-Service frei Haus praktisch unkompliziert sauber schnell individuell kreativ Lösung preiswert ...

**e** Schreiben Sie jetzt Ihren Aushang. Hängen Sie ihn im Kurs auf und vergleichen Sie. Welches Angebot würden Sie nutzen?

▶ Ü 1

# Darauf kommt's an

**1a Haben Sie schon einmal einen Ratgeber für Bewerbungen gelesen? Nennen Sie drei wichtige Themen, die darin angesprochen werden sollten.**

**b Was sagen die Profis? Hier sind Tipps von drei Personalchefs aus unterschiedlichen Branchen. Lesen Sie die Texte und vergleichen Sie, ob Ihre Themen angesprochen werden.**

*Peter Brandt,*
*Städtische Betriebe Dresden*

Die Bewerbungsunterlagen sollten ordentlich zusammengestellt und vollständig sein, also ein Anschreiben, einen lückenlosen Lebenslauf, ein Foto, das letzte Schulzeugnis und die Arbeitszeugnisse der letzten Arbeitgeber enthalten.
Es versteht sich von selbst, dass darin keine Fehler sein dürfen und dass sich Eselsohren und Fettflecken gar nicht gut verkaufen.
Wer in seiner Freizeit bei einem Verein mitarbeitet oder Theater spielt, sollte das ruhig erwähnen. Damit kann man zeigen, dass man über soziale Kompetenzen verfügt.
Aber bitte nicht übertreiben – und vor allem bei der Wahrheit bleiben.

*Heiner Stölter,*
*Verband Deutscher Kreditinstitute*

Wer sich als neuer Mitarbeiter bewirbt, sollte sich im Vorfeld gut über das Unternehmen informieren, z.B. bei der Firma anrufen und sich nach weiteren Informationen erkundigen. Im Anschreiben und im Gespräch sollten die Interessenten zeigen, wofür sie sich bei der Firma besonders interessieren und mit welchen Tätigkeiten sie vielleicht schon vertraut sind.
Wir achten also nicht nur auf Fachwissen, sondern auch auf Engagement und Motivation.
Wer zu einem Vorstellungsgespräch eingeladen wird, sollte natürlich und gepflegt auftreten. Dort kann der Bewerber den Arbeitgeber dann von seinen Qualitäten überzeugen.

*Beata Gräser-Kamm,*
*Reiseallianz Österreich*

Personalbüros erhalten täglich Bewerbungen. Einige Bewerber schicken ihre Unterlagen per Post an die Firmen, andere Unternehmen erwarten von den Interessenten eine Online-Bewerbung. Man sollte sich informieren, welche Unterlagen jeweils gefordert sind. Bei allen Bewerbungen kommt es darauf an, dass die Unterlagen nicht nur formal korrekt sind, sondern auch Interesse für den Bewerber wecken. Das Schreiben sollte auf die Frage antworten: „Warum sollen wir ausgerechnet Sie nehmen?“
Für Gespräche ist empfehlenswert, vorher in einem Rollenspiel zu trainieren, wie man seine Stärken am besten einbringt.

**c Fassen Sie die Tipps zusammen. Was war besonders interessant für Sie?**

Vorbereitung | Bewerbungsunterlagen | Vorstellungsgespräch | Sonstiges

**2 Worauf sollte man bei einer Bewerbung in Ihrem Land achten? Was ist gleich/ähnlich? Was ist anders? Berichten Sie in Gruppen.**

*Bei einer Bewerbung ist bei uns der persönliche Kontakt am wichtigsten. Im Gespräch ist es sehr wichtig, etwas Positives über die Firma zu sagen oder ein kleines Kompliment z.B. über das Büro oder den Tee zu machen. Der Bewerber muss erst einmal sympathisch sein. ...*

▶ Ü 1–2

**3a Markieren Sie die Verben mit Präpositionen in den Texten. Nennen Sie ein Verb, Ihr Nachbar / Ihre Nachbarin ergänzt eine passende Präposition. Dann tauschen Sie.**

A: *sich informieren ...?* B: ... *über!*

**b Einige Verben haben mehr als eine Präposition. Verbinden Sie folgende Beispielsätze.**

G

1 *diskutieren* + *mit* + Dativ
Ich diskutiere *mit* meinem Chef.

2 *diskutieren* + *über* + Akk.
Ich diskutiere *über* mein Gehalt.

3 *diskutieren* + *mit* + Dativ + *über* + Akkusativ
*Ich* ______________________________

**c Wählen Sie zwei Verben und schreiben Sie Sätze wie in 3b.**

z.B. sich informieren bei + über; sich entschuldigen bei + für; sprechen mit + über; ...

▶ Ü 3–4

**4a Wann verwendet man Präpositionen mit *wo(r)...* und *da(r)...*? Vergleichen Sie die Dialoge und ergänzen Sie die Regel mit den korrekten Begriffen.**

G

○ Na, dein Test war wohl nicht so gut.
● Ja, leider. Ich habe mich so *darüber* geärgert.
○ *Worüber* denn genau?
● *Über* die blöden Fragen.
○ Echt?
● Na ja, eigentlich mehr *darüber*, dass ich so wenig wusste.

○ Und *auf* wen warten Sie?
● *Auf* Herrn Müller.
○ Und, wo ist er?
● Er kommt sicher gleich, ich warte erst fünf Minuten *auf* ihn.
○ Ah, da kommt er ja.

Personen – Sachen – Ereignisse

*Wo(r)...* und *da(r)...* verwendet man bei ____________ und bei ____________ .

**b Wählen Sie ein Verb und schreiben/spielen Sie kleine Dialoge wie in 4a.**

sich informieren über / denken an / erwarten von / achten auf / sich beschweren über / ...

**c Ergänzen Sie die Lücken im Text.**

| daran | ~~darüber~~ | wofür | worauf | darüber | worüber |
|---|---|---|---|---|---|

○ Hallo Sabine, ich freue mich *darüber*, dass du die neue Stelle bekommen hast. Hast du Hans schon gesagt, __________ ihr im Vorstellungsgespräch gesprochen habt? Er will sich doch auch bewerben und unsere Firma denkt __________, neue Leute einzustellen.

● Nein, __________ habe ich noch nicht mit ihm gesprochen.

○ __________ hast du denn bei deiner Bewerbung besonders geachtet?

● Ich habe besonders deutlich gemacht, was mich interessiert. Aber bei Hans frage ich mich manchmal, __________ er sich ganz konkret interessiert ... Er findet einfach alles interessant.

▶ Ü 5–7

# Mehr als ein Beruf

**1a Lesen Sie die Ausdrücke und ordnen Sie sie den Fotos zu. Manche Ausdrücke passen zu mehr als einem Foto.**

als Türsteher arbeiten   eine Geschäftsreise machen   mit Hunden wandern   Patienten behandeln
schwere Aktenkoffer tragen   unangenehme Gäste hinausbegleiten   mit der Bahn reisen
Krankengeschichten beachten   Bergschuhe anziehen   Menschen einschätzen
in den Bergen wandern   eine Hütte/Alp bewirtschaften   Stammgäste begrüßen
an Besprechungen/Konferenzen teilnehmen   Vorträge halten   sich mit der Anatomie gut auskennen
Kühe, Ziegen und Schafe hüten   wichtige berufliche Termine einhalten   Gymnastikübungen erklären
Telefonkonferenzen abhalten   für Ruhe sorgen   jemanden massieren

| Mann mit Hunden | Mann am Bahnhof | Mann in Praxis | Mann vor der Bar |
|---|---|---|---|
| *mit Hunden wandern,* | *eine Geschäftsreise machen,* | | |

**b Was vermuten Sie: Was machen die beiden Männer beruflich? Wählen Sie eine Person aus und beschreiben Sie ihren Alltag.**

**vermuten**

Ich kann mir gut vorstellen, dass ..., denn/weil ... / Es könnte (gut) sein, dass ...
Ich vermute/glaube/nehme an, dass ...
Es kann sein, dass ... / Ich könnte mir gut vorstellen, dass ...
Der erste Mann wird ... sein. In seinem Alltag wird er ...
Der andere Mann sieht so aus, als ob ...
Es ist denkbar/möglich/vorstellbar, dass ...
Vielleicht/Wahrscheinlich/Vermutlich ist ...

**c Lesen Sie zwei Texte über die beiden Personen und beantworten Sie die Fragen.**

- Aus welchen Gründen haben Rudolf Helbling und Manfred Studer zwei Berufe?
- Welche Parallelen gibt es jeweils zwischen den Berufen?
- Welche Schwierigkeiten haben die beiden Personen mit zwei Berufen?

▶ Ü 1–2

**Rudolf Helbling, 45, Dozent und Alphirt**

Nach einem Aufenthalt in den USA fiel 1986 der Entscheid, in die Schweiz zurückzukehren, wo ich anschließend an der Universität St. Gallen Volkswirtschaft studierte und meinen Doktor machte. Nach einem Forschungsaufenthalt in Neuseeland erfüllte ich mir meinen großen Traum und wurde Alphirt. Meine Frau und unsere vier Kinder leben in Bever, in der Nähe von St. Gallen. Aber von Mai bis Oktober arbeite und wohne ich auf unserer Alp, die ich vor zwei Jahren gepachtet habe. Sie liegt zwischen 1.800 und 3.000 Metern über Meer im Val Curciusa, im Kanton Graubünden.

Auf der etwa 2.500 Hektar großen Alp hüte ich mit meinen Angestellten 1.600 Schafe, 250 Kühe, 300 Ziegen und 30 Pferde. Die Tiere gehören den Bauern aus dem Unterland. Ich bin von morgens früh bis abends spät mit meiner Herde unterwegs. Oftmals führt der Weg durch schwieriges Gelände. Insgesamt ist die Alpwirtschaft eine große physische und psychische Herausforderung. Das Material wird mit Pferden und Maultieren, teilweise mit dem Helikopter auf die Alp geschafft. Ich liebe die Arbeit in der freien Natur und bewege mich gerne in dieser rauen Welt. Gleichzeitig übernehme ich mit meinem Team Verantwortung für die Tiere. Und ich darf mich als Kleinunternehmer behaupten.

Mein zweites Standbein ist die Tätigkeit als Dozent an der Uni St. Gallen. Die Alpwirtschaft und meine Lehrtätigkeit haben einige Gemeinsamkeiten, geht es doch an beiden Orten um ökonomische, ökologische und politische Fragen. Bis jetzt habe ich mein abwechslungsreiches Doppelleben nicht bereut. Nicht immer einfach ist jedoch, dass ich während der Zeit auf der Alp meine Familie nur selten sehe.

**Manfred Studer, 30, Krankengymnast, Heilpraktiker und Türsteher**

Freitagmorgen, 5:30 Uhr, für mich beginnt ein langer Tag. Ich mache mich auf den Weg in meine Praxis, denn um 7:00 Uhr wartet schon der erste Patient. Vor inzwischen sechs Jahren bin ich mit meiner Ausbildung zum Physiotherapeuten und Heilpraktiker fertig geworden. Dann habe ich fünf Jahre in einem Krankenhaus in Luzern gearbeitet. Vor einem Jahr habe ich den Schritt gewagt und eine eigene Praxis eröffnet. Ich bin sehr froh darüber, nun mein eigener Herr zu sein, aber die Konkurrenz ist groß und die Miete für die Praxisräume ist sehr hoch. Natürlich hatte ich finanzielle Reserven, aber mit der Zeit wurden sie immer kleiner ... Ich möchte meine Praxis jedoch auf keinen Fall aufgeben, also habe ich mir einen zweiten Job gesucht.

Ich arbeite freitags und samstags von 21:00 bis 3:00 Uhr für eine Bar in der Innenstadt. Ich bin Türsteher und passe auf, dass nur die Gäste in die Bar kommen, die von den Barbetreibern erwünscht sind. Betrunkene Gäste zum Beispiel sind hier nicht gerne gesehen. Und wenn es in der Bar einmal Streitereien gibt, dann bin ich es, der die Unruhestifter ruhig, aber energisch bittet, die Bar zu verlassen. In diesem Beruf kommen mir meine Erfahrungen mit Menschen, die ich als Heilpraktiker gemacht habe, sehr zugute. Und natürlich muss ich für beide Berufe körperlich fit sein.

Ich bin zufrieden mit meinen beiden Jobs, aber Freizeit habe ich nun so gut wie keine mehr. Im Grunde hoffe ich doch, dass ich bald so viele Patienten in der Praxis habe, dass ich nicht mehr als Türsteher arbeiten muss.

**2 Sammeln Sie im Kurs Vor- und Nachteile eines Lebens mit zwei Jobs. Überlegen Sie, was man alles anders organisieren muss, wenn man zwei Jobs hat. Berichten Sie auch von eigenen Erfahrungen.**

# Mehr als ein Beruf

2.7

**3a Beruf Tauchlehrerin: Valerija hat ihren Job im Büro aufgegeben und arbeitet jetzt als Tauchlehrerin. Hören Sie das Interview und notieren Sie die Stationen aus Valerijas Leben auf der Zeitachse.**

| vor acht Jahren | vor vier Jahren | vor drei Jahren | vor zwei Jahren | in vier Wochen |
|---|---|---|---|---|
| *beginnt zu tauchen, Ägypten,* ____ | ____ | ____ | ____ | ____ |

**b Hören Sie das Interview noch einmal und ergänzen Sie die Übersicht während und nach dem Hören mit Notizen. Vergleichen Sie dann Ihre Notizen mit Ihrem Partner / Ihrer Partnerin.**

| der Anfang: Valerija taucht zum ersten Mal | die Idee: Valerija will Tauchlehrerin werden |
|---|---|
| | |
| **der Entschluss: einen Job als Tauchlehrerin finden** | **der Abschied: die Freunde und die Familie** |
| | |
| **Beruf Tauchlehrer: Was ist schwer?** | **Beruf Tauchlehrer: Was ist schön?** |
| | |

**c Was ist für Sie an Ihrem Beruf oder Ihrer Ausbildung besonders schön oder schwer? Haben Sie Ähnliches wie Valerija erlebt? Berichten Sie.**

▶ Ü 3

**4a Nicht nur Valerija findet ihr Hobby als Beruf manchmal ziemlich anstrengend. Lesen Sie den Anfang dieses Chats. Kreuzen Sie dann an, was für die Sprache in einem Chat typisch ist.**

*Animator an Coolmax um 23:25:12*
Hallo! Ich hab 'ne Krise. Der Job hier ist nichts für mich! Jeden Abend lustig sein, immer gute Laune haben. Ich habe keine Lust mehr!
*Coolmax an Animator um 23:25:28*
Soooo schlimm? Hey, du bist erst seit 4 Wochen in dem Ferienclub. Macht's dir denn gar keinen Spaß?
*Animator an Coolmax um 23:26:31*
Nee ☹!!! Meine Kollegen reden nur über das Essen und die Gäste. Und die Gäste wollen mich von 8 bis 0 Uhr immer gut gelaunt sehen. Ich habe nie meine Ruhe!
*Coolmax an Animator um 23:27:07*
Na komm, Kopf hoch! Hier ist's auch nicht besser ... ;-) Mein Chef nervt tierisch ...!

SENDEN

| | für einen Chat | |
|---|---|---|
| | **typisch** | **untypisch** |
| komplexe und lange Sätze | ☐ | ☐ |
| verkürzte Wörter (Endungen oder Vorsilben weggelassen, ...) | ☐ | ☐ |
| Ausrufe wie in der gesprochenen Sprache (Ah, Oh, ...) | ☐ | ☐ |
| Emoticons (☺/☹/ ...) | ☐ | ☐ |
| Anrede: „Sie" | ☐ | ☐ |
| direkte Rede | ☐ | ☐ |
| kurze Absätze | ☐ | ☐ |

▶ Ü 4

**b Nehmen Sie ein Blatt Papier und schreiben Sie zusammen mit einem Partner den Chat weiter. Jeder übernimmt eine Rolle.**

**Rolle A: Animator**
Sie sind sehr unglücklich mit Ihrem Beruf als Unterhalter in einem All-Inclusive Ferienclub. Sie hatten lange von diesem Job geträumt und sich die Arbeit mit Menschen, die im sonnigen Süden Urlaub machen, sehr schön vorgestellt: wie Urlaub, für den man Geld bekommt. Jetzt merken Sie: Der Job ist sehr anstrengend, Sie machen oft dasselbe und die Clubgäste stellen Ihnen immer die gleichen Fragen. Sie wollen nach Hause!

**Rolle B: Coolmax**
Sie sind ein guter Freund von „Animator". Sie haben vor fünf Wochen eine Stelle in einem Reisebüro angenommen. Die Arbeit gefällt Ihnen gut, aber Ihr Chef ist launisch. Sie beneiden „Animator" um seinen Job: Er hat immer schönes Wetter (bei Ihnen regnet es seit Tagen), er hat viel mit Leuten zu tun, die gut gelaunt sind (sie sind ja im Urlaub), und er muss sich nicht um sein Essen oder seine Wohnung kümmern: Er hat ein Hotelzimmer mit Vollpension! Sie möchten ihn ermuntern, nicht aufzugeben.

▶ Ü 5

# Aenne Burda

*Aenne Burda, Verlegerin*

## Königin der Kleider

„Die Mode ist nicht nur eine Sprache,
die man auf der ganzen Welt versteht,
sie stellt auch eine Weltmacht dar."

Anna Magdalene („Aenne") Burda, Verlegerin
* 28. Juli 1909 (Offenburg)
† 3. November 2005 (Offenburg)
9. Juli 1931: Heirat mit Dr. Franz Burda, drei Söhne, Franz (* 1932), Frieder (* 1936) und Hubert (* 1940).

Nach dem Zweiten Weltkrieg baute die „Königin der Kleider" mit Burda-Moden einen der größten deutschen Zeitschriftenverlage auf.

Aenne Burda war die Tochter des Lokomotivführers Franz Lemminger und seiner Frau Maria. Sie besuchte eine Klosterschule und nach der mittleren Reife an der Höheren Handelsschule Offenburg absolvierte sie eine kaufmännische Lehre im Offenburger Elektrizitätswerk. Dort musste sie auch säumige Beiträge bei den Zahlern eintreiben und lernte dabei ihren späteren Mann, Dr. Franz Burda (1903–1986), kennen.

Den Grundstein zu Aenne Burdas eigenem Verlag legte ihr Mann in doppelter Hinsicht: Franz Burda finanzierte den Verlag „Elfi-Moden" seiner Geliebten und ehemaligen Sekretärin Elfriede Breuer. Als Aenne Burda davon erfuhr, reichte sie nicht etwa die Scheidung ein, sondern übernahm den zu diesem Zeitpunkt fast bankrotten Verlag mit der finanziellen Unterstützung ihres Mannes. So konnte sie 1949 einen eigenen Modeverlag mit damals 48 Mitarbeitern gründen. Ab Januar 1950 erschien „Burda-Moden" mit einer Auflage von 100.000 Exemplaren. Die bahnbrechende Geschäftsidee des Magazins sind die seit 1952 beiliegenden Schnittmuster-Bögen, die es den Leserinnen erlauben, in Heimarbeit Modelle aus dem Magazin selbst zu nähen und ihre Vorstellungen von schicker Mode preiswert zu verwirklichen.

Nach der Übernahme von „Bayer Moden" im Oktober 1961 war „Burda-Moden" die weltgrößte Modezeitschrift. Das Burda Modemagazin erschien 2005 in 89 Ländern, übersetzt in 16 Sprachen. 1987 wurde die Zeitschrift „Burda-Moden" als erste westliche Zeitschrift in russischer Sprache in der Sowjetunion verkauft. In ihren Erinnerungen bezeichnet Aenne Burda die Präsentation ihrer Zeitschrift und Kollektion beim Frauentag, am 8.3.1987 in Moskau als ihren Lebenshöhepunkt.

1994, nach 45 Jahren, wies ihr Verlag einen Umsatz von 172 Mio. DM (ca. 86 Mio. Euro) aus. Erst im Alter von 85 Jahren zog sich Aenne Burda aus der Verlagsleitung zurück.

In jüngeren Jahren war Aenne Burda eine Liebhaberin schneller Sportwagen und genoss den mondänen Auftritt bei Modeschauen und Filmgalas. Nach ihrem Rücktritt aus der Verlagsleitung widmete sie sich ihrer privaten Leidenschaft, der Malerei mit Ölfarben. Burda hatte einen starken Willen zum Erfolg und duldete weder geschäftliche Widersacher noch interne Kritik. Guten Ideen und Talenten gegenüber, wie etwa Jil Sander, war sie immer aufgeschlossen. Mit ihrer Aenne-Burda-Stiftung förderte sie Kunst, Kultur, Umwelt- und Denkmalschutz sowie die Altenpflege und unterstützte hilfsbedürftige Menschen in Offenburg.

Mehr Informationen zu Aenne Burda 

**Sammeln Sie Informationen über Persönlichkeiten aus dem In- und Ausland, die für das Thema „Arbeit und Beruf" interessant sind, und stellen Sie sie im Kurs vor. Sie können dazu die Vorlage „Porträt" im Anhang verwenden.** Beispiele aus dem deutschsprachigen Bereich: Rudolf-August Oetker, Josef Neckermann, Roncalli (Bernhard Paul), Stefan Raab

## 1 Zukünftiges ausdrücken

Um Dinge, die in der Zukunft liegen, auszudrücken, werden zwei Tempusformen verwendet:

| | |
|---|---|
| Präsens (oft mit Zeitangabe) | *Morgen* ***spreche*** *ich mit meiner Chefin.* |
| Futur I | *Ich* ***werde*** *(morgen) mit meiner Chefin* ***sprechen****.* |

Das Futur I wird auch oft verwendet, um Vermutungen auszudrücken.

○ *Wo ist Thomas?* – ● *Er wird noch bei der Arbeit sein.* (= Ich weiß es nicht sicher.)

**Bildung des Futur I** *werden* + Infinitiv

## 2 Verben mit Präposition

Viele Verben stehen mit einer oder mehreren Präpositionen. Bei Verben mit Präposition bestimmt die Präposition den Kasus der zugehörigen Satzteile.

| | |
|---|---|
| diskutieren **über** + Akk. | *Wir diskutieren* ***über*** *die neuen Arbeitszeiten.* |
| diskutieren **mit** + Dat. | *Wir diskutieren* ***mit*** *unserem Chef.* |
| diskutieren **mit** + Dat. **über** + Akk. | *Wir diskutieren* ***mit*** *unserem Chef* ***über*** *die neuen Arbeitszeiten.* |

## 3 Pronominaladverbien (daran, darauf, darüber, ...) und Fragewort (woran, wofür, worüber, ...)

Sich auf eine Sache / ein Ereignis beziehen. ➔ *da(r)-* + Präposition:

| | |
|---|---|
| *Ich freue mich* ***über die neue Stelle****.* | *Ich freue mich* ***darüber****.* |
| *Er nimmt* ***an einer Schulung*** *teil.* | *Er nimmt* ***daran*** *teil.* |

Bestimmte Informationen können durch ein Fragewort ermittelt werden. ➔ *wo(r)-* + Präposition:

| | |
|---|---|
| ○ ***Woran*** *denkst du jetzt?* | ● ***An*** *unsere Zukunft!* |
| ○ ***Wovon*** *redet er?* | ● ***Von*** *unserem neuen Projekt.* |

Merke: Nach *wo...* und *da...* wird ein *r* eingefügt, wenn die Präposition mit einem Vokal beginnt:
auf ➔ wor**a**uf/dar**a**uf

Person oder Sache?

| | |
|---|---|
| a) eine Sache / ein Ereignis:<br>mit Fragewort + Präposition<br>mit Pronominaladverb | ○ ***Worüber*** *sprecht ihr?*<br>● *Über den Test.*<br>○ *Bitte erinnere mich nicht* ***daran****!* |
| b) eine Person / eine Institution:<br>mit Präposition + Pronomen<br>mit Fragewort + Pronomen | ○ *Ich treffe heute Sabine, erinnerst du dich* ***an sie****?*<br>● ***An wen****, ... Sabine? Ah natürlich, deine frühere Kollegin.* |

# Servicewüste Deutschland

In Deutschland hat sich die Situation auf dem Arbeitsmarkt verändert. Arbeitsplätze sind weniger geworden und die hohe Arbeitslosigkeit ist ein Problem.

**1 a Sehen Sie den Film. Worum geht es?**
**b Was ist mit dem Titel „Servicewüste Deutschland" gemeint?**

**1 2 a Sehen Sie die erste Filmsequenz. Was erfahren Sie über die Situation von Robert Garnik?**
**b Beschreiben Sie seine Geschäftsidee. Was halten Sie von seiner Initiative?**

**3 Robert Garnik sagt, „dass man hier keine Arbeit kriegt, weil man scheinbar mit über vierzig zu allem zu alt ist".**
**Diskutieren Sie: Welche Rolle spielt das Alter bei der Arbeitssuche? Wie ist das in Ihrem Land?**

**2 4 a Sehen Sie die zweite Filmsequenz. Warum hat Robert Garnik so wenig Kunden? Was sagen die Passanten?**
**b Nehmen Sie Stellung zu den Äußerungen der Passanten.**

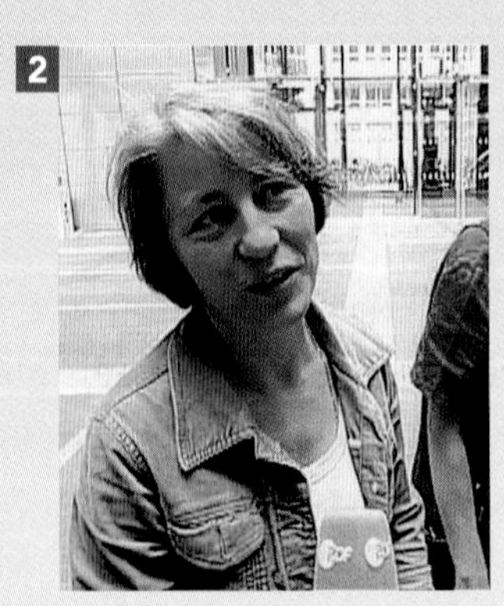

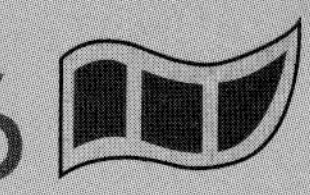

3 5 Sehen Sie die dritte Sequenz.

a Wie nutzt die Frau den Service des Schuhputzers?

b Sind die Deutschen Servicemuffel? Welche Gründe nennt der Kunde?

c Was unternimmt Robert Garnik, um seine Situation zu verbessern, und was könnte seiner Meinung nach seine Verdienstchancen steigern?

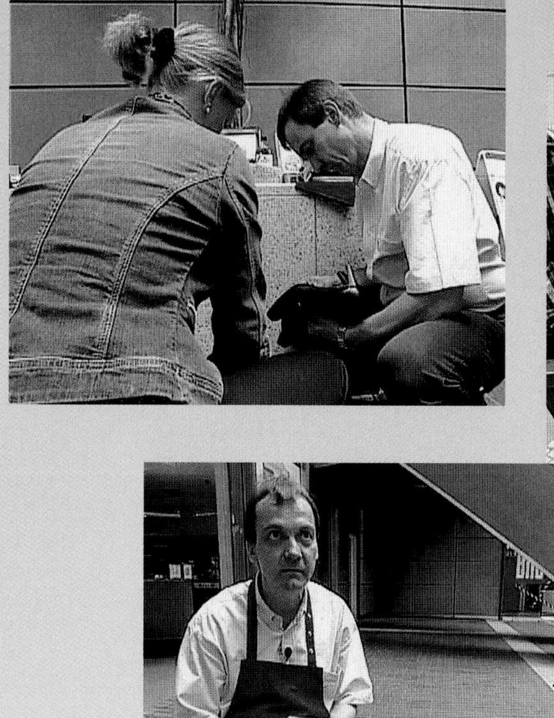

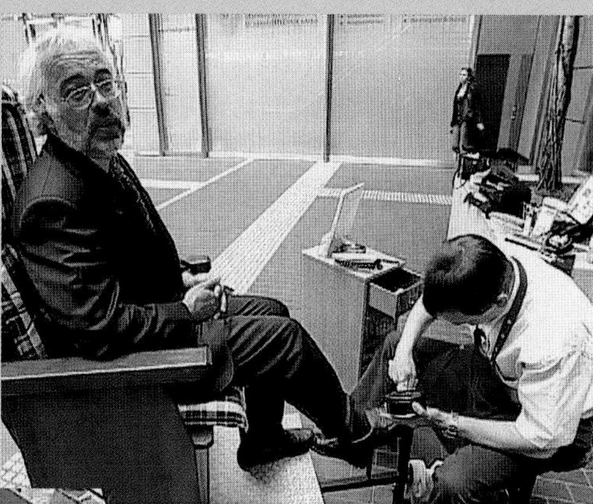

6 Glauben Sie, dass Robert Garnik mit dieser Geschäftsidee eine Perspektive hat?

7 Welche Serviceangebote werden in Ihrem Land häufig genutzt?

8a Was ist mit den Sprichwörtern gemeint? Halten Sie die Aussagen für realistisch? Diskutieren Sie.

„Jeder ist seines Glückes Schmied."

„Sich regen, bringt Segen."

b Sammeln Sie ähnliche Sprichwörter in Ihrer Sprache.

# Für immer und ewig

Arbeiten Sie zu dritt. Ordnen Sie die Fotos zu einer Geschichte. Schreiben Sie dann Dialoge oder kurze Texte zu den Bildern und tragen Sie Ihre Geschichte vor.

## Sie lernen



## Grammatik

# Lebensformen

1a Viele Menschen leben heutzutage nicht mehr in einer traditionellen Familie. Sehen Sie sich die verschiedenen Lebensformen in der Grafik an und erklären Sie sie im Kurs. Kennen Sie noch andere Lebensformen?

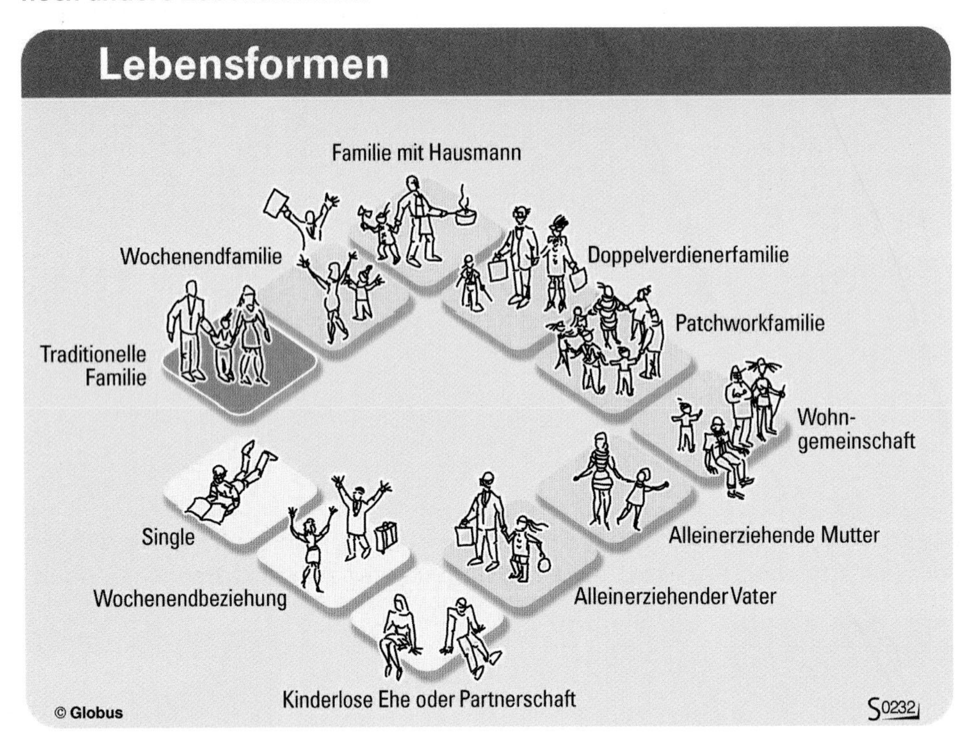


▶ Ü 1

b Bilden Sie Gruppen. Wählen Sie drei Lebensformen und notieren Sie Stichpunkte.

| Ursachen | Folgen | Vorteile | Nachteile |
|---|---|---|---|
| | | | |

Diskutieren Sie dann im Kurs.

*Wenn Kinder in einer Patchworkfamilie aufwachsen, lernen sie ...*
*Es gibt immer mehr Alleinerziehende, weil ...*
*Wochenendbeziehungen haben auch Vorteile: Man kann zum Beispiel ...*

▶ Ü 2

2.8

2a Hören Sie einen Radiobeitrag und erklären Sie kurz, worum es geht.

b Hören Sie den ersten Abschnitt noch einmal, beantworten Sie die Fragen 1 und 2 und ergänzen Sie die Zahlen in 3.

1. Wie hoch ist die Scheidungsrate in Deutschland?
2. Welche Gründe werden dafür im Beitrag genannt?
3. Familienformen, in denen Kinder in Deutschland leben:

_______ % mit beiden leiblichen Eltern

_______ % mit einem alleinerziehenden Elternteil

_______ % in einer Patchworkfamilie

▶ Ü 3

c Hören Sie den zweiten Abschnitt noch einmal und notieren Sie.

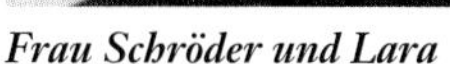
Frau Schröder und Lara

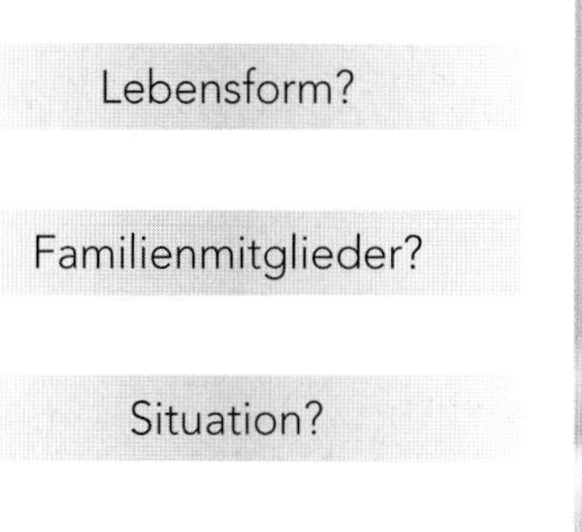

Herr Massmann

d Schreiben Sie anhand Ihrer Notizen ein kurzes Porträt zu einer der beiden Familien.

3a In dem Radiobeitrag haben Sie die folgenden reflexiv gebrauchten Verben gehört. Wählen Sie drei Verben und schreiben Sie Beispielsätze.

sich scheiden lassen, sich sehen, sich gut verstehen, sich treffen (mit), sich entschließen, sich wünschen, sich trennen, sich verlieben, sich gewöhnen an, sich etwas sagen lassen, sich ändern, sich zusammenraufen

b Welche anderen reflexiven Verben kennen Sie? Sammeln Sie an der Tafel.

c Welche Beispielsätze gehören zu welcher Regel?

a
○ Zieh dich warm an.
● Ja, ja, ich zieh mir den warmen Mantel an.

b
Wir verstehen uns wirklich gut und unternehmen viel gemeinsam.
Ich verstehe ihn einfach nicht.

c
Ich habe mich entschlossen, wieder zu arbeiten.
Er hat sich sofort in sie verliebt.

d
Ich wünsche mir mehr Zeit.
Merk dir die Regel!

G

1. Manche Verben sind immer reflexiv. ___
2. Andere Verben können reflexiv gebraucht werden oder mit einer Akkusativergänzung. ___
3. Reflexivpronomen stehen normalerweise im Akkusativ. Gibt es eine Akkusativergänzung, steht das Reflexivpronomen im Dativ. ___
4. Verben, deren Reflexivpronomen immer im Dativ stehen, brauchen immer auch eine Akkusativergänzung. ___

▶ Ü 4–5

4 Überlegen Sie sich zu zweit eine kurze Geschichte und erzählen Sie. Verwenden Sie folgende Verben:

sich kennenlernen — sich interessant finden — heiraten — sich scheiden lassen — sich verlieben — sich verloben — sich verabreden — sich trennen — sich gut verstehen

# Partnerglück im Internet

1a **Sehen Sie sich das Werbeplakat an. Wofür wird hier Werbung gemacht?**

b **Lesen Sie den Text. Notieren Sie aus dem Text positive und negative Aspekte der Kontaktsuche per Internet. Welche Vor- und Nachteile würden Sie ergänzen?**

Positive Aspekte: *gezielte Suche, ...*
Negative Aspekte: *zeitlich begrenzt (sechs Monate), ...*

## Boom im Netz der einsamen Herzen

Nicht der schon wieder! Schnell schiebt Anja den Brief eines geschiedenen Lehrers und Hobbytauchers in den Papierkorb. Sie trinkt von ihrer Apfelsaftschorle und wartet gespannt auf eine Nachricht von dem Neuen. Er heißt Martin und ist Ingenieur, so viel weiß sie schon. Zwei Stunden später ist die E-Mail endlich da. Martin will Anja in die Oper einladen, aber die 35-Jährige hat es sich zur Regel gemacht, sich nicht zu früh zu treffen. Sie möchte erst einmal online herausfinden, ob er ihr gefallen könnte.

So wie Anja suchen viele Singles ihr Glück im Internet. Sie sind im Durchschnitt zwischen 35 und 50 Jahre alt und beruflich stark eingespannt. Nach einem langen Tag haben die meisten von ihnen keine Lust mehr auszugehen, so auch Anja. Online kann sie an einem Abend mit vielen Männern Kontakt aufnehmen, per E-Mail Telefonnummern tauschen und sich verabreden. Das Ganze hat allerdings auch seinen Preis: 179 Euro kostet die sechsmonatige Partnersuche mithilfe der Online-Vermittlungsagentur Parship. Viel Geld, aber viel effizienter als ein paar Dutzend Barbesuche. Denn in den Internet-Börsen haben ja alle das gleiche Ziel: einen Partner finden, meint Anja.

Von den über elf Millionen Singles in Deutschland sucht nach einer Umfrage von Parship fast die Hälfte ihr Liebesglück im Internet. Während jüngere Singles noch daran glauben, der großen Liebe zufällig im Café oder beim Einkaufen über den Weg zu laufen, nimmt dieser Glaube ans Schicksal mit zunehmendem Alter ab. Singlebörsen versprechen im Netz, für jeden einen Partner zu finden. Mittlerweile gibt es über 2.500 Singlebörsen und Partnerschaftsagenturen im Internet, die gegen Geld ihre Dienste anbieten. Mehr als 37 Millionen Euro hat diese Branche 2004 eingenommen. Dabei stellt sich die Frage, wie erfolgreich die Börsen im Netz der einsamen Herzen funktionieren. Die Branche führt Studien an, denen zufolge mehr als ein Drittel der Nutzer einen neuen Partner im Internet findet. Für Anja ist das ein schwacher Trost. Zwar hat sie sich mit Martin, dem Ingenieur, getroffen. Doch der Funke ist auch beim tiefen Blick in die Augen nicht übergesprungen. Da ist sogar das Internet machtlos.

**Partnersuche im Internet in Zahlen:**
Jeder fünfte Internetbenutzer in Deutschland setzt bei der Partnersuche auf das Internet. 6,7 Millionen Menschen (20,7% der Internetbenutzer) haben im Juli 2005 Online-Partnerbörsen benutzt. Interessant: 78% gaben an, bei ihrer Selbstbeschreibung in Partnerbörsen die Wahrheit zu sagen. Und fast die Hälfte der Befragten ist bereit, pro Monat 5 € und mehr zu bezahlen.

▶ Ü 1

c **Wie finden Sie diese Art der Partnersuche? Könnten Sie sich vorstellen, auf diese Art einen Partner zu suchen? Welche anderen Möglichkeiten kennen Sie?**

**2a Sie haben in einer Zeitschrift den Artikel „Boom im Netz der einsamen Herzen" gelesen und wollen Ihre Meinung dazu schreiben. Welche Art von Brief müssen Sie dafür formulieren? Markieren Sie.**

- ☐ persönlicher Brief
- ☐ Beschwerdebrief
- ☐ Leserbrief
- ☐ Anfrage

**b Sehen Sie sich den Musterbrief an. Ergänzen Sie die Bezeichnungen für die Briefteile.**

| Grußformel | Hauptteil | ~~Ort~~ | Unterschrift | Einleitung |
|---|---|---|---|---|
| Datum | Anschrift | ~~Betreff~~ | Schluss | Anrede |

Ort ____________ — Berlin, den 23.09.2…

____________ — Redaktion mobil
Leserzuschriften
Griegstraße 75
22763 Hamburg

Betreff ____________ — **Ihr Artikel vom 21.09.2…**

____________ — Sehr geehrte Damen und Herren,

____________ — mit großem Interesse habe ich Ihren Artikel *Boom im Netz der einsamen Herzen* gelesen. Im Artikel wird gesagt, dass …

____________ — Ich persönlich finde diese Art der Partnersuche …
Es ist erschreckend/erfreulich, …

____________ — Ich würde mich freuen, wenn Sie meinen Beitrag veröffentlichen würden.

____________ — Mit freundlichen Grüßen

____________ — *Claudia Kaiser*

▶ Ü 2

**c Sammeln Sie in der Gruppe weitere Redemittel für die Einleitung und für den Schluss.**

*In Ihrer Zeitschrift vom … veröffentlichten Sie einen Artikel zum Thema …*
*Zum Schluss möchte ich Sie darauf aufmerksam machen, dass …*

**d Schreiben Sie nun einen Leserbrief zu den folgenden Punkten:**

- wie Sie diese Möglichkeit der Partnersuche finden
- ob Sie schon Erfahrungen mit der Partnersuche im Internet gemacht haben
- welche anderen Möglichkeiten Sie gut/besser finden, einen Partner / eine Partnerin kennenzulernen

# Die große Liebe

1 **Glauben Sie an die große Liebe?**

2 **Ein kleiner Augenblick, ein ganz besonderer Satz, und plötzlich weiß man: Das ist die große Liebe. Lesen Sie drei Texte aus einer Zeitschrift und beantworten Sie die Fragen.**

1. Wie oder wo haben sich die Paare kennengelernt?
2. Was ist die besondere Situation der Paare?
3. Welche Pläne haben die Paare?

■ **Paulo Gomes, 35:** Ich komme aus São Paulo. Anne habe ich in England kennengelernt, wo wir beide bei einer Marketingfirma gearbeitet haben. Mir war ziemlich schnell klar, dass Anne die Frau ist, mit der ich eine Familie gründen will, und ich bin zu ihr nach Hamburg gezogen. Es hat dann eine Weile gedauert, bis ich eine Arbeit gefunden habe, aber jetzt arbeite ich in einem wirklich netten Team. Manchmal fehlen mir meine Freunde, die alle in Brasilien leben. Unsere Kinder sehen ihre Großeltern höchstens einmal im Jahr, was ich wirklich schade finde. Und die deutsche Mentalität ist mir oft zu ernst, ich vermisse die brasilianische Lebensart. Spätestens in zwei oder drei Jahren möchte ich mit meiner Familie nach Brasilien ziehen.

**Anne Gomes, 32:** Paulo ist der Mensch, dem ich grenzenlos vertraue. Er ist mein bester Freund und gleichzeitig meine große Liebe. Das passiert sicher nur einmal im Leben. Allerdings plagt ihn immer wieder das Heimweh und am liebsten würde er mit mir und den Kindern nach Brasilien ziehen, was ich mir aber gar nicht vorstellen kann. Dort eine Arbeit zu finden, die meinen Qualifikationen entspricht, wäre sicher sehr schwierig, zumal mein Brasilianisch nicht besonders gut ist. Und die Kinder müssten sich an eine Umgebung gewöhnen, die ihnen fremd ist.

■ **Ernst Kostner, 77:** Maja habe ich vor einem Jahr durch eine Kontaktanzeige kennengelernt. In dem Moment, als wir uns angesehen haben, wusste ich: Das ist sie! Ich wollte gerne eine Frau, mit der ich etwas erleben kann. Maja ist meine große Liebe, weil wir zusammen lachen können und ich mit ihr alles nachholen kann, was ich verpasst habe. Einmal ist Maja nachts um drei ein Tanzschritt eingefallen, den sie dann geübt hat. Ich bin aufgewacht und wir haben zusammen weitergetanzt. Einfach so.

**Maja Stinner, 73:** Mit Ernst ist einfach immer etwas los. Er ist sehr aktiv, schmiedet immer Pläne. Nächsten Monat zum Beispiel fahren wir zusammen nach Prag, wo wir an einem Tanzwettbewerb teilnehmen.

■ **Pia Fischer, 40:** Wir passen einfach perfekt zueinander. Es gibt eigentlich nichts, was mich an ihm stört. Conni ist so begeisterungsfähig und wir teilen so viele Interessen. Nur unsere Umwelt hat immer noch ein Problem mit unserer Beziehung. Meine Familie kann nicht verstehen, dass ich mit einem Mann zusammen bin, der zwölf Jahre jünger ist als ich. Komischerweise hat niemand ein Problem damit, wenn der Mann älter ist als die Frau. Mich interessiert dieser Altersunterschied nicht. Ich fühle mich einfach wohl mit ihm.

**Cornelius Horsmann, 28:** Kennengelernt habe ich Pia in dem Café, in dem ich jobbe. Ich fand sie sofort interessant. Pia ist eine faszinierende Frau, die weiß, was sie vom Leben will, und die schon eine Menge erlebt hat. Die Vorurteile, denen wir ständig begegnen, sind schon unglaublich. Aber mir ist es völlig egal, was die anderen sagen, und nächstes Jahr werden wir heiraten.

▶ Ü 1–2

**3a Wovon hängt die Form des Relativpronomens ab? Markieren Sie und ergänzen Sie dann die Regel.**

Paulo ist der Mensch, dem ich grenzenlos vertraue.

Einmal ist Maja nachts ein Tanzschritt eingefallen, den sie dann geübt hat.

Anne ist die Frau, mit der ich eine Familie gründen will.

G

Artikel – Kasus – Informationen – Bezugswort

Relativsätze geben genauere ____________________, beschreiben etwas oder jemanden.
Form des Relativpronomens:
➔ wie bestimmter ____________ (Ausnahmen: Dativ Plural und Genitiv)
➔ Genus (der/das/die) und Numerus (Singular/Plural) richten sich nach dem ____________.
➔ Der ____________ richtet sich nach dem Verb oder der Präposition im Relativsatz.

**b Lesen Sie die Beispielsätze und ergänzen Sie die Regel.**

Ich habe Anne in der englischen Kleinstadt kennengelernt,

| **in der** wir gearbeitet haben.<br>**wo** wir gearbeitet haben. | **in die** ich gezogen bin.<br>**wohin** ich gezogen bin. | **aus der** mein Kollege kommt.<br>**woher** mein Kollege kommt. |
| --- | --- | --- |
| **Ort** | **Richtung auf etwas zu** | **Richtung von etwas weg** |

G

Gibt ein Relativsatz einen Ort oder eine Richtung an, kann man alternativ zu Präposition + Relativpronomen auch ______/______/______ verwenden.

**c Sehen Sie sich die Beispiele an. Worauf bezieht sich das Relativpronomen *was*? Ergänzen Sie die Regel.**

Meine Kinder sehen ihre Großeltern höchstens einmal im Jahr, was ich wirklich schade finde.
Mit Maja kann ich alles nachholen, was ich verpasst habe.
Es gibt eigentlich nichts, was mich an ihm stört.

G

Bezieht sich das Relativpronomen auf einen ganzen Satz oder stehen die Pronomen *etwas*, ______ und ______ im Hauptsatz, dann verwendet man das Relativpronomen *was*.

▶ Ü 3–4

**4 Beschreiben Sie Ihren Traumpartner / Ihre Traumpartnerin. Bilden Sie mindestens fünf Relativsätze.**

*Ich suche eine Partnerin, mit der ich zum Mond fliegen kann.*
*Mein Traummann ist ein Mensch, der immer zu mir hält.*

▶ Ü 5–6

# Eine seltsame Geschichte

**1a Lesen Sie den ersten Teil einer Geschichte aus dem Roman „Mein Name sei Gantenbein" von Max Frisch. Über wen wird erzählt? Was ist passiert?**

## Teil 1: Im Flugzeug

Eine Geschichte […] von einem Mann, der immer wieder einmal entschlossen ist, seinen Lebenswandel zu ändern, und natürlich gelingt es ihm nie … Als er wieder einmal heimwärts flog, einer, der nicht immer hinausguckt, wenn die Maschine draußen auf der Piste[1] steht und auf die Starterlaubnis wartet, und der seine Zeitung schon vor dem Start entfaltet, las er in einem heimatlichen Morgenblatt, das, im fremden Flughafen gekauft, natürlich etwas veraltet war, zufällig seine eigene Todesanzeige. Niemand hatte ihm sein Hinscheiden[2] mitgeteilt; niemand hatte gewußt, wo er sich in diesen Tagen befand, nicht einmal seine Frau. Er selbst, kaum hatte er seine Todesanzeige wahrgenommen, guckte nun doch zum runden Fenster hinaus; aber an Aussteigen war nicht mehr zu denken, die Piste flitzte vorbei, und eben hob sich die Maschine vom Boden steilauf. Noch sah er Wiesen, Gehöfte von oben, Kiefernwald, mit Straßen, ein Fuhrwerk auf einer Straße, kurz darauf einen Bahnhof mit Gleisen, aber schon wie ein Spielzeug. Dann Nebel. Ein Glück, daß niemand neben ihm saß; er hätte sich kaum getraut, das Morgenblatt nochmals aufzuschlagen. Nicht bloß der Name, schwarz umrahmt, war genau der seine; auch die Namen der Hinterbliebenen[3] stimmten. Offenbar erbleichte[4] er trotz besseren Wissens. Die Stewardeß lächelte, als sie fragte, ob sie irgend etwas für ihn tun könne, und schraubte an der Zuluftdüse[5] über ihm. Er ließ sich einen Fruchtsaft geben. Das Morgenblatt war von vorgestern, seine Todesanzeige darin dreifach, als wollten sie jeglichen Zweifel ausschließen: eine im Namen der Familie, eine im Namen des Verwaltungsrates, eine im Namen des Berufsverbandes. Gott kam nur in der Anzeige der Familie vor, hingegen waren alle sich einig in bezug auf die Todesursache: Ein tragischer Unfall. Genaueres war aus dem Morgenblatt nicht zu erfahren, wie oft er es auch wieder las, seinen Fruchtsaft trinkend. Vielleicht hat, wie schon einmal, ein Strolch[6] seinen Wagen genommen, diesmal um gegen einen Tanker zu fahren und sich aufs Unkenntlichste[7] zu verbrennen. Begräbnis[8] heute. Das heißt, es reichte dem Mann, wenn das Flugzeug keine Verspätung haben sollte, gerade noch zu seinem Begräbnis.

[1]die Start-/Landebahn, [2]Tod, [3]die Verwandten und Bekannten des Verstorbenen, [4]wurde blass, [5]Öffnung für Frischluft, [6]hier: ein Dieb, [7]nicht mehr zu erkennen sein, [8]Trauerfeier auf dem Friedhof

**b Wie finden Sie den Beginn der Geschichte? Wählen Sie passende Adjektive aus. Begründen Sie.**

merkwürdig · lustig · eigenartig · witzig · sonderbar · komisch · originell · sachlich · traurig · absurd · spannend · unsinnig · fantasievoll · unrealistisch

*Ich finde die Geschichte …, weil …* *Ich glaube, das ist eine … Geschichte, weil …*

**c Was glauben Sie, wie geht die Geschichte weiter?**

*Ich vermute, dass der Mann zu Hause anrufen wird.*

## 2a Lesen Sie den zweiten Teil der Geschichte. Waren Ihre Vermutungen richtig?

### Teil 2: Auf dem Friedhof

1 Er war der erste auf dem Friedhof; natürlich hatte er sofort, kaum gelandet, zu Hause angerufen, aber vergeblich, die Trauernden waren schon unterwegs. Ein Gärtner, der das faule Laub von den Wegen rechte[1], sonst war noch niemand auf dem Friedhof. Er las die Schleifen an den Kränzen[2]. Ein regnerischer Tag. Vielleicht waren gewisse Schleifen, die er vermißte[3], drinnen
5 auf dem Sarg; aber einzutreten in das Krematorium[4], um nachzusehen, wagte[5] er nicht, zumal er einen hellen Regenmantel trug. Natürlich wollte er die Sache aufklären, das war seine Pflicht. Als er sich bei dem Wärter[6] nach dem Namen des Dahingeschiedenen[7] erkundigte, nahm er seine Pfeife aus dem Mund, etwas ratlos, dann immer verwirrter, als kurz darauf die ersten Wagen vorfuhren. Er trat, als sei er fehl am Platz[8], hinter eine Zypresse, etwas erschüttert war
10 er schon; alle in Schwarz, ihr langsamer Gang in stummen Gruppen oder einzeln, es kamen ziemlich viele, und manche kannte er gar nicht. Leute, die vermutlich eine Gilde[9] oder Firma vertraten, auch Kinder aus der Nachbarschaft, Freunde, die er lange nicht gesehen hatte, alle in Schwarz, während er, als einziger in einem hellen Regenmantel, hinter der Zypresse stand, seine Pfeife in der Hand. Der Augenblick, um vorzutreten, war eigentlich schon verpaßt. Soviele
15 waren es schon, einige weithergereist. Übrigens brauchte er sich nicht besonders zu verstecken, da alle, wenn sie auf dem knirschenden Kies[10] vorbeigingen, auf den Boden blickten, Trauernde und solche, die Trauer spielten. Die einander kannten, nickten[11] nur verhalten. Und niemand rauchte, natürlich nicht, so daß auch er unwillkürlich seine erloschene Pfeife in die Tasche versteckte. Das war schlecht; denn damit anerkannte[12] er die Veranstaltung, noch bevor die ver-
20 schleierte Witwe gekommen war, und konnte nur noch zuschauen, wie alles seinen Gang nahm, ohnmächtig. Die Rührung, die ihn beim Lesen der verregneten Schleifen beschlichen hatte, war vorbei; jetzt empfand er das Ganze als eine Verschwörung[13]. Die Witwe kam, wie erwartet, unter einem schwarzen Schleier, gestützt von zwei Schwägern [...] Eigentlich blieb dem Mann nichts anderes übrig, wenn die Veranstaltung schon nicht mehr aufzuhalten war: als letzter zu
25 folgen, um die Trauerrede zu hören [...].

[1]kehrte, saubermachte, [2]Gebinde aus Blumen und Zweigen für das Grab, [3]nicht finden konnte, [4]Halle für die Verbrennung der Toten, [5]hatte er nicht den Mut, [6]jemand, der auf dem Friedhof arbeitet, [7]der Verstorbene, [8]als sei er am falschen Ort, [9]Organisation von Handwerkern oder Kaufleuten, [10]viele kleine Steine auf dem Weg, [11]hier: grüßten sich ohne Worte, [12]akzeptierte, [13]ein abgesprochener Plan gegen ihn, um ihm zu schaden

## b Beantworten Sie die Fragen zum Text.

1 Welche Leute kommen zur Beerdigung? Wie sind sie gekleidet?
2 Wie reagiert der Mann darauf?
3 Warum kann er die Beerdigung nicht mehr aufhalten?

## c Wie finden Sie das Verhalten des Mannes? Würden Sie sich anders verhalten? Sie können die folgenden Verben und Adjektive verwenden.

| | |
|---|---|
| Adjektive: | unehrlich, falsch, verkehrt, (nicht so) schlecht, passend, gut durchdacht, (vollkommen) richtig, angemessen, anständig, rücksichtsvoll |
| Verben: | sich anders verhalten, anders reagieren, die Wahrheit sagen, den Irrtum aufdecken, sich irren, sich täuschen, klarstellen, nicht für sich behalten |

*Ich verstehe den Mann nicht. Ich würde anders reagieren: Ich würde versuchen, den Irrtum aufzudecken. ...*

## d Was denken Sie: Wie endet diese Geschichte?

**3a Lesen Sie das Ende der Geschichte. Beantworten Sie die Fragen.**

1 Aus welchem Grund verbrachte er die Nacht nicht bei Freunden?
2 Wieso konnte er zu Hause niemanden telefonisch erreichen?
3 Was machte er zu Hause?

### Teil 3: Allein in der Nacht

1 Hutlos im Regen allein, nachdem er die Einladung einer Straßendame höflich ausgeschlagen[1] hatte, entdeckte er, daß er die wenigen Menschen, die nach diesem Tag noch als Freunde in Frage kämen, seit Jahr und Tag vernachlässigt[2] hatte, und es ging nicht, daß man sie jetzt, kurz nach Mitternacht heimsuchte[3] wie ein Geist aus dem Grabe. Vielleicht hätte der eine oder an-
5 dere sich gefreut. Er gedachte[4] ihrer mit Reue[5]. Aber Reue war kein Ort, um sitzen zu bleiben, und irgend etwas mußte geschehen. Als er schließlich in eine Kabine[6] trat und zu Hause anrief, nahm niemand ab; wahrscheinlich schlief die Witwe bei den Schwägern, das heißt, bei ihren Brüdern, die nie viel übrig hatten für diesen Schwager. [...] Der Mann im hellen Regenmantel, der jetzt in der öffentlichen Kabine stand, paßte nie richtig in die Familie; er wußte es selbst. Sie
10 hatten diese Heirat nie ganz verstehen können. Erschüttert von ihrer Trauer – der eigentliche Zusammenbruch kommt meistens erst nach dem Begräbnis – sagten sie wahrscheinlich auch jetzt nicht, was sie schon all die Jahre gedacht hatten, sondern trösteten[7] die Unglückliche. Zum Glück waren da keine Kinder. Sie trösteten, indem sie die Unglückliche verstanden; sie widersprachen nicht, als sie schluchzte[8] und schluchzte und redete wie eine Portugiesische Nonne:
15 nicht von ihm, sondern von ihrer Liebe ...

[1]abgelehnt hatte, [2]sich nicht gekümmert hatte, [3]besuchte, [4]dachte an sie, [5]mit Bedauern, [6]hier: Telefonzelle, [7]machten die Trauer durch Gespräche leichter, [8]stark weinte

### Teil 4: Zu Hause

1 Er blieb nicht lang in der Wohnung, hatte hier nichts zu bestellen[1], schien ihm, nichts anzurühren. Erst als er einen Zinnbecher[2] sah mit sieben Pfeifen drin, konnte er's nicht lassen und suchte die beste heraus, steckte sie in seine Manteltasche, nicht ohne die Pfeife, die er bisher in der Manteltasche hatte, dafür in den Zinnbecher zu stecken. Und damit hatte es sich eigentlich.
5 Dann nochmals ein Rundblick über alles, dann löschte er das Licht. Im Treppenhaus meinte er etwas gehört zu haben, versteckte sich sofort in einer Nische[3], eine Weile atemlos. Schritte treppauf! Aber dann hörte er eine Tür im unteren Stock, dann Stille. Wie ein Liebhaber auf Fußspitzen, besorgt nach jedem Girren[4] der Treppe, erreichte er die Haustür ungesehen; er öffnete sie behutsam[5]. Der Regen hatte aufgehört. Er stülpte[6] seinen Regenmantelkragen auf,
10 schaute an der Fassade empor, ging. – Außer daß er in der Küche versehentlich das Licht hatte brennen lassen, fand man keine Spuren von ihm; das Wasserglas auf dem Schreibtisch war nicht auffällig; sein Hausschlüssel lag im Briefkasten, was unerklärlich blieb ...

[1]hatte hier nichts mehr zu sagen, [2]Zinn = weiches Metall, das silbern glänzt, [3]Ecke, [4]das Geräusch der Holztreppe, wenn man auf die Stufen tritt (veraltet für „knarren"), [5]vorsichtig, [6]schlug nach oben

**b Unterstreichen Sie die Stellen im Text, in denen der Leser etwas über die Beziehungen des Mannes zu seiner Familie und zu seinen Freunden erfährt. Beschreiben Sie sie.**

**c Warum wartet der Mann Ihrer Meinung nach nicht in der Wohnung, bis seine Ehefrau zurückkommt? Lesen Sie dazu auch noch einmal den ersten und letzten Satz der Geschichte. Hat der Mann am Ende der Geschichte sein Leben verändert?**

**4 Wie gefällt Ihnen die Geschichte? Ordnen Sie die Redemittel zu und verwenden Sie sie für Ihre Bewertung. Begründen Sie diese auch.**

~~Die Geschichte gefällt mir sehr.~~ Ich finde die Geschichte unmöglich.
Die Geschichte ist voller Widersprüche. Eine sehr lesenswerte Geschichte.
Die Geschichte ist nicht mein Geschmack. Ich finde die Geschichte sehr spannend.
Für mich ist die Geschichte Unsinn. Ich finde die Geschichte kurzweilig und sehr unterhaltsam.
Die Geschichte ist gut durchdacht und überraschend.

| etwas positiv bewerten | etwas negativ bewerten |
|---|---|
| *Die Geschichte gefällt mir sehr.* | |

*Die Geschichte gefällt mir sehr, weil sie ein unerwartetes Ende hat.*

▶ Ü 1

**5 Sie wollen einem deutschen Freund / einer deutschen Freundin die Eindrücke, die die Geschichte auf Sie gemacht hat, mitteilen. Schreiben Sie ihm/ihr zu den folgenden Punkten:**

- Berichten Sie von der Geschichte, die Sie gelesen haben. — *In der Geschichte geht es um ... / Die Geschichte handelt von ...*
- Fassen Sie den Inhalt der Geschichte kurz zusammen. — *Den Inhalt der Geschichte kann man so zusammenfassen: ...*
- Schreiben Sie, wie Ihnen die Geschichte gefallen hat und warum Sie die Geschichte empfehlen können oder nicht. — *Ich empfehle dir, unbedingt diese Geschichte zu lesen. / Meiner Meinung nach lohnt es sich nicht, die Geschichte zu lesen, weil ...*
- Fragen Sie Ihren Freund / Ihre Freundin, ob er/sie gern liest und welche Bücher er/sie bevorzugt.

**6 Sehen Sie sich aktuelle Bestsellerlisten an und lesen Sie die Inhaltsangaben zu den Büchern. Welche davon würden Sie gerne lesen? Jeder wählt drei Bücher aus und begründet seine Wahl. Erstellen Sie eine „Kurs-Bestseller-Liste".**

# Max Frisch

**Schriftsteller**

*Max Frisch, Architekt und Schriftsteller*

Max Frisch wurde am 15. Mai 1911 in Zürich geboren und starb dort am 4. April 1991. Neben Friedrich Dürrenmatt gehört Frisch zu den wichtigsten schweizerischen Schriftstellern der Nachkriegszeit.

1930 begann er sein Germanistik-Studium an der Universität Zürich, das er jedoch nach dem Tod seines Vaters 1933 aus finanziellen Gründen abbrechen musste. Er arbeitete zunächst als Korrespondent für die „Neue Zürcher Zeitung". 1936 entschied sich Frisch, Architektur zu studieren, und eröffnete 1942 sein eigenes Architekturbüro. Im selben Jahr heiratete er Gertrud Constanze von Meyenburg und bekam mit ihr drei Kinder. 1947 lernte er Bertolt Brecht und Friedrich Dürrenmatt kennen. 1954 trennte er sich von seiner Familie, schloss 1955 sein Architekturbüro und arbeitete von nun an als freier Schriftsteller.

Von 1958 bis 1963 hatte er eine Beziehung mit der Autorin Ingeborg Bachmann, die er später in seiner Erzählung „Montauk" in Andeutungen beschrieb. Er ließ sich 1959 von seiner Ehefrau scheiden und verlegte 1960 seinen Wohnsitz nach Rom, wo er zunächst bis 1965 zusammen mit Ingeborg Bachmann lebte. 1968 heiratete er Marianne Oellers. Die Ehe dauerte bis 1979. Am 4. April 1991 starb Max Frisch an den Folgen eines Krebsleidens in seiner Wohnung in Zürich.

Für sein literarisches Werk erhielt Frisch zahlreiche Auszeichnungen, unter anderem 1958 den Georg-Büchner-Preis und 1976 den Friedenspreis des Börsenvereins des Deutschen Buchhandels. Zu seinen bekanntesten Werken zählen „Andorra", „Stiller", „Mein Name sei Gantenbein" und der Roman „Homo Faber", der auch verfilmt wurde. Frisch befasst sich immer wieder mit der Frage: Wie kann der Einzelne Gewissheit über die eigene Identität erlangen? Wie konstruiert der Mensch seine eigene Biografie?

Frischs Helden haben Angst vor der Wiederholung, vor einem immer gleichen Alltag, der durch Rollenzuweisungen bestimmt ist. In seinem Spätwerk geht Frisch besonders auf die Beziehungsunfähigkeit und auf die Vergänglichkeit ein.

Max Frisch war außerdem ein scharfsinniger Kritiker des Zeitgeschehens.

Mehr Informationen zu Max Frisch 

**Sammeln Sie Informationen über Persönlichkeiten aus dem In- und Ausland, die für das Thema „Partnerschaft und Beziehungen" interessant sind, und stellen Sie sie im Kurs vor. Sie können dazu die Vorlage „Porträt" im Anhang verwenden.**

Beispiele aus dem deutschsprachigen Bereich:
Ingeborg Bachmann – Sigmund Freud – Loriot – Hera Lind

## 1 Reflexivpronomen

| Personalpronomen | Reflexivpronomen im Akkusativ | Reflexivpronomen im Dativ |
|---|---|---|
| ich | mich | mir |
| du | dich | dir |
| er, es, sie | sich | |
| wir | uns | |
| ihr | euch | |
| sie, Sie | sich | |

Manche Verben sind immer reflexiv. Einige Verben können reflexiv gebraucht werden bzw. mit einer Akkusativergänzung. Reflexivpronomen stehen normalerweise im Akkusativ. Gibt es eine Akkusativergänzung, steht das Reflexivpronomen im Dativ. Verben, deren Reflexivpronomen immer im Dativ stehen, brauchen immer auch eine Akkusativergänzung.

## 2 Relativpronomen

| | Singular | | | Plural |
|---|---|---|---|---|
| Nominativ | der | das | die | die |
| Akkusativ | den | das | die | die |
| **Dativ** | dem | dem | der | **denen** |
| Genitiv | **dessen** | **dessen** | **deren** | **deren** |

Genus und Numerus des Relativpronomens richten sich nach dem Bezugswort, der Kasus nach dem Verb im Relativsatz oder der Präposition.

*Sie war die erste Frau, die ich getroffen habe.*
+ Akk.

*Sie war die erste Kollegin,* ***mit*** *der ich gearbeitet habe.*
**mit** + Dat.

Gibt ein Relativsatz einen Ort, eine Richtung oder einen Ausgangspunkt an, kann man alternativ zum Relativpronomen auch *wo, wohin, woher* verwenden. Bei Städte- und Ländernamen benutzt man immer *wo, wohin, woher.*

*Ich habe Anne in der englischen Kleinstadt kennengelernt,*

*... wo wir gearbeitet haben.* *... wohin ich gezogen bin.* *... woher mein Kollege kommt.*

*Paulo kommt aus São Paulo, wo auch seine Familie lebt.*

Bezieht sich das Relativpronomen auf einen ganzen Satz oder stehen die Pronomen *etwas, alles* und *nichts* im Hauptsatz, dann verwendet man das Relativpronomen *was.*

*Meine Kinder sehen ihre Großeltern höchstens einmal im Jahr, was ich wirklich schade finde.*

*Mit Maja kann ich alles nachholen, was ich verpasst habe.*

*Es gibt eigentlich nichts, was mich an ihm stört.*

# Beim Geld hört die Liebe auf

1 1 a Sehen Sie die erste Sequenz des Films „Beim Geld hört die Liebe auf" ohne Ton. Was vermuten Sie: Worum geht es in dem Beitrag?

b Sehen Sie die erste Filmsequenz mit Ton und überprüfen Sie Ihre Vermutungen.

2 Sehen Sie den ganzen Film und achten Sie besonders auf die kleinen Spielszenen des Paares. Worum geht es in den vier Szenen? Finden Sie in Gruppen zu jeder Szene eine Überschrift.

2 3 Sehen Sie die zweite Filmsequenz.

a „Die Männer, absolut! Die sind rationeller, die machen keine Spontaneinkäufe, wie die Frauen …"

Was denken Sie: Wer kann besser mit Geld umgehen, Männer oder Frauen?

b Welcher Lösungsvorschlag wird im Film genannt, wenn es um das Finanzieren von Extrawünschen geht?

c Was würden Sie Paaren vorschlagen, wenn es um das Finanzieren von Extrawünschen geht?

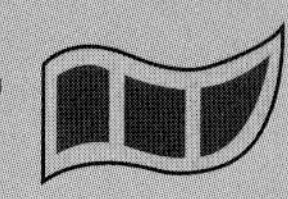

3 4a Sehen Sie die dritte Filmsequenz. Was sagen der Mann und die Frau in der Spielszene? Übersetzen Sie Mimik und Körpersprache. Gruppe A schreibt die Sätze des Mannes, Gruppe B die der Frau.

b Die beiden Gruppen stehen sich gegenüber, Gruppe A beginnt den Dialog.

5 Überrascht Sie die Aussage der Passantin? Wie ist die Rollenverteilung beim Lebensmitteleinkauf in Ihrer Familie oder in Ihrem Freundeskreis?

4 6a Sehen Sie die vierte Filmsequenz. Arbeiten Sie zu dritt und formulieren Sie die Gedanken der Personen in der Café-Szene.

b Sprechen Sie die Gedanken jeder Person synchron zur Szene.

7 Hört beim Geld wirklich die Liebe auf? Ist es wichtig, *meins*, *deins* und *unsers* auseinanderzuhalten? Diskutieren Sie.

8a Überlegen Sie zu zweit eine Situation, in der es in einer Beziehung zum Streit kommt. Jedes Paar beschreibt die Situation kurz auf einem Zettel. Alle Zettel werden eingesammelt.

b Jedes Paar zieht einen Zettel und überlegt sich einen Dialog. Sammeln Sie für Ihr Streitgespräch zuerst passendes Vokabular auch mithilfe eines Wörterbuchs.

c Spielen Sie Ihre Szene vor.

# Kaufen, kaufen, kaufen

1 **Gehen Sie gerne einkaufen oder ist es Ihnen eher lästig?**

2a **Sehen Sie sich die Zeichnungen an. Was sagen oder denken die Personen? Notieren Sie in Gruppen.**

b **Spielen Sie die Szenen.**

## Sie lernen

Ein Produkt beschreiben. . . . . . . . . . . . . . . . Modul 1
Die Argumentation in einer Diskussion verstehen . . . . . . . . . . . . . . . . . . . . . . . . . Modul 2
Etwas reklamieren (telefonisch und in einem Brief) . . . . . . . . . . Modul 3
Einen Sachtext über Werbung lesen, Radio-Werbespots verstehen . . . . . . . . . . . . Modul 4
Eine Werbe-Kampagne entwerfen . . . . . . . . Modul 4

## Grammatik

Lokale Präpositionen (mit Wechselpräpositionen) . . . . . . . . . . . . Modul 1
Konjunktiv II . . . . . . . . . . . . . . . . . . . . . . . . Modul 3

## Christina Stürmer: „Supermarkt"

Morgens nach dem Aufsteh'n ist ein Frühstück wunderschön ...
Leider gibt es wieder nichts im Eiskasten zu seh'n!
Gestern, heute, morgen, oh – das passiert mir immer,
ich werd' das Gefühl nicht los, jeden Tag wird's schlimmer,
doch ich habe keine Lust mehr,
einkaufen zu geh'n ...

Ich zieh' jetzt in den Supermarkt,
da hab' ich alles, was ich brauch',
dort gibt es was zu essen & zu trinken hab'n die auch.
Die Miete ist kein Thema & der Strom ist längst bezahlt.
Ich zieh' jetzt in den Supermarkt,
ich hab' keine andere Wahl!

Taschentücher, Brot, Milch, Seife oder nur ein Keks,
irgendwie wär' ich von früh bis spät nur unterwegs.
Morgens, mittags, abends, nachts – irgendwas fehlt immer,
ich werd' das Gefühl nicht los, es wird immer schlimmer
und ich habe keine Lust mehr,
einkaufen zu geh'n ...

Ich zieh' jetzt in den Supermarkt,
da hab' ich alles, was ich brauch',
dort gibt es was zu essen & zu trinken hab'n die auch.
Die Miete ist kein Thema & der Strom ist längst bezahlt
Ich zieh' jetzt in den Supermarkt
Und fühl' mich wie zuhaus'!

**3a** **Lesen Sie den Text des Liedes „Supermarkt" von Christina Stürmer. Geht die Person, die erzählt, gern in den Supermarkt?**

2.10

**b** **Hören Sie nun das Lied. Wie gefällt Ihnen der Text, die Melodie, der Rhythmus, die Stimme?**

# Dinge, die die Welt (nicht) braucht

**1a Was ist das und was macht man damit? Wenn Sie es nicht wissen, raten Sie.**

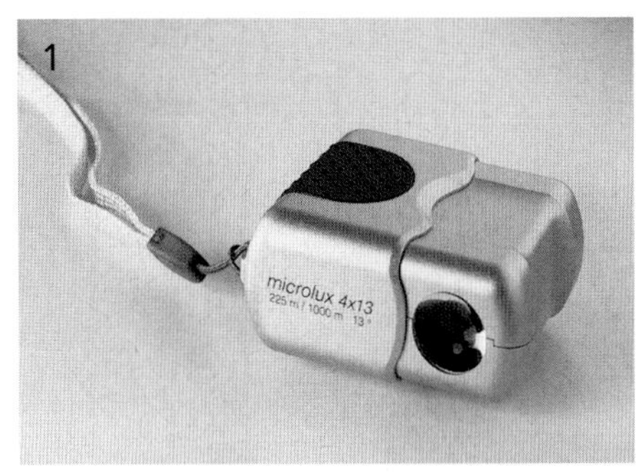


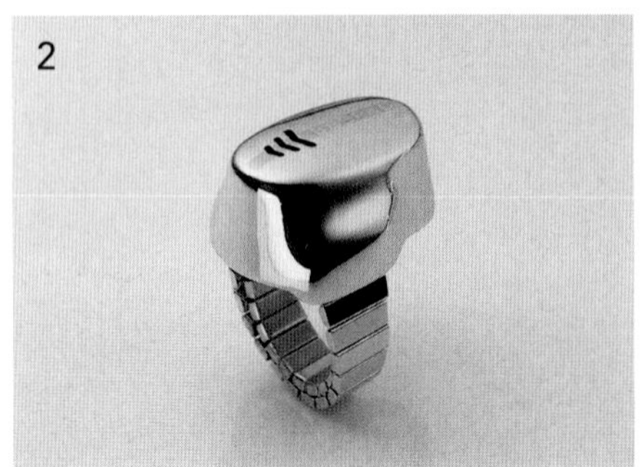

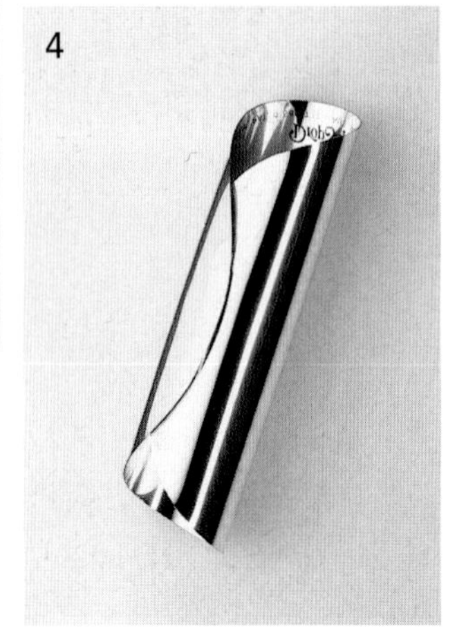


**b Lesen Sie nun die Produktbeschreibungen. Welcher Text passt zu welchem Foto?**

**A** Sie sind zu Fuß oder mit Inlineskates unterwegs, und plötzlich kommt von der Seite ein Radfahrer, der Sie nicht sieht. Wenn Sie doch jetzt nur eine Klingel dabei hätten, um auf sich aufmerksam zu machen! Kein Problem: Den neuen Klingelring steckt man sich einfach an den Daumen oder den Zeigefinger und schon sind Sie unüberhörbar. Einfach leicht auf den Ring drücken und schon geht die Klingel los – und Sie kommen sicher durch jede Stadt.

**B** Wie läuft man in Siebenmeilenstiefeln? Ganz einfach: Zuerst Helm, Knie- und Ellenbogenschützer anlegen und die mobilen Trampoline an den Waden und Füßen befestigen. Schnell auf eine Wiese oder einen Sportplatz gehen und einfach vorsichtig mit dem Hüpfen beginnen, denn mit den eingebauten Sprungfedern kann man bis vier Meter in die Weite und bis zu zwei Meter in die Höhe springen.

**C** Schon wieder: Die Gäste sitzen am wunderschön gedeckten Tisch, der Gastgeber schenkt edlen Rotwein in die Gläser und natürlich ist gleich auf der weißen Tischdecke ein Fleck. Mit dem Tropfenfänger kann das nicht passieren. Man rollt das runde Blättchen einfach zusammen und steckt es in den Flaschenhals. Und schon sind alle Tischdecken sicher.

**D** Immer den perfekten Durchblick, ob in der Nähe oder in die Ferne, das bietet das winzig kleine Monokular. Nicht größer als eine Streichholzschachtel und nur 46 Gramm leicht hat man hier ein Fernglas und eine Lupe in einem. Der praktische Durchblick ist so klein, dass man ihn jederzeit in der Hosentasche bei sich tragen und weit in die Ferne blicken kann.

▶ Ü 1

**c Welches Produkt würden Sie kaufen?**

**2a** **Lesen Sie die Beschreibung des Tropfenfängers noch einmal und ergänzen Sie die Präposition oder das Artikelwort. Achten Sie dabei auf den Kasus nach der Präposition.**

G

**Wechselpräpositionen**

| **Wo?** | **Wohin?** |
|---|---|
| Die Gäste sitzen _____ Tisch. | Die Gäste haben sich **an den** Tisch gesetzt. |
| Der Fleck ist **auf der** Tischdecke. | Der Rotwein tropft **auf** _______ Tischdecke. |
| Das Blättchen steckt _______ Flaschenhals. | Man steckt das Blättchen _____ ______ Flaschenhals. |

**b** **Ergänzen Sie mithilfe der Beispiele aus 2a die Regel.**

G

Einige lokale Präpositionen werden sowohl mit Dativ als auch mit Akkusativ verwendet.
Man nennt diese Präpositionen „Wechselpräpositionen".
Der Dativ folgt auf die Frage „________?", der Akkusativ auf die Frage „____________?"

**c** **Ordnen Sie die Präpositionen in der Übersicht zu.**

~~von~~ in ~~durch~~ an ~~bei~~ vor neben zu über nach zwischen aus unter gegen um ~~auf~~ ab hinter bis

| lokale Präpositionen | | |
|---|---|---|
| **mit Dativ** | **mit Akkusativ** | **mit Dativ oder Akkusativ (Wechselpräpositionen)** |
| *von, bei,* | *durch,* | *auf,* |

**d** **Schreiben Sie zu jeder Kategorie zwei Beispielsätze.**

▶ Ü 2–4

**3** **Präsentieren Sie ein Produkt, auf das Sie nicht verzichten wollen. Beschreiben Sie es, ohne den Produktnamen zu nennen. Die anderen raten.**

**etwas beschreiben**

Es ist aus … / Es besteht aus …
Man braucht es, um …
Es ist ungefähr so groß/breit/lang wie …
Es ist rund/eckig/flach/dick.
Es ist schwer/leicht …
Es ist aus Holz/Metall/Kunststoff/Leder …
Besonders praktisch ist es, um …
Es eignet sich sehr gut zum …
Ich finde es sehr nützlich, weil …
Es ist günstig/billig/preiswert.

▶ Ü 5

# Konsum heute

1 Sehen Sie sich die Fotos an.
Sammeln Sie in Gruppen Wörter und Begriffe, die Ihnen zu den Fotos einfallen.

▶ Ü 1

▶ Ü 2 2 „Konsumgesellschaft“ – Klären Sie den Begriff im Kurs.

2.11

3 Hören Sie den ersten Abschnitt einer Gesprächsrunde. Wo und wie leben die drei Talkgäste und was machen sie beruflich? Wie beurteilen sie das Konsumverhalten in unserer Gesellschaft (positiv/negativ/kritisch)? Machen Sie Notizen zu jeder Person.

Viola Zöller

______________________

______________________

______________________

______________________

Bodo Fritsche

______________________

______________________

______________________

______________________

David Kolonko

______________________

______________________

______________________

______________________

2.12

4a Hören Sie nun den zweiten Abschnitt. Welche Themen werden im Zusammenhang mit „Konsum“ angesprochen?

*Zeitmangel, …*

______________________________________________

**b Hören Sie den zweiten Abschnitt noch einmal. Wer sagt was? Kreuzen Sie an.**

| | Frau Zöller | Herr Fritsche | Herr Kolonko | Ich stimme zu | Ich stimme nicht zu |
|---|---|---|---|---|---|
| 1. Unsere Wirtschaft leidet, wenn wir zu wenig kaufen. | | | | | |
| 2. Man sollte einen Menschen nicht nach seinem Besitz beurteilen. | | | | | |
| 3. Wir müssen unser Konsumverhalten zugunsten der Umwelt ändern. | | | | | |
| 4. Wir können nicht an die Umwelt denken, wenn es der Wirtschaft schlecht geht. | | | | | |
| 5. Kindern müssen wieder andere Werte vermittelt werden. | | | | | |
| 6. Es ist ganz normal, dass auch Kindern bestimmte Produkte wichtig sind. | | | | | |

**c Welchen Aussagen können Sie zustimmen, welchen nicht? Begründen Sie.**

*Der ersten Aussage kann ich völlig zustimmen, da ...*
*Ich denke, diese Einstellung ist falsch, denn ...*
*Ich finde, Herr Kolonko hat recht, wenn er sagt, dass ...*

**5a Sammeln Sie Ideen: Was können Sie tun, um nicht unnötig neue Dinge zu kaufen?**

2.13

**b Hören Sie Abschnitt drei und erklären Sie:**

- Was macht Herr Fritsche, um weniger zu konsumieren? Wie finden Sie das?
- Warum kauft Frau Zöller gerne ein?

▶ Ü 3

**6 Beschreiben Sie Ihr eigenes Konsumverhalten und gehen Sie dabei auf folgende Punkte ein:**

typische Konsumgüter / beliebte Einkaufsorte / mögliche Einsparungen / Wunschprodukte

*Zu viel Geld gebe ich sicher für CDs aus. Ich könnte Geld sparen, wenn ich öfter mit Freunden tauschen würde. ...*

**7 Organisieren Sie einen Tauschring im Kurs. Überlegen Sie, was Sie mit wem tauschen könnten.**

▶ Ü 4

# Die Reklamation

1a **Worauf sollten Sie achten, wenn Sie einen mp3-Player kaufen? Was könnte an so einem Gerät alles problematisch sein?**

| Kopfhörer | Tonqualität | Batterieverbrauch |
|---|---|---|
| Software | Lautstärke | Wackelkontakt ... |

*Es könnte sein, dass die Kopfhörer nicht in Ordnung sind.*
*Vielleicht kann man die Lautstärke nicht gut einstellen.*

2.14

b **Hören Sie ein Telefongespräch und nummerieren Sie die Sätze nach dem Verlauf des Gesprächs.**

- [ ] Frau Jakobsen schildert das Problem mit dem mp3-Player.
- [ ] Der Angestellte bedankt sich für den Anruf und verabschiedet sich.
- [1] Frau Jakobsen ruft bei dem Computerhändler an und nennt den Grund ihres Anrufs.
- [ ] Der Angestellte fragt nach der Rechnungsnummer.
- [ ] Der Angestellte bittet Frau Jakobsen, das Problem schriftlich zu schildern.
- [ ] Frau Jakobsen fragt nach dem Namen ihres Gesprächspartners.
- [ ] Der Angestellte hat Fragen zu den Reklamationsgründen.
- [ ] Frau Jakobsen fragt, wie lange es dauert, bis sie ein neues Gerät bekommt.

▶ Ü 1

2a **Lesen Sie die Sätze aus dem Hörtext und markieren Sie die Verben im Konjunktiv II. Kreuzen Sie an, was die Sätze ausdrücken.**

| | höfliche Bitte | Irreales | Vermutung |
|---|---|---|---|
| 1. Ja, hätten Sie da bitte mal die Rechnungsnummer für mich? | ☐ | ☐ | ☐ |
| 2. Da könnte ein Wackelkontakt sein. | ☐ | ☐ | ☐ |
| 3. Ich würde Sie bitten, dass Sie uns das ... schriftlich schildern. | ☐ | ☐ | ☐ |
| 4. Ich bräuchte das aber trotzdem schriftlich von Ihnen. | ☐ | ☐ | ☐ |
| 5. Ich hätte mir das Gerät doch in einem Geschäft kaufen sollen. | ☐ | ☐ | ☐ |

b **Ergänzen Sie die Regeln zum Konjunktiv II.**

G

*haben* – *würde* – Modalverben – *sollen*

Die meisten Verben bilden den Konjunktiv II mit __________ + Infinitiv: ich *würde kaufen*.
Die ________________, *sein*, ______________ und das Verb *brauchen* bilden den Konjunktiv II mit den Formen des Präteritums und Umlaut (a, o, u → ä, ö, ü).
*müssen, ich muss, ich musste* → ***ich müsste***; *haben, ich habe, ich hatte* → ***ich hätte***
Ausnahme: Die Modalverben *wollen* und __________ bilden den Konjunktiv ohne Umlaut:
*Sie* ***sollten*** *das Gerät besser umtauschen.*

▶ Ü 2

**3a Ergänzen Sie die Aussagen. Verwenden Sie den Konjunktiv II.**

**sich beschweren**

*Könnten* Sie mich bitte mit … verbinden?

Ich __________ gerne ein Ersatzgerät.

Ich __________ vorschlagen, dass Sie …

__________ ich bitte Ihren Chef sprechen?

Darauf __________ Sie hinweisen müssen.

Wenn Sie alles pünktlich verschickt __________, __________ ich jetzt kein Problem.

**auf Beschwerden reagieren**

Ich __________ Sie bitten, sich an den Hersteller zu wenden.

Wir __________ Ihnen ein Leihgerät geben.

__________ Sie bitte zu uns kommen?

Wir __________ Ihnen eine Gutschrift geben.

Ich __________ Sie bitten, mir das alles schriftlich zu geben.

▶ Ü 3–5

**b Wählen Sie mit einem Partner / einer Partnerin eine Situation und spielen Sie ein Reklamationsgespräch.**

Sie haben online eine Hose bestellt und sehen beim Auspacken, dass sich eine Naht auflöst.

Sie haben einen Laptop gekauft und merken zu Hause, dass das Gerät sehr heiß wird.

Sie haben ein Kaffeeservice geliefert bekommen. Ein Teller ist kaputt.

**4a Frau Jakobsen hat einen Brief geschrieben. Bringen Sie die Textteile in die richtige Reihenfolge.**

☐ Es könnte sein, dass der Lautstärkeregler einen Wackelkontakt hat. Entweder spielt der mp3-Player die Lieder zu laut oder zu leise ab.

☐ Sehr geehrter Herr Müller,

☐ wie bereits telefonisch besprochen, möchte ich Ihnen hiermit schriftlich meine Reklamation mitteilen. Ich habe den bei Ihnen bestellten mp3-Player vor drei Wochen erhalten, aber leider funktioniert er nicht mehr. Man kann die Lautstärke nicht richtig einstellen.

☐ Ich freue mich auf Ihre Antwort und ein neues Gerät.
Mit freundlichen Grüßen

Katarina Jakobsen

☐ Da das Gerät offensichtlich kaputt ist, bitte ich Sie, mir ein neues zu schicken. Ich bin nur noch für zwei Wochen hier in Deutschland und würde Sie daher bitten, diesen Fall so schnell wie möglich zu bearbeiten.

☐ Betreff: Reklamation, Rg.-Nr. 8073472-1

**b Wählen Sie eine Situation aus 3b und schreiben Sie eine Reklamation.**

# Kauf mich!

1 **Welche Werbung haben Sie gelesen, gehört oder gesehen, die Ihnen besonders im Gedächtnis geblieben ist? Erzählen Sie.**

▶ Ü 1

2a **Arbeiten Sie zu zweit. Lesen Sie den Text und markieren Sie thematische Abschnitte.**

## Wie uns Werbung anmacht

(1) [Der Schokoguss kracht zwischen den weißen Zähnen, während die Sonne glutrot im Meer versinkt, knallharte Typen mit Drei-Tage-Bärten umarmen ihre Pferde, Babys jauchzen in ihren Windeln, Rentner lächeln selig, während die Almwiesen blühen. Und trotz all dieser Klischees: Werbung wirkt, meist unbewusst.]

Wir bemühen uns, die Spots mit professioneller Distanz zu betrachten. Aber auch wenn der Kopf kühl zu bleiben meint, die akustischen und optischen Weichspülungen verrichten trotzdem ihr Werk. Denn Werbung packt uns bei den großen Sehnsüchten – nach Freiheit, Abenteuern und Liebe. Und wie sie das macht, merken wir oft gar nicht. Forscher haben festgestellt, dass Landschaftsbilder bei Männern besonders gute Wirkung zeigen: Maskuline Autos klettern PS-stark über Bergserpentinen und Biertrinker sitzen meist auf Bergeshöhen, an Meeresstränden oder wahlweise auf Segelschiffen. Ob sich das tatsächlich evolutionsgeschichtlich auf die alte Rolle der Männer als Jäger und Sammler zurückführen lässt? Entsprechend traditionell funktioniert Werbung auch bei Frauen: Die messbare Veränderung des Pupillendurchmessers zeigt, auf welche Werbebilder weibliche Kundinnen anspringen. Hier funktioniert vor allem das Kindchenschema. Ein kleiner Junge lockt zum Kaffeekaufen und ganze Kinderrudel werben bei Frauen für die diversen Süßigkeiten und Waschmittel. Doch eine der besten Verkaufsstrategien ist es, den Kunden unter Druck zu setzen: Das Sonderangebot, ein wahres Schnäppchen, in limitierter Auflage und nur noch wenige Tage zu haben – das verkürzt die Kaufentscheidung der Kunden enorm, eine einmalige Gelegenheit will man schließlich nicht verpassen. „Kaufhausmusik" ist inzwischen in Warenhäusern aller Art Standard. Das Gedudel kann einem auf die Nerven gehen, doch Werbepsychologen sind sich sicher: Es versetzt den Kunden in eine angenehme und damit kauffreudige Stimmung. Und die extremen Duftschockwellen in den Parfümabteilungen entfalten oben im fünften Stock, wo Sie die CDs durchwühlen, immer noch ihre volle Wirkung. Auch der Einkauf im Supermarkt fällt schon mal üppiger aus, wenn Sie von Anfang an den Duft knusprigen Brotes in der Nase haben. Deshalb sind die Bäcker ja auch am Eingang platziert. Und selbst unter Ihren Füßen sind Marketingstrategen am Werk: Ist Ihnen schon mal aufgefallen, dass sich der Bodenbelag bei Ihrem Rundgang durch ein Kaufhaus oft entscheidend verändert? Gänge zwischen Abteilungen haben oft harten Bodenbelag, damit Sie flotten Schrittes zu den nächsten Regalen eilen. Und vor diesen lädt dann plötzlich kuschelweicher Teppich zum Verweilen ein. Noch eine kleine verkaufsstrategische Neuerung der letzten Jahre: In Bekleidungsabteilungen finden sich zunehmend Tische, auf denen die Ware zusammengefaltet ausliegt, statt im Ständer auf dem Bügel zu hängen. Vielleicht finden Sie es lästig, wenn Sie die Klamotte erst in die Hand nehmen müssen und dann wieder halbwegs ordentlich zurück auf den Stapel bringen wollen. Doch die Konsumentenforschung weiß: Haben Sie die Ware einmal in die Hand genommen, werden Sie sie viel eher auch kaufen. Und natürlich gibt es da auch immer noch das Verkaufspersonal, das Ihnen mit Rat und Tat zur Seite steht. Und das hat natürlich auch dazugelernt. Nicht das Verkaufen steht hier im Mittelpunkt des Kaufgesprächs, sondern die Beratung – mit kleinen Kniffen. Etwa die Bemerkung, dass Ihnen das ausgesuchte Stück zwar richtig gut zu Gesichte steht, aber leider im Preis recht teuer ist. Wie schön! Sie werden kritisch beraten! Eine kleine Kritik am eigenen Produkt bringt mehr Vertrauen bei Ihnen und die Ware oft leichter in Ihre Einkaufstüte. Und Sie als Kunde oder Kundin? Na, Sie können eben oft einfach nicht anders!

b Notieren Sie die Zeilenangaben und geben Sie den Abschnitten eine Überschrift. Vergleichen Sie im Kurs und begründen Sie Ihre Einteilung der Abschnitte.

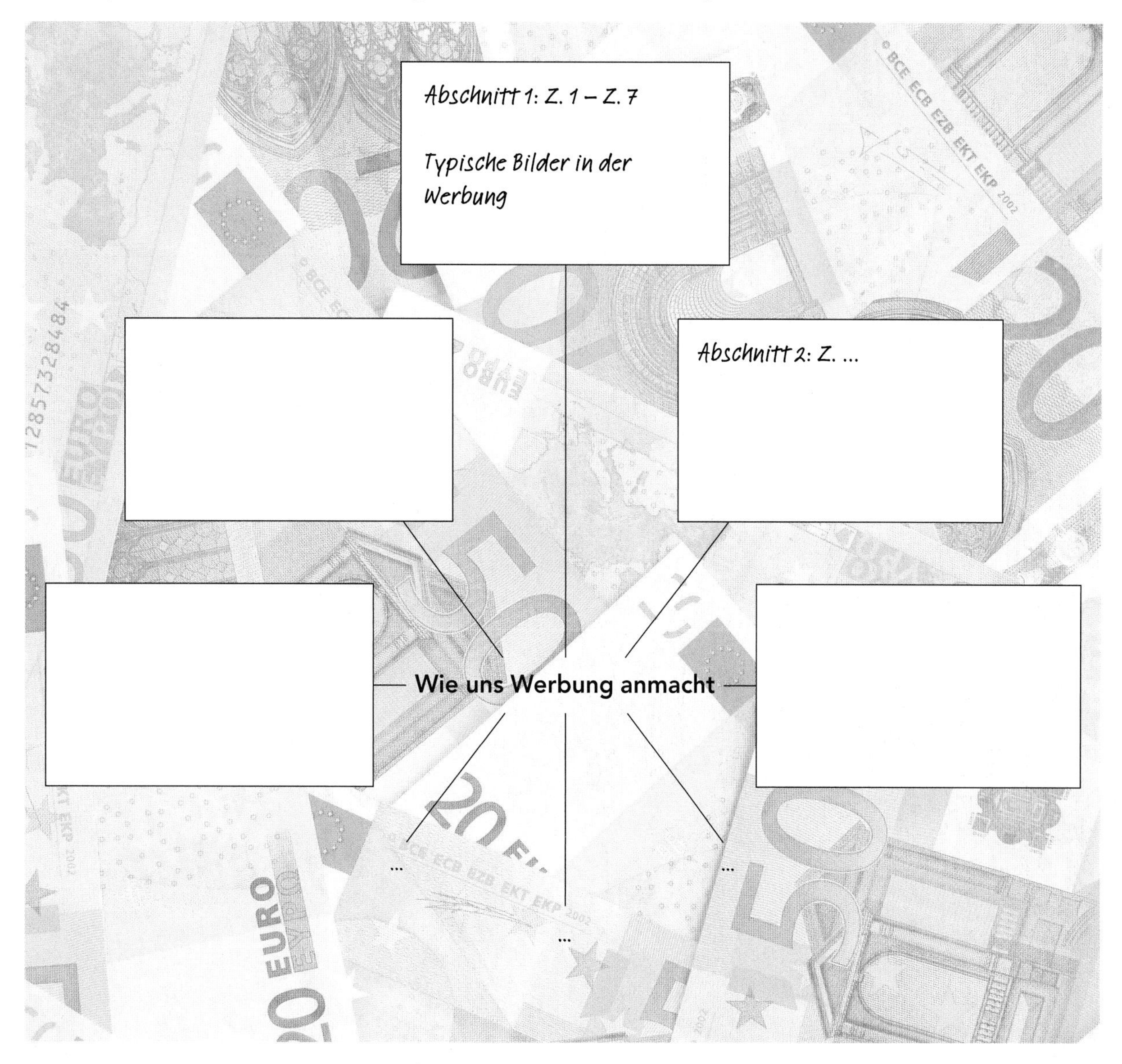


c Fassen Sie den Inhalt der einzelnen Abschnitte kurz mit eigenen Worten zusammen.

d Kennen Sie noch andere „Marketing-Tricks" als die im Text genannten?

▶ Ü 2

3 Schätzen Sie sich selbst ein: Lassen Sie sich leicht durch Werbung beeinflussen? Was haben Sie in der Werbung gesehen und daraufhin gekauft?

4 Welche Werbekampagnen waren oder sind in Ihrem Land besonders erfolgreich? Gibt es berühmte Werbefiguren oder berühmte Werbeslogans? Suchen Sie eine für Ihr Land typische Werbung in einer Zeitschrift/Zeitung oder im Internet und stellen Sie sie vor.

5 Sehen Sie sich die Werbungen an. Wofür wird hier geworben? Welches Werbeplakat gefällt Ihnen am besten? Welches gefällt Ihnen nicht? Warum?

2.15

**6a Hören Sie die Radio-Werbungen. Welches Bild passt zu welchem Spot? Schreiben Sie die Nummer des Spots zu dem passenden Bild.**

**b Wofür werben die einzelnen Spots? Notieren Sie.**

*1: ...* *2: ...*

**c Hören Sie die Radio-Werbungen noch einmal und entscheiden Sie, ob die Aussagen richtig oder falsch sind.**

| | r | f |
|---|---|---|
| 1. Netec löst alle Probleme mit dem Computer. | ☐ | ☐ |
| 2. Weitere Informationen zu den Reisegutscheinen gibt es ausschließlich im Internet. | ☐ | ☐ |
| 3. Apollo-Optik will sich mit den günstigen Brillen-Fassungen bei den Kunden bedanken. | ☐ | ☐ |
| 4. Der neue Tarif ist nur einen Monat gültig. | ☐ | ☐ |

**7a Bilden Sie Gruppen und entwickeln Sie eine Werbung. Entscheiden Sie:**

- für welches Produkt oder welche Dienstleistung Sie werben wollen
- ob Sie eine Anzeige oder einen Radio-Spot entwerfen wollen

Anzeige:
- Fertigen Sie eine Zeichnung an oder suchen/machen Sie ein passendes Foto.
- Überlegen Sie sich einen Werbeslogan, der die Kunden anspricht.

Radio-Spot:
- Überlegen Sie sich einen kurzen Dialog, einen Text oder ein Lied.
- Überlegen Sie sich einen Werbeslogan, der die Kunden anspricht.

**b Präsentieren Sie Ihre Werbung im Kurs und entscheiden Sie gemeinsam, welche besonders ansprechend ist.**

▶ Ü 3

# BILLA

## Österreichs größter Supermarkt

1953 eröffnet der damals 36-jährige Pianist Karl Wlaschek in Wien seine erste Parfümerie und bietet Markenartikel zu Diskontpreisen an; eine Idee, die sich erfolgreich durchsetzte und zu weiteren Filialen der WKW (Warenhandel Karl Wlaschek) führte. 1960 umfasst die WKW-Kette bereits 45 Filialen, und Karl Wlaschek überträgt seine Diskontidee auch auf den Lebensmittelbereich.

*Karl Wlaschek, Gründer von Billa*

Ein Jahr später erhält das Unternehmen einen neuen Namen, „BILLA" (für „Billiger Laden").

1966 eröffnet BILLA in Wien Strebersdorf den ersten 1.000 $m^2$ großen Supermarkt und überschreitet Ende des Jahrzehnts die erste Umsatz-Milliarde. 1970 geht BILLA als erster Supermarkt Österreichs mit seiner Werbung ins Fernsehen. Ein erfolgreicher Schritt, denn bereits fünf Jahre später wird die zweite Umsatzmilliarde überschritten. 1981 erinnert man sich der Wurzeln und gründet mit „Bipa" eine eigene Parfümerie-Kette.

Nach ersten Filialeröffnungen Anfang der 90er-Jahre in Italien, Ungarn und der Slowakei verfolgt EUROBILLA bis heute erfolgreich die Umsetzung seiner Unternehmensphilosophie im gesamten osteuropäischen Raum. 1990 geht BILLA mit dem „Konsumentenstudio" und Prominenten wie Elmar Wepper auf Sendung und schafft damit einen zeitgemäßen Fernsehauftritt mit seriösem Infotainment.

1994 vertreibt BILLA als erster Supermarkt biologische Produkte auf breiter Basis mit der Einführung der Produktserie „Ja! Natürlich". Diese Bio-Linie sichert durch langfristige Abnahmeverträge die Existenz heimischer Bergbauern. Im Juli 1996 wechselt der Konzern zur deutschen REWE-Gruppe. Am 18. Juli 2000 eröffnet BILLA den modernsten Supermarkt Europas: In dieser hoch technisierten Filiale werden zum ersten Mal Self Scanning, sprechende Einkaufswagen, elektronische Preisauszeichnung, Internet und Informations-Surfkiosk und viele weitere Raffinessen eingesetzt. Im Herbst 2002 startet BILLA eine groß angelegte Arbeitsplatz-Initiative. Einer der wichtigsten Schwerpunkte: die fundierte und zielsichere Ausbildung der Lehrlinge. 2004 führt BILLA mit der „Großen Ernährungsumfrage" als erster Supermarkt Österreichs die größte Marktforschung dieser Art durch. 80.000 Österreicher nehmen an der Umfrage teil.

Junge Menschen, die bei BILLA eine Lehre absolvieren, erhalten eine fundierte Ausbildung, in der es ein richtiges Coaching gibt. Der Einsatz auf dem Ausbildungssektor wird honoriert. BILLA wird für seine außergewöhnlichen Leistungen im Lehrlingswesen das Staatswappen des Bundesministeriums für Wirtschaft und Arbeit verliehen.

Am 6. Juli 2006 feiert BILLA die Eröffnung der tausendsten Filiale in Niederösterreich. BILLA hat es geschafft, in 50 Jahren sein Filialnetz von 1 auf 1.000 auszubauen.

Mehr Informationen zu BILLA 

**Sammeln Sie Informationen über Persönlichkeiten oder Konzerne aus dem In- und Ausland, die für das Thema „Konsum" interessant sind, und stellen Sie sie im Kurs vor. Sie können dazu die Vorlage „Porträt" im Anhang verwenden.**

Beispiele aus dem deutschsprachigen Bereich: Aldi (Karl und Theo Albrecht) – Albert Steigenberger – Konrad Birkenstock – Carl Zeiss – Grete Schickedanz

## 1 Lokale Präpositionen

| **mit Dativ** | **mit Akkusativ** | **mit Dativ oder Akkusativ (Wechselpräpositionen)** |
|---|---|---|
| von, aus, zu, ab, nach, bei | bis, durch, gegen, um | in, an, auf, neben, zwischen, über, unter, vor, hinter |

**Wechselpräpositionen**

| Frage *Wo?*: Wechselpräposition mit Dativ | Frage *Wohin?*: Wechselpräposition mit Akkusativ |
|---|---|
| ○ ***Wo*** *sitzen die Gäste?* | ○ ***Wohin*** *setzen sich die Gäste?* |
| ● ***Am*** *Tisch.* | ● *An* ***den*** *Tisch.* |

## 2 Konjunktiv II

Man verwendet den Konjunktiv II, um:

| | |
|---|---|
| Bitten höflich auszudrücken | *Könnten Sie mir das bitte genau beschreiben?* |
| Irreales auszudrücken | *Hätten Sie die Ware doch früher abgeschickt.* |
| Vermutungen auszudrücken | *Es könnte sein, dass er einen Defekt hat.* |

Die meisten Verben bilden den Konjunktiv II mit den Formen von *würde* + Infinitiv.

| | |
|---|---|
| ich **würde** anrufen | wir **würden** anrufen |
| du **würdest** anrufen | ihr **würdet** anrufen |
| er/es/sie **würde** anrufen | sie/Sie **würden** anrufen |

Die Modalverben *haben, sein* und *brauchen* bilden den Konjunktiv II mit den Formen des Präteritums und Umlaut. Die erste und die dritte Person Singular hat im Konjunktiv II immer die Endung *-e*.

| | |
|---|---|
| ich w**ä**re, h**ä**tte, m**ü**sste, … | wir w**ä**ren, h**ä**tten, m**ü**ssten, … |
| du w**ä**r(e)st, h**ä**ttest, m**ü**sstest, … | ihr w**ä**r(e)t, h**ä**ttet, m**ü**sstet, … |
| er/es/sie w**ä**re, h**ä**tte, m**ü**sste, … | sie/Sie w**ä**ren, h**ä**tten, m**ü**ssten, … |

**Merke:** ich s**o**llte, du s**o**lltest, …; ich w**o**llte, du w**o**lltest, …

Viele unregelmäßige Verben können den Konjunktiv II wie die Modalverben bilden, meistens verwendet man jedoch die Umschreibung mit *würde* + Infinitiv.

*Ich käme gerne zu euch. / Ich würde gerne zu euch kommen.*

# Kaufen, kaufen, kaufen

1a **Klären Sie gemeinsam folgende Begriffe:**

Designerwelt, Feinschmecker, Konsumfalle, Schlaraffenland, Schnäppchen

b **Überlegen Sie, um welche Themen es in dem Film „Kaufen, kaufen, kaufen" gehen könnte.**

2a **Sehen Sie den Film und notieren Sie die dargestellten Themen. Stimmen sie mit Ihren Vermutungen überein?**

b **Welche Bilder aus dem Film sind Ihnen besonders in Erinnerung geblieben? Beschreiben Sie ein oder zwei Bilder und ordnen Sie sie den Themen zu.**

3a **Entscheiden Sie sich für eine der drei „Experten-Gruppen". Lesen Sie zuerst den Arbeitsauftrag für Ihre Gruppe und sehen Sie den Film noch einmal.**

3b **Jede Gruppe stellt danach Ihre Ergebnisse mit Beispielen vor.**

Experten-Gruppen

Gruppe A
**Die Verkaufsstrategie**

Gruppe B
**Die Feinschmeckeretage**

Gruppe C
**Die Kunden**

## Gruppe A • **Die Verkaufsstrategie**

A1 **Machen Sie Notizen zu folgenden Fragen:**

a Was sieht man in den Schaufenstern?

b Wie wird man am Eingang empfangen?

c Welche Sinne werden angesprochen?

d Welche Rolle spielen die Präsentation und die Platzierung der Waren?

A2 **Fassen Sie in der Gruppe Ihre Informationen und Beobachtungen zu Verkaufsstrategien zusammen.**

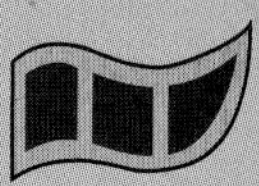

## Gruppe B • Die Feinschmeckeretage

**B1 Machen Sie Notizen zu folgenden Fragen:**

a Welches Konzept hat die Feinschmeckeretage?

b Was wird den „Feinschmeckern" alles geboten?

c Wie reagieren die Kunden?

**B2 Fassen Sie in der Gruppe Ihre Informationen und Beobachtungen zur Feinschmeckeretage zusammen.**

## Gruppe C • Die Kunden

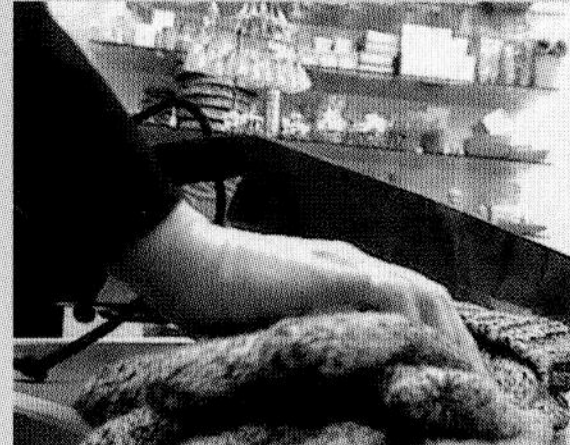

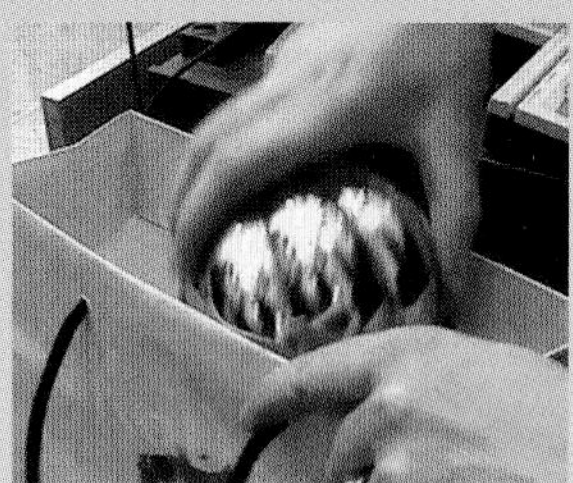

**C1 Machen Sie Notizen zu folgenden Fragen:**

a Warum gehen die Leute ins KaDeWe?

b Was erleben die Kunden im Kaufhaus? Welche Erfahrungen machen sie?

c Wie wirken sich Schnäppchen und geschickt platzierte Waren auf das Kaufverhalten aus?

**C2 Fassen Sie in der Gruppe Ihre Informationen und Beobachtungen zum Verhalten der Kunden zusammen.**

**4 Sprechen Sie im Kurs darüber,**

- was Ihnen im KaDeWe gefällt und was Sie dort kaufen würden.
- ob Sie auch schon einmal Dinge gekauft haben, die Sie eigentlich gar nicht kaufen wollten.

**5 Berichten Sie über Kaufhäuser oder andere Einkaufsmöglichkeiten in Ihrem Land. Welche Attraktionen gibt es? Was verlockt die Menschen zum Konsum?**

# Endlich Urlaub

1 Lesen Sie die Aussagen und sehen Sie sich die Bilder an. Wählen Sie in jedem Block eine Aussage aus, die auf Sie zutrifft, und kreuzen Sie an.

## Was für ein **Reisetyp** sind Sie?

- ☐ Ich plane nicht so gerne. Am liebsten fahre ich einfach los. 4
- ☐ Vorbereitung ist die halbe Reise. Reiseführer helfen mir dabei. 3
- ☐ Last-Minute-Trips in die Sonne sind super. Die kann ich schnell im Internet buchen. 2
- ☐ Mein Reisebüro kennt die Orte, an die ich gerne fahre und wo ich mich wohlfühle. 1

Wenn Sie übernachten, dann wählen Sie am liebsten ...

| ☐ Zelt 4 | ☐ Pension 2 | ☐ Hotel 3 | ☐ Ferienhaus 1 |
|---|---|---|---|

- ☐ Ich fahre am liebsten in die unberührte Natur und entdecke neue Landschaften. 4
- ☐ Ich mag es, wenn ich auch an meinem Urlaubsort nichts von zu Hause vermisse. 1
- ☐ Wenn ich verreise, besuche ich gerne Museen oder gehe ins Theater. 3
- ☐ Bloß nicht an langweilige Orte reisen, an denen nichts los ist. 2

Welchen Reiseführer würden Sie für Ihre Reise am liebsten einpacken?

| ☐ keinen 1 | ☐ Wanderführer 4 | ☐ Kunstreiseführer 3 | ☐ Szeneführer 2 |
|---|---|---|---|

Die schönsten Gipfelziele der Schweizer Alpen West

Wien Kultur verführer

ZÜRICH SZENE-/REISE-FÜHRER

### Sie lernen



### Grammatik

| | | |
|---|---|---|
| ☐ | An unserem Ort kennt man uns schon. Das ist doch schön. | 1 |
| ☐ | Auf Reisen möchte ich gerne lustige Leute kennenlernen. | 2 |
| ☐ | Ich bin gerne alleine unterwegs, da kann ich frei entscheiden. | 4 |
| ☐ | Manche Führungen mache ich in der Gruppe, sonst bleibe ich lieber für mich. | 3 |

| | | |
|---|---|---|
| ☐ | Wenn ich verreise, probiere ich gerne die Landesspezialitäten. Das gehört doch dazu. | 4 |
| ☐ | In fremden Ländern sollte man beim Essen vorsichtig sein. Lieber keine Experimente. | 1 |
| ☐ | Ich buche am liebsten Halbpension. Da muss ich mich um nichts kümmern. | 2 |
| ☐ | Abends ein gutes Essen in einem schönen Restaurant und ein Glas Wein. Herrlich! | 3 |

Welches Reisegepäck würden Sie wählen?

☐ 3

☐ 4

☐ 2

☐ 1

| | | |
|---|---|---|
| ☐ | Meine schönen Erinnerungen sind die besten Reise-Mitbringsel. | 4 |
| ☐ | Wir kaufen immer etwas für unsere Nachbarn. Fürs Blumengießen. | 1 |
| ☐ | Von jeder Reise bringe ich mir ein schickes Andenken mit. | 3 |
| ☐ | Ich kaufe nichts. Meine Koffer sind schon auf dem Hinweg voll. | 2 |

**2a Zählen Sie Ihre Punkte zusammen und lesen Sie auf Seite 189 nach, welcher Reisetyp Sie sind.**

**b Oder sind ein ganz anderer Typ? Welche anderen Typen gibt es noch?**

*Ich mache am liebsten Gruppenreisen, weil ...*
*Ich möchte gar nicht weit verreisen ...*
*Am liebsten bin ich ...*

# Organisiertes Reisen

**1a** In welche Länder, Gebiete oder Regionen sind Sie schon gereist? Zu welchem Zweck? Berichten Sie.

**b** Welche Art von Reisen bevorzugen Sie? Begründen Sie.

*Ich liebe organisierte Reisen, weil ...*
*Meine Ferien plane ich am liebsten selbst, weil ...*

▶ Ü 1–2

**2a** Lesen Sie den ersten Abschnitt des Textes bis Zeile 13. Warum wurde der Begriff Fremdenverkehr ersetzt?

## Thomas Cook – der Tourismus-Pionier

Endlich Ferien! Das bedeutet für viele, den Alltagstrott hinter sich zu lassen und Tourist zu sein. Für die meisten Menschen ist *Tourismus* ein moderner Begriff, doch steht er bereits seit etwa 1810 in den deutschen Wörterbüchern. Allerdings war der Begriff *Fremdenverkehr* zu dieser Zeit viel gebräuchlicher. Doch kann man *Gäste* als *Fremde* bezeichnen? Nachdem man jahrelang diesen Begriff kritisiert hatte, einigte man sich 1989 auf dem Österreichischen Fremdenverkehrstag, das Wort *Fremdenverkehr* durch *Tourismus* und das Wort *Fremde* durch *Gäste* zu ersetzen.

*Tourismus* als allgemeine Bezeichnung für das Reisen zu Erholungszwecken verbreitete sich im 19. Jahrhundert. Hier beginnt die Geschichte der Pauschalreisen. Thomas Cook organisierte 1845 die ersten Reisen nach Liverpool und 1855 die erste Europarundreise für britische Touristen. Sie führte über Brüssel, Köln, Heidelberg, Baden-Baden, Straßburg und Paris zurück nach London. Als das Geschäft mehr Kunden gewann, stieg sein Sohn John Mason Cook 1864 in das Geschäft ein. Er organisierte die erste Amerika-Reise, die 1866 stattfand. Bevor Thomas Cook im Jahre 1871 das Unternehmen „Thomas Cook & Son" gründete, führte er 1868 das wichtigste Instrument der Pauschalreise ein: den Hotelvoucher. Diesen Beleg braucht man auch heute noch, wenn man eine Pauschalreise macht. Während Thomas Cook 1872 sein erstes Büro in Kairo eröffnete, begann in Liverpool die erste organisierte Weltreise, die 222 Tage dauerte und bei der 40.000 km zurückgelegt wurden.

Mit einer Zeitung, die alle Angebote enthielt, informierte das Unternehmen regelmäßig seine Kunden in Frankreich, Deutschland, Indien, Australien, Asien und Amerika. Nachdem das Unternehmen im Jahre 1900 weltweit Marktführer in der Reisebranche geworden war, verkaufte es ab 1919 auch die ersten Flugtickets. Das Unternehmen geriet nach dem Zweiten Weltkrieg in die Hände unterschiedlicher Besitzer. Heute ist die Thomas Cook AG mit mehr als 160 Jahren Tradition die älteste und bekannteste Marke der Tourismusbranche.

**b** Lesen Sie den ganzen Text. Notieren Sie zu den Daten die entsprechenden Ereignisse in Stichpunkten. Formulieren Sie mündlich zu jedem Stichpunkt einen Satz.

1845: *erste Reisen nach Liverpool*

1855, 1864, 1866, 1868, 1871, 1872, 1900, 1919

▶ Ü 3

**3a In Temporalsätzen werden Zeitverhältnisse beschrieben. Ergänzen Sie, was wann passiert.**

| vor | nach | gleichzeitig mit |
|---|---|---|

| | | |
|---|---|---|
| A ______________ B | Als das Geschäft mehr Kunden gewann (A), stieg sein Sohn in das Geschäft ein (B). | als, wenn, während |
| A ______________ B | Nachdem das Unternehmen im Jahre 1900 weltweit Reisemarktführer geworden war (A), verkaufte es ab 1919 auch die ersten Flugtickets (B). | nachdem |
| A ______________ B | Bevor Thomas Cook im Jahre 1871 das Unternehmen „Thomas Cook & Son" gründete (A), führte er 1868 den Hotelvoucher ein (B). | bevor |

▶ Ü 4

**b Der Konnektor *nachdem* wird mit Zeitenwechsel gebraucht. Lesen Sie die Sätze und ergänzen Sie die Zeitformen.**

| | | |
|---|---|---|
| **Gegenwart:** | Das Unternehmen verkauft die ersten Flugtickets, | Präsens |
| | nachdem es weltweit Marktführer geworden ist. | Perfekt |
| **Vergangenheit:** | Das Unternehmen ______________ die ersten Flugtickets, | Präteritum |
| | nachdem es weltweit Marktführer ________________. | Plusquamperfekt |

▶ Ü 5

**4 Die folgenden Konnektoren bezeichnen einen Zeitraum *vom Anfang* oder *bis zum Ende* einer Handlung. Lesen Sie die Beispiele und ergänzen Sie.**

| **Beispiele** | **Zeitraum** |
|---|---|
| Seit/seitdem Thomas Cook 1869 die erste Reise auf dem Nil anbot, stieg die Nachfrage nach organisierten Schiffsreisen. | ______________ der Handlung |
| Thomas Cook führte das Unternehmen, bis er es 1879 seinem Sohn übergab. | ______________ der Handlung |

▶ Ü 6–9

**5 Fassen Sie den Text auf Seite 138 schriftlich zusammen, indem Sie Ihre Stichpunkte zu den Zeitangaben aus Übung 2b ausformulieren. Benutzen Sie dazu temporale Konnektoren.**

*Nachdem Thomas Cook 1845 die ersten Reisen nach Liverpool organisiert und durchgeführt hatte, begann 1855 die erste Europarundreise für britische Touristen. ...*

**6 Erfinden Sie gemeinsam eine Reisegeschichte. Arbeiten Sie zu zweit. Beginnen Sie den Satz. Ihr Partner / Ihre Partnerin beendet ihn und formuliert einen neuen Satzanfang.**

A: *Als ich einmal in der Sahara war, ...*
B: *..., ritt ich auf einem Kamel.*
C: *Nachdem das Kamel ...*
D: ...

# Urlaub mal anders

**1a Lesen Sie die Überschrift und sehen Sie sich die Bilder an. Wofür könnten sich Menschen in Workcamps engagieren?**

## Workcamps

sich engagieren
in internationalen Gruppen

**b Lesen Sie den Text. Sammeln Sie mögliche positive und negative Aspekte zu den Workcamps.**

### Schuften im Urlaub

Jeden Tag fünf bis sieben Stunden im Schweiße seines Angesichts zu arbeiten, statt sich am Strand in der Sonne zu aalen, ist wohl nicht die alltägliche Auffassung von Urlaub. Trotzdem sind internationale Workcamps in aller Welt begehrt. Denn beim gemeinsamen Steineschleppen, Kinderhüten oder Weganlagenreparieren lernen die Teilnehmer sich und andere auf ungewöhnliche Weise kennen und bekommen zusätzlich eine besondere Sichtweise auf das jeweilige Aufenthaltsland. Die meisten „Workcamper" schätzen besonders die Möglichkeit, durch ehrenamtliche Arbeit und interkulturelles Miteinander ein gemeinnütziges Projekt voranzubringen. Workcamps gibt es in vielen Ländern dieser Erde und die Aufgaben reichen von Friedensarbeit über Umweltschutz bis hin zu Kulturprojekten.

**c Klären Sie in der Gruppe die folgenden Ausdrücke und nennen Sie dazu konkrete Beispiele aus Ihrer Erfahrung.**

Ehrenamtliche Arbeit: ______

Interkulturelles Miteinander: ______

Gemeinnütziges Projekt: ______

2.19

**2 Hören Sie ein Interview mit der Workcamp-Teilnehmerin Britta Kühlmann. Notieren Sie Informationen zu folgenden Themen.**

| Reiseziel | Arbeit | Bekanntschaften | Unternehmungen |
|---|---|---|---|
| | | | |

▶ Ü 1

**3** **Lesen Sie die Aussagen. Wie sehen Sie das? Diskutieren Sie in Gruppen und benutzen Sie die Redemittel im Kasten.**

1. Workcamps sind nur etwas für junge Leute.
2. Arbeit und Erholung sind zweierlei.
3. Land und Leute lernt man am besten im normalen Alltag kennen.
4. Die meisten Menschen engagieren sich ehrenamtlich.
5. Die Leute im Workcamp werden ausgenutzt.
6. Für ältere Menschen sind Workcamps zu anstrengend.

| Zustimmung ausdrücken | starke Zweifel ausdrücken | Unmöglichkeit ausdrücken |
|---|---|---|
| Ja, das kann ich mir (gut) vorstellen.<br>Ja, das ist richtig.<br>Das finde/denke ich auch.<br>Ja sicher! ...<br>Selbstverständlich ist das so, weil ...<br>Ja, das sehe ich auch so ... | Es ist unwahrscheinlich, dass ...<br>Ich glaube/denke kaum, dass ...<br>Wohl kaum, denn ...<br>Ich bezweifle, dass ...<br>Ich habe da so meine Zweifel.<br>Ich sehe das (schon) anders, da/weil ... | Es kann nicht sein, dass ...<br>Es ist (völlig) unmöglich, dass ...<br>Es ist ganz sicher nicht so, dass ...<br>... halte ich für ausgeschlossen.<br>Das kann ich mir überhaupt nicht vorstellen. |

▶ Ü 2–3

**4a** **Können Sie sich vorstellen, Ihren Urlaub in einem Workcamp zu verbringen? Sammeln Sie Argumente und entscheiden Sie sich dafür oder dagegen.**

| Pro | Contra |
|---|---|
| *Etwas Sinnvolles im Urlaub tun*<br>*Tätigkeiten nach eigenem Interesse aussuchen*<br>*Keine Langeweile*<br>... | *Arbeiten ohne Geld*<br>*Keine Ruhe*<br>... |

**b** **Diskutieren Sie Ihre Ansichten nun in Gruppen.**

*Das Workcamp wäre eine Möglichkeit für mich, einen interessanten Urlaub zu machen.*

*Ich bezweifle, dass das für mich wirklich Urlaub sein kann.*

**c** **Haben Sie schon einmal im Ausland gearbeitet oder bei einem Sprachkurs in einer Gastfamilie gewohnt? Welche positiven oder negativen Erfahrungen haben Sie gemacht? Haben Sie die Menschen, die Kultur usw. besser kennengelernt als auf einer Urlaubsreise?**

*Ich war schon als Au-pair in der Schweiz. Die Familie war wirklich nett, aber ...*
*Ich habe zwei Wochen lang in einem Projekt in Japan gearbeitet und ...*

# Der schöne Schein trügt ...

1 **Notieren Sie, was für Sie wichtig ist, wenn Sie eine Urlaubsreise machen wollen. Stellen Sie Ihre Notizen im Kurs vor.**

*Hotel direkt am Meer, nicht weit weg vom Zentrum, Vollpension, ...*

2a **Lesen Sie die folgenden Angaben aus Reisekatalogen. Erklären Sie, wie Sie diese Angaben verstehen.**

Direktflug
ein kurzer Transfer zum Hotel
direkt am Meer
Meerseite
verkehrsgünstige Lage
relativ ruhig mitten in der Altstadt

b **Lesen Sie jetzt einen Ratgeber zum Thema „Reiseprospekte richtig verstehen". Vergleichen Sie die Erklärungen mit Ihren eigenen aus 2a. Welche Umschreibungen haben sie besonders überrascht?**

## Ärger an den schönsten Tagen

Schmutziger Strand, Baustelle statt Meerblick, Flieger verspätet, Hotel überbucht: Jedes Jahr gehen nach der Urlaubszeit in Deutschland rund anderthalb Millionen Beschwerden von Reisenden bei den Reiseveranstaltern ein. Rund 30.000 davon landen regelmäßig vor Gericht, weil enttäuschte Urlauber ihr Geld zurückhaben wollen.

Aber viele Streitereien lassen sich vermeiden, wenn man weiß, wie die Angebote in den Prospekten zu lesen sind. In den Katalogen finden sich Beschreibungen des Ferienortes, die aus der Umgangssprache stammen, allerdings etwas anderes bedeuten, als man meinen könnte. So muss man bei Buchung eines Direktfluges – anders als bei einer Non-Stop-Verbindung – mit Zwischenlandungen rechnen. Sollte nach Ankunft am Urlaubsort nur „ein kurzer Transfer zum Hotel" notwendig sein, befindet sich das Hotel in der Nähe des Flughafens. Fluglärm ist somit nicht auszuschließen. Nachfragen sollte man vor der Buchung auf jeden Fall auch dann, wenn sich das Hotel „direkt am Meer" befindet. Das Hotel könnte sich dann nämlich ebenso an einer Steilküste oder am Hafen befinden, aber nicht am erhofften Badestrand. „Meerseite" heißt nicht, dass man freien Blick aufs Meer hat, sondern meist ist der Blick durch andere Häuser verstellt. Wer ganz sicher einen Blick aufs Meer haben möchte, muss auf „Meerblick" im Katalog achten.

Auch bei der Lage des Hotels ist Vorsicht geboten. Eine „verkehrsgünstige Lage" bedeutet, dass das Hotel sehr wahrscheinlich an einer Hauptverkehrsstraße liegt. Dagegen meint „relativ ruhig mitten in der Altstadt", dass man am besten tagsüber schläft, denn in der Nacht beginnt das große Halligalli.

Aber welche Reklamationen sind berechtigt? Kleinere Unannehmlichkeiten, wie zum Beispiel geringfügige Verspätungen, Staub, etwas Lärm oder kleinere Wartezeiten beim Essen muss der Reisende entschädigungslos hinnehmen. Wenn der Reisende aber erhebliche Mängel hinnehmen muss, kann er einen Teil vom bezahlten Reisepreis zurückfordern. Wie viel Prozent das sein können, ist in der „Frankfurter Tabelle" nachzulesen. Fehlt zum Beispiel der im Prospekt beschriebene Swimmingpool, oder ist er nicht im Betrieb, können die Reisenden bis zu 20% des Reisepreises zurückfordern. Ab einer Wartezeit von über vier Stunden an Flughäfen können sie 5% Entschädigung verlangen.

Wichtig ist, dass die Reisenden noch während des Urlaubs reklamieren und die Mängel nach der Reise innerhalb eines Monats dem Reiseveranstalter schriftlich mitteilen.

▶ Ü 1

c **Welche Formulierungen aus Reiseprospekten (1–6) passen zu den Erklärungen (A–F)? Ordnen Sie zu.**

1 __ unaufdringlicher Service
2 __ zweckmäßig eingerichtete Unterkunft
3 __ Strandnähe
4 __ aufstrebende Gegend
5 __ für junge Leute geeignet
6 __ Leihwagen ist empfehlenswert

A Das Hotel liegt eventuell abgelegen.
B Man geht 20–30 Minuten zum Strand.
C Minimalausstattung ohne Komfort.
D Das Personal ist eventuell etwas langsam.
E Es gibt viele Baustellen.
F Im Hotel werden häufig Partys gefeiert.

3 **Lesen Sie die folgenden Beispiele und ordnen Sie sie in die Tabelle ein.**

~~nach der Reise~~ bis nächstes Jahr während des Urlaubs ab einer Wartezeit von vier Stunden innerhalb eines Monats an den schönsten Tagen für drei Tage vor der Buchung beim Essen in der Nacht seit einem Monat über eine Woche

| temporale Präpositionen | | |
|---|---|---|
| **mit Dativ** | **mit Akkusativ** | **mit Genitiv** |
| *nach der Reise, ...* | ... | ... |

▶ Ü 2–3

4a **Überlegen Sie, worüber Sie sich auf Reisen beschweren könnten. Schreiben Sie Situationen auf Kärtchen.**

seit zwei Tagen kein warmes Wasser

Baulärm in der Nacht

bei Ankunft am Flughafen kein Transferbus da

b **Tauschen Sie die Kärtchen im Kurs aus und spielen Sie zu zweit die Situationen: A bringt die Beschwerde vor, B reagiert darauf, dann umgekehrt.**

*Ich habe die ganze Nacht nicht geschlafen. Der Lärm ist unerträglich. Ich möchte ein ruhiges Zimmer ...*

# Eine Reise nach Hamburg

1a Was wissen Sie schon über die Hansestadt Hamburg? Sammeln Sie Informationen.

b Typisch Hamburg: Klären Sie vor dem Lesen folgende Wörter und Ausdrücke.

| die Elbe | der Seemann | die Heuer | das Kontor | das Schmuddelwetter |
|---|---|---|---|---|
| die Börse | der Reeder | hanseatisch | die Alster | |

c Lesen Sie jetzt den Text aus einem Reiseführer. Wie hat sich Hamburg verändert?

*Der Hafen ist heute ...* *Die Elbchaussee ist nicht mehr ...*

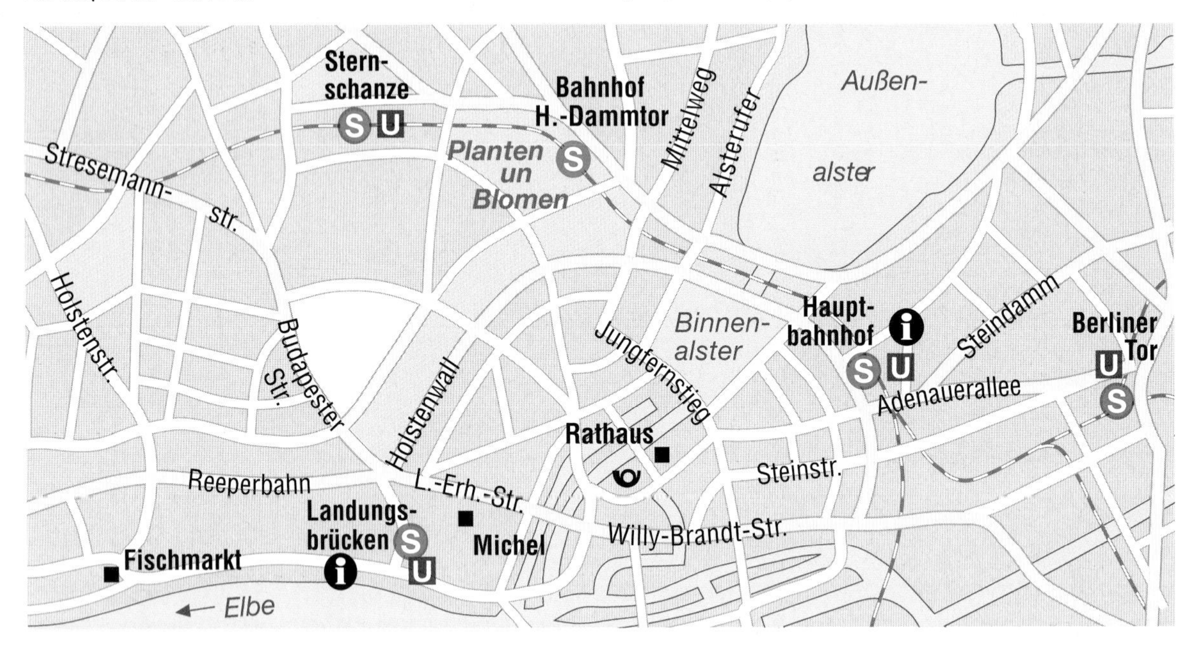


Hamburg – das Tor zur Welt – das sind tutende Schiffe auf der Elbe, der Hafen, Seefahrerkneipen rund um die *Reeperbahn*.

Hamburg: Das sind die reichen Straßen *Elbchaussee* und *Jungfernstieg*, über den die eleganten Hamburger ihre Gattinnen führen. Ihr Geld verdienen die Hanseaten in ihren Kontorhäusern, wo sie sich am liebsten mit der Kalkulation ihres Fernhandels beschäftigen.

Mit Hamburg verbinden sich Personen wie Hans Albers, Freddy Quinn und Heidi Kabel in ihrem *Ohnsorg-Theater*. Und zu Hamburg gehören das Schmuddelwetter mit Nebel, Regen und Wind, der Fischmarkt am Sonntagmorgen an den *Landungsbrücken* und die St. Michaelis Kirche, liebevoll *Michel* genannt. So sehen viele Hamburg.

Doch vergleicht man diese Ansichten mit dem heutigen Hamburg, so erlebt man einige Überraschungen: Die tutenden Schiffe gibt es noch, den Hafen auch. Doch liegt dieser nun nicht mehr am Stadtzentrum, sondern eher am südlichen Ufer der Norderelbe, wo die Schiffe an den hochmodernen Containerterminals be- und entladen werden. Keine Zeit mehr für die Seeleute, über *St. Pauli* und die Reeperbahn zu bummeln und die Heuer in einer Nacht zu verprassen. St. Pauli ist heute mehr ein Szeneviertel mit Bars, Restaurants und Kulturprogramm für jeden Geschmack. Die Elbchaussee ist nicht mehr reserviert für Reiche, die hier in ihren Villen leben. In den Parks entlang der Elbe geht heute ganz Hamburg spazieren. Dem vornehmen Jungfernstieg an der *Binnenalster* machen die modernen Hamburger Passagen oder auch die neu entstehende „*HafenCity*" Konkurrenz.

Und die Hanseaten sind auch nicht mehr, was sie einst waren. Der Handel per Schiff 40 spielt zwar noch eine große Rolle, aber Hamburg hat sich in den letzten Jahrzehnten von einer Hafenstadt zu einer Stadt mit Hafen gewandelt. Als Sitz von Versicherungen, Banken, Verlagen und Multimediafirmen ist 45 sie heute ein Dienstleistungszentrum. Die Hanseaten sind nicht mehr Reeder, sondern Manager.

Aber nicht nur zum Arbeiten und Einkaufen, nein, auch zum Erholen und Entspannen lädt 50 die Stadt Hamburg ein.

Mit seinem Zoo *Hagenbecks Tierpark*, den vielen schönen Parks, z.B. *Planten un Blomen*, und seinen zahlreichen Museen und Theatern ist Hamburg immer eine Reise wert.

55 Die Sehenswürdigkeiten mit dem *Rathaus*, der *Börse* oder den *Fleeten* im Innenstadtbereich sind leicht zu erreichen. Gehen Sie selbst auf Entdeckungstour. Los geht's!

**2 Sie möchten eine Woche nach Hamburg fahren und haben im Internet eine günstige Übernachtung gefunden. Sie möchten das Zimmer telefonisch reservieren.**

**a Wonach sollten Sie sich erkundigen? Welche Informationen müssen Sie geben?**

2.20

**b Hören Sie das Telefongespräch und ergänzen Sie.**

1. Herr Stadler sucht ein Zimmer vom ________ bis zum ________ .
2. Er braucht ein ________________ mit ________, das ________ und ______________ ist.
3. Das Zimmer kostet ________________ Euro.
4. Er kommt mit dem ________________ .
5. Das Hotel schickt ihm eine ________________________________________ .

**c Ein Zimmer telefonisch buchen – Was sagt der Gast? Was sagt die Mitarbeiterin des Hotels? Ordnen Sie zu und ergänzen Sie weitere Redemittel.**

Guten Tag, mein Name ist ...
Ich möchte ein Zimmer bei Ihnen buchen.
Hotel ..., mein Name ist ...
Das Zimmer kostet ... Euro pro Nacht.
Wann möchten Sie an-/abreisen?
Wie lautet Ihre Adresse?
Wie lange werden Sie bleiben?
Ich komme mit dem Auto/Zug/ ...
Das Zimmer sollte ruhig/klimatisiert / ein Nichtraucherzimmer ... sein.
Ich reise am ... wieder ab.
Reisen Sie alleine?
Ich brauche ein Zimmer für ... Nächte.
Wir sind zu zweit.
Wie reisen Sie an?
Können Sie mir eine Wegbeschreibung schicken?
Wünschen Sie eine Reservierungsbestätigung?
Haben Sie einen besonderen Wunsch?
Wir haben ein / leider kein Zimmer frei.
Was kostet das Zimmer?
Auf welchen Namen darf ich das Zimmer reservieren?

**d Schreiben und spielen Sie jetzt selbst Telefongespräche für eine Zimmerreservierung.**

## 3 Etwas in Hamburg unternehmen – Informationen erfragen

2.21

**a Hören Sie den Dialog und notieren Sie die Informationen der Touristeninformation.**

1. Guten Tag. Können Sie mir sagen, wann und wo es morgen Stadtführungen gibt?
2. Wie lange dauert eine Führung?
3. Zwei Stunden ... das ist ziemlich lang. Geht man zu Fuß?
4. Was würden Sie empfehlen?
5. Gut, aber ich muss noch einmal überlegen. Wo könnte ich mich denn anmelden?

**b Nach welchen Informationen könnte man noch fragen?**

2.22

## 4 Sie hören fünf Auskünfte. Was wurde gefragt? Schreiben Sie mögliche Fragen auf und vergleichen Sie sie im Kurs.

## 5 Arbeiten Sie zu zweit und erfragen Sie abwechselnd die fehlenden Informationen. A beginnt.

| **A: Ihre Fragen** | **B: Ihre Antworten** |
|---|---|
| Vom Flughafen zur Innenstadt? Dauer? Preis? | Airport-Express-Bus, Fahrzeit: 25 Minuten, Kosten: 5,– € einfach / 8,– € Hin- und Rückfahrt |
| Günstige Fahrten mit Bus, U- und S-Bahn? | Hamburg Card: 7,80 € Tageskarte |
| Weg zu Hagenbecks Tierpark? | Ab Hauptbahnhof: Linie U2, Niendorf Nord, Station Hagenbecks Tierpark |
| Kultur-Infos im Internet? | Kulturtermine: www.hamburg-kultur.de |

| **A: Ihre Antworten** | **B: Ihre Fragen** |
|---|---|
| Am 28. Juli 2007 frei: Hotel Hansa (DZ 79,– €) / Pension Alsterrose (DZ 65,– €) | Aufenthalt Hamburg am 28.07.07 Doppelzimmer frei? Max. 80,– € |
| Fischmarkt: St. Pauli / So. 5.00 – 9.30 Uhr | Hamburger Fischmarkt: Wann? Wo? |
| Alsterkreuzfahrt: weiße Schiffe / alle 30 min. / Jungfernstieg / Dauer: ca. 60 min. / 8,50 € | Rundfahrt auf der Alster / Wo? / Wann? / Kosten? / Dauer? |

## 6 Welche Sehenswürdigkeiten sind hier abgebildet und wo finden Sie diese auf dem Stadtplan (S. 144)?

1

2

3

**7 Unterwegs mit ...**

**a Diese beiden Personen leben in Hamburg. In den Texten wird berichtet, wie ihr idealer Tag aussieht. Wen würden Sie gerne begleiten? Warum? Warum nicht?**

*Tim Mälzer*

Er gilt als „Junger Wilder" unter Deutschlands Fernsehköchen. Die Kochshow des 35-Jährigen hat gute Quoten, seine Kochbücher führen die Bestseller-Listen an, und in seinem Restaurant „Das Weiße Haus" in Övelgönne muss man lange im Voraus reservieren. Ein idealer Tag ist für ihn ein Tag unter Menschen. Ob Hafengeburtstag, Eppendorfer Schlemmermeile, Altonale oder Alstervergnügen: Er liebt Volksfeste. Besonders den Dom, Hamburgs riesigen Rummel, der dreimal pro Jahr stattfindet. Laute Musik, grelle Lichter, lachende Kinder. Er mag es, wenn Leute gut drauf sind. Und wo es etwas Gutes zu Essen und zu Trinken gibt, das weiß Herr Mälzer mit Sicherheit auch.

TV-Kommissarin Bella Block ist wohl die derzeit bekannteste Rolle der Schauspielerin Hannelore Hoger, Tochter eines Inspizienten des Ohnsorg-Theaters. Ihr idealer Tag beginnt in der Hamburger Kunsthalle, in dem ihr Lieblingsbild „Das Paar vor den Menschen" von Ernst-Ludwig-Kirchner hängt. Nach einem Abstecher in die Galerie der Gegenwart fährt sie zum Restaurant Louis C. Jacob. Dort sitzt sie am liebsten auf den Lindenterrassen, die Max Liebermann 1902 als einen seiner Lieblingsplätze malte. Gestärkt bummelt sie anschließend durch Eppendorf, wo man ohne Großstadthektik wunderbar einkaufen gehen kann. Der Tag endet im kleinen St. Pauli Theater. „Tritt man dort auf, fühlt man sich vom Publikum regelrecht umarmt.", schwärmt Frau Hoger.

*Hannelore Hoger*

**b Wie sieht ein idealer Tag in Ihrer Stadt aus? Wohin würden Sie einen Gast mitnehmen? Schreiben Sie einen kurzen Text.**

▶ Ü 1–2

**8 Projekt: Suchen Sie sich nun eine deutschsprachige Stadt aus, die Ihnen besonders gut gefällt und recherchieren Sie Informationen im Internet über Ihre An- und Abreise, Ihre Unterkunft, Preise und Ihr Programm für einen fünftägigen Aufenthalt.**

| Städte: | An- und Abreise: | Programm: | Sonstiges: |
|---|---|---|---|
| www.berlin.de<br>www.wien.at<br>www.zuerich.ch<br>... | www.flug.de<br>www.bahn.de<br>www.sbb.ch<br>www.oebb.at | www.theater.de<br>www.tourismus-schweiz.ch | www.konsulate.de<br>... |

**Fünf starke Tage in Wien**

| Tag 1 | Tag 2 | Tag 3 |
|---|---|---|
| *Ankunft (14.30)*<br>*Bummel durch die Kärtner Straße*<br>*Lecker: Original Sachertorte im Café Central* | *Auf zum Naschmarkt ...* | |

# Alexander von Humboldt

## Naturforscher und Mitbegründer der Geografie

Alexander von Humboldt wurde am 14. September 1769 in Berlin geboren. Sein Vater war ein preußischer Offizier und königlicher Kammerherr, seine Mutter stammte aus einer französischen Familie. Alexander wuchs zusammen mit seinem älteren Bruder Wilhelm auf, dem späteren Sprachforscher, Erziehungsminister und Gründer der heutigen Humboldt-Universität zu Berlin. Die Brüder erhielten eine umfassende Bildung und Erziehung. Alexander begeisterte sich früh für die großen Entdeckungsreisenden seiner Zeit, besonders für James Cook. Er zeigte großes Interesse an Naturgegenständen und wurde in seinem Umfeld als „der kleine Apotheker" bezeichnet, weil er Insekten, Steine und Pflanzen sammelte.

*Alexander von Humboldt, Forschungsreisender*

Mit Blick auf ihre Karriere im Staatsdienst schickte die Mutter 1787 ihre Söhne zum Studium nach Frankfurt (Oder) an die Viadrina. Wilhelm sollte dort Jura studieren, Alexander Staatswirtschaftslehre. Wegen Unterforderung verließen beide die Universität nach einem Semester wieder. 1789 begann Alexander an der Universität Göttingen, dem Zentrum der wissenschaftlichen Aufklärung in Deutschland, Chemie und Physik zu studieren. Zu dieser Zeit lernte er auch Georg Forster kennen, der James Cook auf seiner zweiten Weltreise begleitet hatte. Angeregt durch Forster, beschloss Alexander, die Welt zu bereisen, auch wenn er nach außen die Wünsche der Mutter respektierte: 1790 bis 1791 besuchte er die Handelsakademie in Hamburg. Unmittelbar danach nahm Alexander an der Bergakademie in Freiberg/Sachsen das Studium auf. Eine glänzende Karriere im Staatsdienst stand ihm offen: 1792 wurde er in Preußen Assessor. 1796 gelangte Alexander durch den Tod der Mutter in den Besitz eines großen Vermögens, das ihm die Finanzierung seines Lebenstraums ermöglichte: als Forschungsreisender die Welt zu erkunden. Am 5. Juni 1799 brach Humboldt mit Freunden in die Neue Welt auf. Seine Forschungsreisen, von denen er mehrere unternahm, führten ihn über Europa hinaus nach Lateinamerika, in die USA sowie nach Zentralasien. Wissenschaftliche Forschungen betrieb er in den Bereichen der Physik, Chemie, Geologie, Mineralogie, Vulkanologie, Botanik, Zoologie, Ozeanografie, Astronomie und Wirtschaftsgeografie. Noch im Alter von 60 Jahren legte Humboldt 15.000 Kilometer mithilfe von 12.244 Pferden auf seiner russisch-sibirischen Forschungsreise zurück.

In den Folgejahren war er als Diplomat in Paris unterwegs und begleitete den König auf Reisen. In den Jahren 1845 bis 1858 verfasste Alexander sein mehrbändiges Hauptwerk mit dem Titel „Kosmos", das ein echter Bestseller wurde. Alexander von Humboldt starb am 06. Mai 1859 in seiner Wohnung in Berlin. Am 10. Mai wurde er mit einem Staatsbegräbnis im Berliner Dom beigesetzt. Alexander von Humboldt wird wegen seiner vielen Forschungsreisen als „der zweite Kolumbus" bezeichnet. Charles Darwin sagte über ihn, er sei der größte reisende Wissenschaftler gewesen, der jemals gelebt habe.

Mehr Informationen zu Alexander von Humboldt 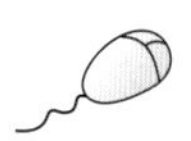

**Sammeln Sie Informationen über Persönlichkeiten aus dem In- und Ausland, die zum Thema „Reisen" interessant sind, und stellen Sie sie im Kurs vor. Sie können dazu die Vorlage „Porträt" im Anhang verwenden.**
Beispiele aus dem deutschsprachigen Bereich: Heinrich Schliemann – Georg Forster – Georg Schweinfurth

## 1a Temporalsätze

| Frage | Bedeutung | Konnektor | Beispiel |
|---|---|---|---|
| Wann? | Gleichzeitigkeit<br>A gleichzeitig mit B | wenn, als, während | ***Als*** *Thomas Cook 1845 die ersten Reisen organisierte (A), legte er den Grundstein für Pauschalreisen (B).*<br>***Wenn*** *man eine Pauschalreise bucht (A), erhält man noch heute den Hotelvoucher (B).*<br>***Während*** *Thomas Cook 1872 sein erstes Büro in Kairo eröffnete (A), begann in Liverpool die erste organisierte Weltreise (B).* |
| | Vorzeitigkeit<br>A vor B | nachdem | ***Nachdem*** *das Unternehmen weltweit Marktführer geworden war (A), verkaufte es ab 1919 auch die ersten Flugtickets (B).* |
| | Nachzeitigkeit<br>A nach B | bevor | ***Bevor*** *Thomas Cook im Jahre 1871 das Unternehmen „Thomas Cook & Son" gründete (A), führte er den Hotelvoucher ein (B).* |
| Seit wann? | Zeitraum vom Anfang der Handlung | seit, seitdem | ***Seitdem*** *Thomas Cook 1869 die erste Reise auf dem Nil anbot, stieg die Nachfrage nach organisierten Schiffsreisen.* |
| Wie lange?<br>Bis wann? | Zeitraum bis zum Ende der Handlung | bis | *Thomas Cook führte das Unternehmen erfolgreich,* ***bis*** *er es 1879 seinem Sohn übergab.* |

Merke: Nach *als* steht ein einmaliger Vorgang in der Vergangenheit.
***Als*** *das Geschäft mehr Kunden gewann, stieg sein Sohn in das Geschäft ein.*

Nach *wenn* steht ein Vorgang in der Vergangenheit, der sich wiederholt.
***Wenn*** *ich in den letzten Jahren verreiste, buchte ich immer Clubhotels.*
*Wenn* kann auch für ein Ereignis in der Gegenwart oder Zukunft stehen.

### b Zeitenwechsel bei *nachdem*

**Gegenwart:** Das Unternehmen verkauft die ersten Flugtickets, — Präsens
nachdem es weltweit Marktführer geworden ist. — Perfekt

**Vergangenheit:** Das Unternehmen verkaufte die ersten Flugtickets, — Präteritum
nachdem es weltweit Marktführer geworden war. — Plusquamperfekt

## 2 Temporale Präpositionen

| mit Dativ | mit Akkusativ | mit Genitiv |
|---|---|---|
| ab, an, aus, bei, in, nach, seit, vor, von … bis, von … an, zu, zwischen | bis, für, gegen, um, über | außerhalb, innerhalb, während |

# Erfurt

1 **Informieren Sie sich. Wo liegt Erfurt? Von welchem Bundesland ist Erfurt die Hauptstadt? Welche anderen Bundesländer befinden sich in der Nähe?**

2a **Sehen Sie den Film. Die Stadtführung durch Erfurt umfasst neun Stationen. Arbeiten Sie in Gruppen und sammeln Sie Informationen. Jede Gruppe wählt eines der vier Themen:**

Orte und Plätze | Personen | Gebäude | Veranstaltungen

b **Die Gruppen präsentieren ihre Ergebnisse.**

c **Tragen Sie die Ergebnisse der einzelnen Gruppen zu jeder Station zusammen.**

An welchen Orten oder in welchen Gebäuden haben sich berühmte Personen aufgehalten? Wo finden welche Veranstaltungen statt? …

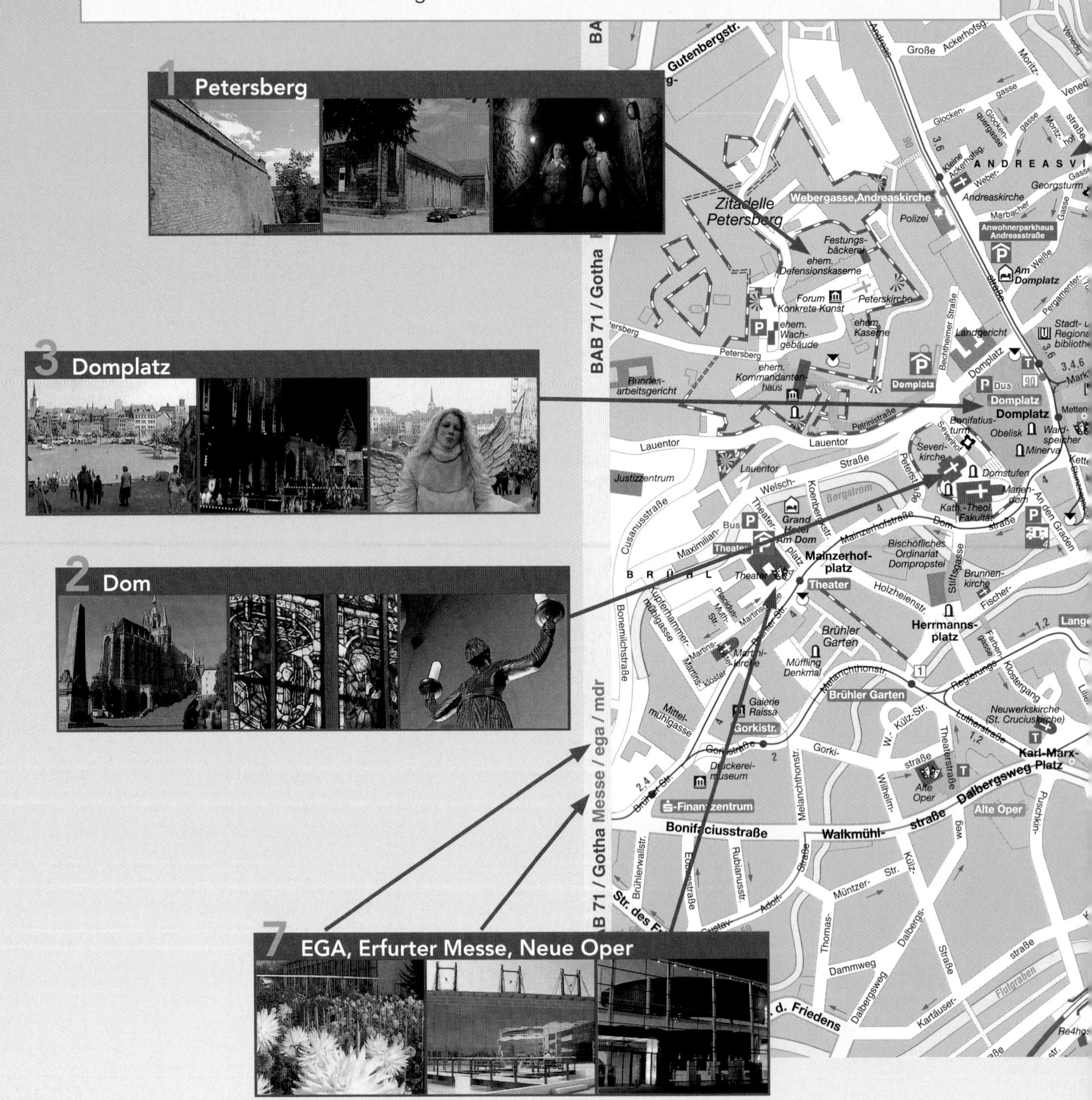

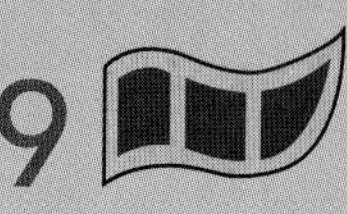

**3 Welche besonderen Veranstaltungen und Feste gibt es in Ihrem Land, in Ihrer Stadt? Berichten Sie.**

Was ist der Ursprung des Festes? Was gibt es zu sehen? Was kann man alles machen?

# Natürlich Natur!

1 **Spielen Sie das Umwelt-Spiel. Sie können mit 4-6 Spielern spielen.**

Sie brauchen einen Würfel und für jeden Spieler / jede Spielerin eine Spielfigur (z.B. eine Münze oder ein Gummibärchen) und einen „Experten", der die Lösungen aus den Lehrerhandreichungen hat. Es gibt drei verschiedene Typen von Spielfeldern.

Orange Felder: Wenn Sie auf ein oranges Feld kommen, haben Sie entweder etwas falsch gemacht und Sie müssen eine Runde aussetzen, oder Sie haben etwas sehr gut gemacht und dürfen noch einmal würfeln.

Blaue Felder: Hier erklären Sie etwas oder spielen es vor. Ihre Mitspieler einigen sich gemeinsam auf Ihre Punktzahl:
0 Punkte Ihre Lösung ist nicht umweltfreundlich.
1 Punkt Ihre Lösung ist umweltfreundlich.
Je nach erreichter Punktzahl können Sie weiterrücken.

Grüne Felder: Welche Antwort ist richtig? Wenn Sie die Aufgabe richtig lösen, dürfen Sie noch einmal würfeln, wenn nicht, bleiben Sie stehen, bis Sie wieder dran sind.

Gewonnen hat, wer zuerst im Ziel ist.

Start

3 Prima, Sie haben die Pfandflaschen zurück zum Supermarkt gebracht. Würfeln Sie noch einmal.

2 Wieder wegen nur einer Jeans und zwei T-Shirts die Waschmaschine angemacht! Setzen Sie eine Runde aus.

1 Sie haben Hunger und Durst. 500 Meter von Ihrer Wohnung ist eine Bäckerei und 1000 Meter von Ihrer Wohnung entfernt ist ein Supermarkt, in dem Sie am liebsten etwas zu trinken einkaufen. Spielen Sie vor, wie Sie zum Bäcker und zum Supermarkt gelangen.

16 Sehr schön! Sie haben das Fahrrad genommen und nicht das Auto, würfeln Sie noch einmal.

17 Erklären Sie, was Sie mit leeren Batterien machen.

18 Aus welcher Energiequelle ist Strom umweltfreundlich?
A Kohle
B Atomkraft
C Sonnenenergie

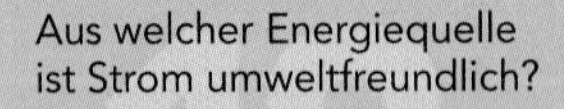

19 Sie lassen alle Ihre elektronischen Geräte immer auf Standby, anstatt sie richtig auszuschalten. Setzen Sie eine Runde aus.

20 Welches Verkehrsmittel braucht pro Reisenden am wenigsten Energie?
A Auto
B Bahn
C Flugzeug

Ziel

## Sie lernen

Wichtige Informationen aus einem Text über Singles und Umweltprobleme verstehen . . . Modul 1
Mit Rollenkarten eine Talkshow zum Thema „Tiere in der Stadt" spielen . . . . . . . . . . . . Modul 2
Berichte über Umwelt-Projekte verstehen . . Modul 3
Detailinformationen eines Vortrags zum Thema „Wasser" verstehen . . . . . . . . . Modul 4
Einen Kurzvortrag halten . . . . . . . . . . . . . . . Modul 4

## Grammatik

Passiv . . . . . . . . . . . . . . . . . . . . . . . . . . . . . Modul 1
Passiversatzformen . . . . . . . . . . . . . . . . . . . Modul 3

Wer oder was ist schuld an der zunehmenden Erderwärmung?

A Kohlendioxid
B die Sonne
C niemand

Was ist Recycling?

A eine umweltfreundliche Fahrradsportart
B das Wiederverwenden von Produkten
C umweltschonendes Verbrennen von Abfall

Oh nein, Sie haben wieder zwei große Kartons in die Papiertonne geworfen und die Kartons vorher nicht zusammengefaltet. Jetzt ist die Tonne schon wieder voll. Setzen Sie eine Runde aus.

Sie haben für Freunde gekocht, es gibt Salat und einen Auflauf. Wohin kommt der Müll? Vor Ihnen liegen eine Plastiktüte, eine fettige Papiertüte, Zwiebel- und Kartoffelschalen, eine leere Dose, eine kaputte Porzellantasse und ein leeres Glas. Sortieren Sie den Müll: Altpapier – Glas – Plastik – Weißblech – Biomüll – Restmüll.

Nicht schon wieder … Sie sind gestern Abend wieder vor dem Fernseher eingeschlafen und die Kiste lief sinnlos bis fünf Uhr morgens. Setzen Sie eine Runde aus.

Was sind die Folgen des „Treibhauseffektes"?
A Das Klima auf der Erde ändert sich.
B Es gibt nur noch Obst und Gemüse aus Gewächshäusern.
C In den Städten werden immer größere Häuser gebaut und weniger Grünflächen angelegt.

Sie haben eine alte Flasche Hustensaft entdeckt. Das Verfallsdatum ist abgelaufen. Was machen Sie damit?

A Ich schütte ihn ins Klo.
B Ich bringe ihn zum Apotheker.
C Ich werfe ihn in den Müll.

Erwischt! Draußen ist es kalter Winter und Sie haben wieder den ganzen Tag das Fenster gekippt und die Heizung angelassen, statt für zehn Minuten das Fenster richtig aufzumachen. Setzen Sie eine Runde aus.

Sie sind in einem Supermarkt in Deutschland und haben die Wahl zwischen Äpfeln aus Neuseeland und Äpfeln aus Deutschland. Erklären Sie, warum der Kauf von Äpfeln aus Deutschland umweltfreundlicher ist.

Super, Sie haben den Biomüll runtergebracht. Würfeln Sie noch einmal.

Welche Energien sind erneuerbar?

A Kohle
B Erdöl und Erdgas
C Wind, Sonne und Wasser

Was machen Sie mit einem alten, kaputten Kühlschrank?

A Ich bringe ihn zur Sammelstelle für Problemmüll.
B Ich werfe ihn mit der Hilfe eines Freundes in einen Müllcontainer.
C Ich stelle ihn vor die Mülltonne.

# Umweltproblem Single

**1a Lesen Sie den Titel des Textes. Was denken Sie: Warum stellen Singles ein Umweltproblem dar?**

**b Lesen Sie den Text und verbinden Sie die nachfolgenden Satzteile. Bringen Sie dann die Sätze in die richtige Reihenfolge.**

## Singles werden zum Umweltproblem

Ein-Personen-Haushalte entpuppen sich als Umwelt-Zeitbomben: Sie vermehren sich explosionsartig, verbrauchen Platz, Energie und Ressourcen. Jetzt werden Gegenmaßnahmen gefordert.

Ein-Personen-Haushalte nehmen schon seit Jahrzehnten stark zu. Bis zum Jahr 2026 werden sie für 76 Prozent des jährlichen Zuwachses an Wohnraum verantwortlich sein und mehr als ein Drittel aller Haushalte ausmachen, so eine Statistik der britischen Regierung. Umweltexperten betrachten diese Entwicklung mit Sorge, denn ihren Analysen zufolge wird durch die hohe Zahl von Single-Haushalten mit ihren energiehungrigen Bewohnern mittelfristig eine Konsum- und Umwelt-Krise ausgelöst.

Pro Kopf verbrauchen Singles nicht nur den meisten Wohnraum und die meiste Energie, sondern auch die meisten Haushaltsgeräte wie Waschmaschinen, Kühlschränke, Fernseher und Stereoanlagen. Im Vergleich zu Mitgliedern eines Fünf-Personen-Haushaltes kaufen sie 39 Prozent mehr Haushaltsutensilien ein, produzieren dabei 42 Prozent mehr Verpackungsmüll, verbrennen 61 Prozent mehr Gas und 55 Prozent mehr Strom. Während ein Familienmensch pro Jahr rund 1.000 Kilo Abfall anhäuft, kommt der Single auf gewaltige 1.600 Kilo. Und in Zukunft leben immer mehr junge und wohlhabende Menschen alleine, die durch ihren konsumorientierten Lebensstil sehr viele Ressourcen verbrauchen.

Damit die Singles nicht zum Umweltproblem werden, müssen die Weichen heute schon gestellt werden, appellieren Forscher. So muss hochwertiger Wohnraum geschaffen werden, der prestigeträchtig und ökologisch zugleich ist. Mit der richtigen Werbung können die wohlhabenden Singles dann dazu motiviert werden, ihr Geld für besonders umweltfreundliche Häuser und Geräte auszugeben.

Für Menschen, die unfreiwillig alleine wohnen, sollte innovative Architektur neue Möglichkeiten des Zusammenlebens schaffen. So sind variable Wohnformen denkbar, in denen Wohnzimmer und Speicherräume gemeinsam genutzt werden, Schlafzimmer, Badezimmer und Küche aber privat bleiben. Auch steuerliche Abgaben für übermäßige Wohnraumnutzung werden die Singles der Zukunft zum Sparen zwingen, glauben Wissenschaftler.

| | | |
|---|---|---|
| [4] | a Um das drohende Problem zu verhindern, | dass sie zu einem Umweltproblem werden. |
| [ ] | b Für Menschen, die nicht gern allein wohnen, | ist auch der heutige Lebensstil allein lebender Menschen. |
| [ ] | c Dieses Problem entsteht dadurch, | müssen Singles dazu gebracht werden, in umweltfreundlichen Wohnraum und ökologische Produkte zu investieren. |
| [ ] | d Ein-Personen-Haushalte haben so stark zugenommen, | sollten alternative Wohnformen geschaffen werden. |
| [ ] | e Ein wichtiger Aspekt dabei | dass Singles vergleichsweise mehr Produkte, Gas und Strom konsumieren und mehr Müll produzieren. |

**c Welche Informationen haben Sie überrascht? Warum verbrauchen Singles mehr Produkte und Energie und produzieren mehr Müll? Stellen Sie Vermutungen an.**

**2a** **Wann verwendet man Aktiv, wann Passiv? Lesen Sie die Beispiele und ordnen Sie die Erklärungen zu.**

**Aktiv:**
Der Architekt plant umweltfreundliche Häuser.

Wichtig ist der Vorgang / die Aktion: Was passiert?

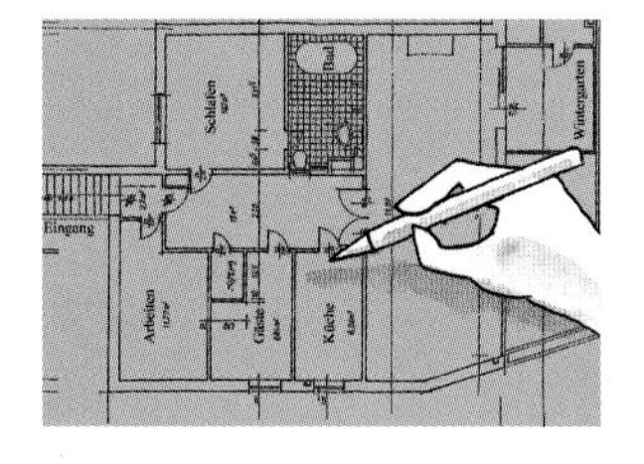

**Passiv:**
Umweltfreundliche Häuser werden geplant.

Wichtig ist die handelnde Person: Wer/Was macht etwas?

**b** **Wie wird das Passiv gebildet? Ergänzen Sie die Regel.**

G

**Passiv – Bildung ➔** ______________ + Partizip II

▶ Ü 1–2

**c** **Lesen Sie die Sätze im Kasten. Was war früher? Was ist jetzt? Ordnen Sie zu.**

**A:** Das Öko-Haus wurde gebaut.
**B:** Die meiste Energie wird beim Heizen verbraucht.
**C:** Vor 50 Jahren wurde nicht so viel Verpackungsmüll produziert.
**D:** Immer mehr umweltfreundliche Haushaltsgeräte werden entwickelt.

Jetzt: Passiv Präsens *B,* ______________ Früher: Passiv Präteritum ______________

▶ Ü 3

**d** **Die meisten Verben mit Akkusativ können ein Passiv bilden. Sehen Sie sich die Sätze an und ergänzen Sie die Regel.**

G

Die Architekten planen **das Haus.** ➔ **Das Haus** wird geplant.
Akkusativ im Aktivsatz ➔ ______________ im Passivsatz.

**e** **Lesen Sie den vorletzten Absatz des Textes noch einmal und unterstreichen Sie die Passivsätze mit Modalverben. Schreiben Sie dann einen Beispielsatz zu der Regel.**

Das Passiv mit Modalverben: Modalverb + Partizip II + *werden* im Infinitiv

______________________________________________

______________________________________________

▶ Ü 4–5

**3** **Schreiben Sie einen Satz im Aktiv oder Passiv auf einen Zettel. Die Zettel werden verdeckt gemischt. Ziehen Sie einen Zettel und wandeln Sie den Satz in die jeweils andere Form um.**

*Wir müssen die Umwelt besser schützen. – Die Umwelt muss besser geschützt werden.*

# Tierisches Stadtleben

1a Welche Tiere leben in der Stadt? Sammeln Sie und machen Sie im Kurs eine Liste. Sie wissen nicht, wie ein bestimmtes Tier auf Deutsch heißt? Erklären Sie es: Wie sieht es aus (Größe, Farbe, Fell oder Federn)? Was frisst es? Was kann es (klettern, fliegen, ...)? Wo wohnt es (im Keller, unter dem Dach, im Garten, ...)? ...

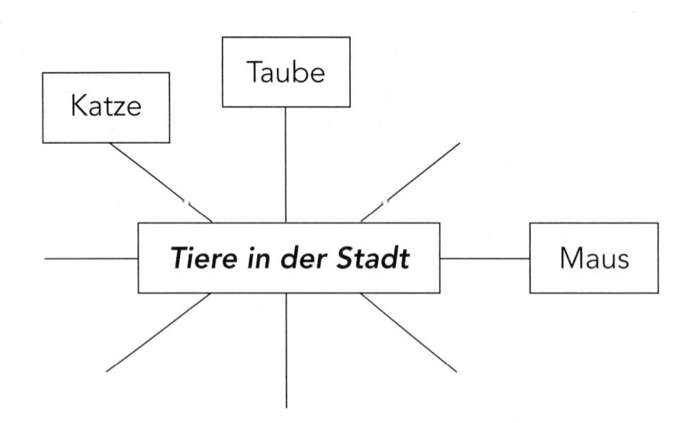

2.27

b Hören Sie den ersten Abschnitt einer Reportage zum Thema „Tiere in der Großstadt". Von welchen Tieren ist hier die Rede? Ergänzen Sie Ihre Liste.

2a Überlegen Sie: Warum „ziehen" viele Wildtiere in die Stadt? Sammeln Sie Gründe.

*Wildtier → Stadt-Tier*
*weniger Platz auf dem Land*
...

▶ Ü 1

2.28

b Hören Sie nun das Interview und machen Sie Notizen zu den folgenden Punkten.

1. Nahrung
2. schlaue Tiere
3. Klima
4. wenige Feinde
5. Behausung
6. Mensch und Tier als Nachbarn

*1. In der Stadt: viel Nahrung (Mülltonnen, Gärten, ...)*

▶ Ü 2

c Fassen Sie mithilfe Ihrer Notizen den Hörtext mit eigenen Worten zusammen.

3 Welche Probleme mit Tieren in Städten kennen Sie? Welche Lösungsvorschläge für die Probleme gibt es?

▶ Ü 3

**4a Spielen Sie eine Talkshow. Lesen Sie die Rollenkarten und bilden Sie vier Gruppen. Jede Gruppe wählt eine Rolle und gibt der Person einen Namen.**

**Älterer Herr mit Dackel**
Jeden Morgen gehen Sie mit Ihrem Dackel in den kleinen Park und bringen den Kaninchen Karotten mit. Am Nachmittag füttern Sie die Enten am kleinen See mit Brot und abends gibt es immer etwas für die Tauben vor Ihrem Fenster. Sie können nicht verstehen, wie die Tiere irgendjemanden stören können und ärgern sich über die Vorsitzende des Kleingartenvereins.

**Talkmasterin**
Sie sind seit vielen Jahren Talkmasterin und bekannt dafür, sich nicht aus der Ruhe bringen zu lassen. Sie achten immer darauf, dass jeder zu Wort kommt. Sie stellen, wenn nötig, Rückfragen und fassen die Meinung Ihrer Gäste zusammen. Ihre Talkgäste schätzen Ihre freundliche und faire Art.

**Vorsitzende des Kleingartenvereins**
Sie sind seit zwei Jahren die Vorsitzende eines Kleingartenvereins. In der Kleingartenanlage mit insgesamt 25 Gärten gibt es immer wieder Probleme mit Kaninchen, die das Gemüse der Hobbygärtner auffressen. Ihnen sind die Pflanzen sehr wichtig und Sie sind dafür, dass Fallen aufgestellt werden.

**Vertreter des regionalen Tierschutzvereins**
Sie sind seit kurzem Vorsitzender des örtlichen Tierschutzvereins und jetzt zum ersten Mal im Fernsehen. Sie sind sehr nervös. Tierfallen, finden Sie, sind keine Lösung. Sie schlagen vor, die Probleme z.B. mit Zäunen, die auch unterirdisch verlaufen, zu lösen. Zudem möchten sie „Tierfreunde", die Tiere überfüttern, aufklären: Die Tiere bekommen Herzprobleme und bewegen sich zu wenig.

**b Jede Gruppe wählt einen Sprecher, der die Person auf der Rollenkarte spielt. Sammeln Sie gemeinsam, was die Person in der Talkshow sagen will.**

**c Spielen Sie die Talkshow – die Redemittel helfen Ihnen.**

| um das Wort bitten / das Wort ergreifen | sich nicht unterbrechen lassen |
|---|---|
| Entschuldigen Sie, wenn ich Sie unterbreche, … | Lassen Sie mich bitte ausreden. |
| Dürfte ich dazu bitte auch etwas sagen? | Ich möchte nur noch ein(e)s sagen … |
| Ich möchte dazu etwas sagen/fragen/ergänzen. | Einen Moment bitte, ich möchte nur noch … |
| Kann ich dazu bitte auch einmal etwas sagen? | Darf ich bitte den Satz noch abschließen? |
| Ich verstehe das schon, aber … | Ich bin noch nicht fertig. |
| Ja, aber … | Augenblick noch bitte, ich bin gleich fertig. |
| Glauben/Meinen Sie wirklich, dass … | |

1a Lesen Sie die beiden Texte und erstellen Sie eine Tabelle wie auf der nächsten Seite.

## Putztag – für ein „sauberhaftes" Hessen

**Bereits zum fünften Mal sammeln Freiwillige Müll in und um Kassel.**

Warum werfen Menschen ihre Abfälle auf die Straße, anstatt sie zum nächsten Papierkorb zu tragen? Warum lassen sie andere Menschen den Müll wegräumen, anstatt ihn selber in einen Mülleimer zu geben? Ziel der Aktion „sauberhaftes Hessen" ist es, Bürgerinnen und Bürger zu einem verantwortungsvollen Umgang mit der Umwelt anzuhalten. Vor allem geht es darum, dass man Müll nicht einfach achtlos auf Straßen, Wege oder öffentliche Grünflächen wirft und somit die Umgebung verschandelt. Mit der Aktion möchte man auf eine einfache Verhaltensregel aufmerksam machen: Müll gehört in den Abfalleimer!

Es ist unvorstellbar, was sich alles auf den Straßen findet: Verpackungsreste jeder Art, Pfandflaschen, Medikamente, Küchengeräte, Autoreifen, einen Kraftstofftank bis hin zu einem unverschlossenen Kanister mit Altöl und sogar eine alte Matratze fanden die über 250 großen und kleinen Teilnehmer des Kasseler Putztages.

## Gletschersterben

Bis zum Ende des Jahrhunderts soll die globale Temperatur um zirka vier Grad steigen. Schuld daran ist die Emission von Treibhausgasen, die die Klimaerwärmung beschleunigt. Davon sind auch die Gletscher betroffen: Sie schmelzen ab und das hat katastrophale Folgen für die Umwelt. Die Böden tauen und ganze Berghänge werden abrutschen. Hochwasser und Überschwemmungen wird es in den Alpen immer häufiger geben. Durch Flüsse, die in Gletscherzonen entspringen, sind auch entfernte Regionen akut bedroht.

## Lassen sich die Gletscher noch retten?

Im Jahr 2004 starteten die Tiroler Gebiete Kaunertal, Pitztal, Ötztal und Stubaital ein Forschungsprojekt zum Schutz ihrer Gletscher. Mit Abdeckungen aus Folie will man die Gletscher vor zu starker Sonneneinstrahlung schützen und das Schmelzen der Gletscher verlangsamen. Da solche Maßnahmen aber schwer finanzierbar sind, kann man nur kleine Flächen schützen. Dennoch zeigen sich Forscher zuversichtlich.

Umweltaktivisten sehen das Abdeckverfahren, das man mittlerweile auch in der Schweiz und auf Deutschlands höchstem Berg, der Zugspitze, anwendet, sehr kritisch. Denn das globale Gletschersterben lässt sich dadurch nicht aufhalten, sondern nur verlangsamen.

| Projekt | Ort | Problem | Ziel |
|---|---|---|---|
| *Sauberhaftes Hessen* | *Kassel* | | |

**b Wie finden Sie die beiden Projekte? Welchen Effekt können sie (nicht) bringen?** ▶ Ü 1

**2a Ergänzen Sie rechts die Sätze. Die Texte aus Aufgabe 1 helfen Ihnen.**

| **Passiv** | **Passiversatzformen** |
|---|---|
| Es geht darum, dass Müll nicht einfach auf die Straße geworfen wird. | Es geht darum, dass *man* Müll nicht einfach auf die Straße wirft. |
| Die Maßnahmen können schwer finanziert werden. | Die Maßnahmen sind schwer finanzier_________. |
| Können die Gletscher gerettet werden? | _________ _________ die Gletscher retten? |

**b Ergänzen Sie in der Übersicht die Beispielsätze.**

G

| | **Passiversatzformen** | |
|---|---|---|
| Der Müll wird weggeräumt. | *man* | ______________________ |
| | **mit modaler Bedeutung** | |
| Das Gletschersterben **kann** nicht aufgehalten werden. | *sich lassen* + Infinitiv | ______________________<br>______________________ |
| Das Projekt **kann** nicht finanziert werden. | Adjektive auf *-bar* | ______________________<br>______________________ |

**3 Beschreiben Sie mit eigenen Worten die beiden Umwelt-Projekte aus Aufgabe 1. Ihre Notizen helfen Ihnen.** ▶ Ü 2–5

*Mit der Aktion „sauberhaftes Hessen" möchte man ...*

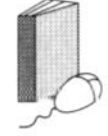

**4a Recherchieren Sie ein Umweltprojekt aus Ihrer Stadt oder Ihrem Land.**

**b Machen Sie Notizen zu dem Projekt wie im Raster bei Aufgabe 1a. Notieren Sie auch Probleme und Schwierigkeiten des Projekts.**

**c Ordnen Sie Ihre Notizen in einer sinnvollen Reihenfolge und schreiben Sie einen kurzen Bericht zu Ihrem Projekt. Ergänzen Sie den Bericht mit Fotos und hängen Sie die Berichte im Kursraum aus.**

# Kostbares Nass

**1a Sehen Sie sich die Fotos an. Welche Assoziationen verbinden Sie mit den Bildern? Sammeln Sie im Kurs.**

**b Ordnen Sie die Begriffe aus dem Kasten den Fotos zu.**

| Süßwasser | Salzwasser | Trinkwasser | Überschwemmung | Dürre | Wasserknappheit |
|---|---|---|---|---|---|
| fließendes Wasser | verseuchtes Wasser | Wassermangel | Meeresstrand | | |
| durstig sein | baden | Wüste | austrocknen | vertrocknen | verschmutzen | Schlamm |

**c Was wissen Sie über Wasser? Wozu braucht man Wasser? Was kann man mit Wasser alles tun? Sammeln Sie im Kurs.**

▶ Ü 1

2.29

**2a** Hören Sie einen Vortrag von Frau Dr. Willinger zum Thema „Wasser" und beantworten Sie die Fragen.

**1. Wie heißt der Titel des Vortrags und warum heißt er so?**

**2. Der Vortrag ist in zwei Teile gegliedert. Worum geht es in den einzelnen Teilen? Notieren Sie jeweils drei Stichpunkte.**

Thema 1: ______________________

______________________

______________________

Thema 2: ______________________

______________________

______________________

2.30

**b** Hören Sie jetzt den Hauptteil des Vortrags noch einmal.

**Teil 1: Beantworten Sie die Fragen.**

1. Für welche Aufgaben braucht der menschliche Körper Wasser?
   - ______________________
   - ______________________
   - ______________________
2. Wie viel Wasser benötigt der Mensch pro Tag? ______________________

**Teil 2: Ergänzen Sie die Informationen.**

1. Gesamtwassermenge auf der Erde: ______________________
2. Süßwasseranteil: ______________________
3. über eine Milliarde Menschen: ______________________
4. zwei Milliarden Menschen: ______________________
5. bis zum Jahr 2050: ______________________
6. der größte Wasserverbraucher: ______________________
7. zunehmende Verschmutzung durch: ______________________

   ______________________
8. Zukunft: ______________________

3 Erstellen Sie einen eigenen Kurzvortrag. Arbeiten Sie in folgenden Schritten:

1. Schritt: Suchen Sie ein Thema aus dem Bereich „Umwelt und Natur", das Sie interessiert. Sie können zum Beispiel über das Thema „Wasser", „Mülltrennung" oder „Tierschutz" arbeiten.

2. Schritt: Sammeln Sie Ideen zu Ihrem Thema und legen Sie einen Cluster wie im Beispiel an.

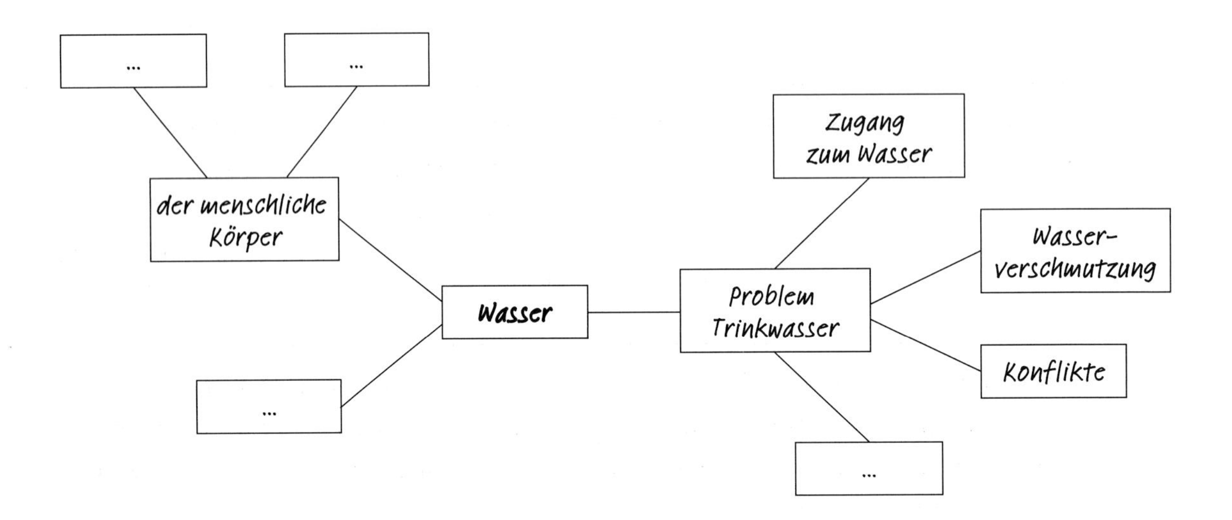


3. Schritt: Recherchieren Sie Informationen zu den einzelnen Punkten. Ergänzen Sie gegebenenfalls den Cluster. In dieser Phase können Sie auch mit dem Wörterbuch arbeiten.

4. Schritt: Entscheiden Sie, in welcher Reihenfolge Sie über die Punkte sprechen möchten und erstellen Sie eine Gliederung. Machen Sie sich Notizen zu den Gliederungspunkten.

**Einleitung**
- „Leben durch Wasser": Leben auf Erde -> direkte Beziehung zu Wasser, dieses Element verbindet
- Erklärung der Gliederung

**Punkt 1: Mensch und Wasser**
- Mensch: zu 63 Prozent aus Wasser
- Ausgleich von Flüssigkeitshaushalt -> ständig neues Wasser nötig
- Wasser:
- Entfernen giftiger Stoffe
- Transport von Nährstoffen und Sauerstoff
- Regulierung der Körpertemperatur

...

**5. Schritt: Lesen Sie die Redemittel und ordnen Sie die Überschriften zu. Entscheiden Sie, welche Redemittel Sie verwenden wollen.**

| Strukturierung | Übergänge | Einleitung | Schluss |
|---|---|---|---|

| einen Vortrag / ein Referat halten | |
|---|---|
| __________<br>Das Thema meines Vortrags/Referats lautet …<br>Ich spreche heute zu dem Thema … | __________<br>Soweit der erste Teil. Nun möchte ich mich dem zweiten Teil zuwenden.<br>Nun spreche ich über …<br>Ich komme jetzt zum zweiten/nächsten Teil. |
| __________<br>Mein Vortrag besteht aus drei Teilen: …<br>Mein Vortrag ist in drei Teile gegliedert: …<br>Zuerst spreche ich über …, dann komme ich im zweiten Teil zu …, im dritten Teil befasse ich mich dann mit … | __________<br>Ich komme jetzt zum Schluss.<br>Zusammenfassend möchte ich sagen, …<br>Abschließend möchte ich noch erwähnen, … |

**6. Schritt: Arbeiten Sie zu zweit. Üben Sie Ihren Vortrag und besprechen Sie mit Ihrem Partner / Ihrer Partnerin folgende Punkte**

- **Verständlichkeit**
- **Redetempo**
- **Lautstärke**

**Üben Sie so lange, bis Sie sich sicher fühlen.**

**7. Schritt: Halten Sie Ihren Kurzvortrag im Kurs.**

▶ Ü 2

# Elisabeth Mann Borgese

## Botschafterin der Ozeane

Als jüngste Tochter des Schriftstellers Thomas Mann 1918 in München geboren, lernte Elisabeth Mann in der Emigration schon früh die Welt kennen. Sie heiratete den italienischen Schriftsteller und Politikwissenschaftler Giuseppe Antonio Borgese und siedelte nach seinem Tod nach Kalifornien über, wo sie die Arbeit im Bereich der internationalen Politik, die sie mit ihrem Mann begonnen hatte, fortsetzte.

*Elisabeth Mann Borgese (1918–2002)*

Ihre emotionale Bindung an die Ozeane wurde schon als Kind durch die langen Urlaube mit der Familie an der Ostsee und nicht zuletzt durch die leidenschaftliche Beziehung des Vaters zum Meer geprägt. Ihr romantisches Empfinden, gepaart mit einem scharfen Verstand und dem politischen Gewissen der Visionäre der Fünfziger- und Sechzigerjahre, machte sie zu einer der maßgeblichsten Streiterinnen für die Belange der Meere.

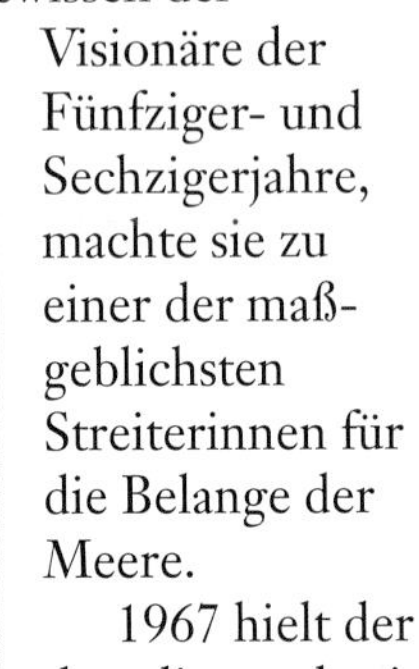

1967 hielt der damalige maltesische Botschafter bei den Vereinten Nationen, Arvid Pardo, die berühmt gewordene Rede, in der er die Weltmeere zum gemeinsamen Erbe der Menschheit erklärte – die Chance für Elisabeth Mann Borgese, ihre Leidenschaft mit ihrer politischen Arbeit zu verbinden. Noch im selben Jahr gründete sie das International Ocean Institute, IOI, mit Sitz in Malta und inzwischen neun regionalen Zentren in der ganzen Welt. Das IOI führt politische Forschungen, Trainingsprogramme und Konferenzen durch und veröffentlicht die Ergebnisse regelmäßig im „Ocean Yearbook" und anderen Publikationen. Finanziell sind die Aktivitäten des IOI inzwischen gut abgesichert.

Von der Global Environmental Facility der Weltbank, von Privatunternehmen oder auch von der Deutschen Bundesregierung erhält das IOI seit Jahren finanzielle Unterstützung.

Eine Berufsbeschreibung Elisabeth Mann Borgeses scheint fast unmöglich. Obwohl sie ihre einzige wirkliche Ausbildung als Pianistin erhielt, galt sie als Expertin für Internationales Seerecht mit einem Lehrstuhl an der Dalhousie University in Halifax. Neben ihrer Arbeit für das IOI war sie als Vertreterin Österreichs an der Internationalen Seerechtskonvention (Unclos) maßgeblich am Zustandekommen des Vertrages beteiligt. Einige Länder, wie zum Beispiel die Seychellen, ratifizierten die Konvention erst nach persönlichen Verhandlungen der Regierungen mit ihr. Als Botschafterin der Ozeane reiste sie nicht selten in einem Monat in vier verschiedene Kontinente und zehn Städte. Viel zu selten nahm sie sich die Zeit, in ihrem Haus am Meer Kraft für all dies zu tanken.

Weitere Informationen zu Elisabeth Mann Borgese 

**Sammeln Sie Informationen über Persönlichkeiten aus dem In- und Ausland, die für das Thema „Umwelt und Natur" interessant sind, und stellen Sie sie im Kurs vor. Sie können dazu die Vorlage „Porträt" im Anhang verwenden.**
Beispiele aus dem deutschsprachigen Bereich: Hans Hass – Bernhard Grzimek – Hannelore „Loki" Schmid – Heinz Sielmann

## 1 Passiv

### Verwendung

Man verwendet das **Passiv**, wenn ein Vorgang oder eine Aktion im Vordergrund steht (und nicht eine handelnde Person).
Das **Aktiv** verwendet man, wenn wichtig ist, wer oder was etwas macht.

**Bildung des Passivs** *werden* + Partizip II

| | | |
|---|---|---|
| Präsens | *Das Haus wird jetzt gebaut.* | *werden* im Präsens |
| Präteritum | *Das Haus wurde letztes Jahr gebaut.* | *werden* im Präteritum |

**Aktiv-Satz** / **Passiv-Satz**

| Aktiv-Satz | Passiv-Satz |
|---|---|
| *Der Architekt plant Wohnungen.* | *Wohnungen werden (vom Architekten) geplant.* |
| Nominativ Akkusativ | Nominativ (von + Dativ) |

Die meisten Verben mit Akkusativ können das Passiv bilden. Der Akkusativ im Aktiv-Satz wird im Passiv-Satz zum Nominativ.
Andere Ergänzungen bleiben im Aktiv und im Passiv im gleichen Kasus.

| | |
|---|---|
| *Er schenkt meinem Sohn eine Wohnung.* | *Meinem Sohn wird eine Wohnung geschenkt.* |
| Nominativ Dativ Akkusativ | Dativ Nominativ |

### Passiv mit Modalverben

Modalverb + Partizip II + *werden* im Infinitiv
*Die Wohnungen **müssen geplant werden**.*

## 2 Passiversatzformen

| | |
|---|---|
| ***man*** | *Hier baut **man** Häuser.*<br>*(= Hier werden Häuser gebaut.)* |
| **mit modaler Bedeutung**<br>**Adjektive auf *-bar*** | *Das Projekt ist nicht **finanzierbar**.* |
| ***sich lassen* + Infinitiv** | *Das Projekt **lässt sich** nicht **finanzieren**.*<br>*(= Das Projekt **kann** nicht finanziert werden.)* |

***sich lassen* + Infinitiv: Zeitformen**

| | |
|---|---|
| jetzt (Präsens) | *Das Projekt **lässt** sich nicht finanzieren.* |
| früher (Präteritum) | *Das Projekt **ließ** sich nicht finanzieren.* |
| früher (Perfekt) | *Das Projekt **hat** sich nicht finanzieren **lassen**.* |
| in Zukunft (Futur) | *Das Projekt **wird** sich nicht finanzieren **lassen**.* |

# Wildtiere in Berlin

1 Was wissen Sie über diese drei Wildtiere (Aussehen, Lebensraum, Nahrung, ... )? Machen Sie zu jedem Tier eine Liste. Arbeiten Sie in Gruppen zusammen und vergleichen Sie im Kurs Ihre Informationen.

Wildschwein

Waschbär

Fuchs

1 2a Sehen Sie die erste Sequenz ohne Ton. Arbeiten Sie in Gruppen. Was passiert hier? Welche Probleme gibt es? Was macht der Mann?

b Sehen Sie jetzt die erste Sequenz mit Ton. Ergänzen oder korrigieren Sie Ihre Vermutungen.

c Was ist die Aufgabe von Derk Ehlert?

2 3a Sehen Sie die zweite Sequenz. Machen Sie sich während des Sehens Notizen zu der Geschichte von Jochen Viol.

b Tauschen Sie in Gruppen Ihre Notizen aus und fassen Sie den Bericht von Jochen Viol zusammen. Wo und wie passierte der Unfall? Welche Folgen hat der Unfall?

Die folgenden Wörter helfen Ihnen:

Beinbruch, inspizieren, im Laub liegen, in Ordnung sein, Platz umgraben, sich angegriffen fühlen, umrennen, Wildschwein, Zaun

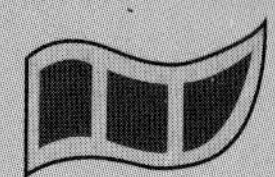

4 Sehen Sie sich Bild 1 an und vermuten Sie, was hier passiert ist. Wie und warum kommt der Waschbär in die Mülltonne?

3 5 Sehen Sie die dritte Sequenz. Stellen Sie sich vor, Sie wären bei dem Vorfall dabei gewesen. Schreiben Sie zu den Bildern 1–4 einen kurzen Text.

4 6a Sehen Sie die vierte Sequenz und machen Sie Notizen. Bilden Sie zwei Gruppen und formulieren Sie Fragen zum Stadtfuchs (Aussehen, Verhalten, Ernährung, Überlebenschancen in der Wildnis, idealer Wohnort, ...).

b Welche Gruppe ist Experte? Die Gruppen stellen abwechselnd ihre Fragen. Für die Antwort hat jede Gruppe zehn Sekunden Zeit. Jede richtige Antwort gibt einen Punkt.

7a Sehen Sie sich nochmals Ihre Liste aus Aufgabe 1 an. Welche zusätzlichen Informationen haben sie jetzt über diese Tiere?

b Berichten Sie über Probleme mit Wildtieren in Ihrem Land.

c Geben Sie Tipps, was man über Wildtiere wissen und worauf man achten sollte. Hängen Sie Ihre Tipps im Kursraum auf.

**Nachrichten**

12. Dezember 2057

**Wildtier-Alarm!!!**

Immer mehr

nicht mehr zu retten?

8 Die Zukunft – ein „Großstadtdschungel"? Schreiben Sie die Zeitungsmeldung.

# Redemittel

## Meinungen ausdrücken — K1M2 / K1M4 / K2M4

Meiner Meinung nach …
Ich bin der Meinung/Ansicht, dass …
Ich stehe auf dem Standpunkt, dass …
Ich denke/meine/glaube/finde, dass …
Ich bin davon überzeugt, dass …

## eine Begründung ausdrücken — K3M1 / K8M2

Ich möchte …, weil …
Ich … und darum …
Ich denke …, denn …
Der ersten Aussage kann ich zustimmen, da …

## Zustimmung ausdrücken — K1M4 / K8M2 / K9M2

Der Meinung bin ich auch.
Ich bin ganz deiner/Ihrer Meinung.
Das stimmt. / Das ist richtig.
Da hast du / haben Sie völlig recht.
Ja, das kann ich mir gut vorstellen.
Das kann ich mir vorstellen.
Ja, das ist richtig.
Ja sicher! / Ja, genau.
Selbstverständlich ist das so, weil …
Ja, das sehe ich auch so.
Der ersten Aussage kann ich völlig zustimmen, da/weil …
Ich denke, diese Einstellung ist falsch, denn …
Ich finde, … hat recht, wenn er/sie sagt, dass …

## Widerspruch ausdrücken — K1M2 / K1M4

Das stimmt meiner Meinung nach nicht.
Das ist nicht richtig.
Ich sehe das (ganz) anders.
Da muss ich dir/Ihnen aber widersprechen.

## Zweifel ausdrücken — K1M4 / K9M2

Also, ich weiß nicht …
Stimmt das wirklich?
Ob das wirklich so ist …
Es ist unwahrscheinlich, dass …
Ich glaube/denke kaum, dass …
Wohl kaum, denn …
Ich bezweifle, dass …
Ich habe da so meine Zweifel.
Ich sehe das schon anders, da …

## Unmöglichkeit ausdrücken — K9M2

Es kann nicht sein, dass …
Es ist (völlig) unmöglich, dass …
Es ist ganz sicher nicht so, dass …
… halte ich für ausgeschlossen.
Das kann ich mir überhaupt nicht vorstellen.

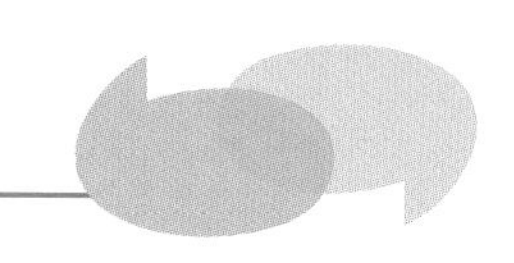

## einen Gegensatz ausdrücken K3M4

Im Gegensatz zu Peter mache ich ...
Während Peter abends ..., mache ich ...
Bei mir ist das ganz anders.

## Wichtigkeit ausdrücken K1M2 / K6M3

Bei einer Bewerbung ist ... am wichtigsten.
Im Gespräch ist es sehr wichtig, ...
Der Bewerber muss erst einmal ...
Für mich ist es wichtig, dass ...

## Vermutungen ausdrücken K6M4 / K7M4 / K8M3

Ich kann mir gut vorstellen, dass ...
Es könnte (gut) sein, dass ...
Ich vermute/glaube/nehme an, dass ...
Vielleicht/Wahrscheinlich/Vermutlich ist ...
Es kann sein, dass ...
Ich könnte mir gut vorstellen, dass ...
Es ist denkbar/möglich/vorstellbar, dass ...
Der erste Mann wird ... sein. In seinem Alltag wird er ...
Der andere Mann sieht so aus, als ob ...

## Ratschläge und Tipps geben K2M4 / K3M4 / K5M3 / K5M4 / K7M4

Am besten ist ...
Du solltest ... / Du könntest ...
Du musst ...
Man darf nicht ...
Da sollte man am besten ...
Ich kann dir/euch nur raten ...
Ich würde dir/euch raten ...
Am besten ist/wäre es ...
Auf keinen Fall solltest du ...
An deiner Stelle würde ich ...
Wenn du mich fragst, dann ...
Mir hat sehr geholfen ...
Es lohnt sich, ...
Empfehlenswert ist, wenn ...
Überleg dir das gut.
Sag mal, wäre es nicht besser, ...
Verstehe mich nicht falsch, aber ...
Wir schlagen vor ...
Wir geben die folgenden Empfehlungen: ...
Sinnvoll/hilfreich/nützlich wäre, wenn ...
Dabei sollte man beachten, dass ...
Es ist besser, wenn ...

## einen Vorschlag machen K4M2 / K4M4

Wie wär's, wenn ...?
Wir könnten doch ...
Hast du (nicht) Lust ...?
Vielleicht treffen wir uns ...

# Redemittel

### Wünsche und Ziele ausdrücken — K5M1

Ich hätte Spaß daran, …
Ich hätte Lust, …
Ich hätte Zeit, …
Ich wünsche mir, …

Ich habe vor, …
Für mich wäre es gut, …
Es ist notwendig, …
Für mich ist es wichtig, …

### seine Wunschvorstellung ausdrücken — K1M1

Er hat schon als Kind davon geträumt, …
Er wollte schon immer ...

Rita wollte unbedingt ...

### Verständnis/Unverständnis ausdrücken — K3M4 / K7M4

Ich kann gut verstehen, dass ...
Es ist ganz natürlich, dass …
Es ist verständlich, dass …

Ich verstehe … nicht.
Ich würde anders reagieren.

### eigene Erfahrungen ausdrücken — K3M4

Ich habe ähnliche Erfahrungen gemacht, als …
Wir haben gute/schlechte Erfahrungen gemacht mit …

Mir ging es ganz ähnlich, als …
Bei mir war das damals so: …
Wir haben oft bemerkt, dass …

### Unsicherheit/Sorge ausdrücken — K2M4

Ich bin mir noch nicht sicher.
Ich befürchte nur, …
Ich habe wohl keine Wahl.

Überleg dir das gut.
Sag mal, wäre es nicht besser, …

### Erstaunen/Überraschung ausdrücken — K3M3

Mich hat total überrascht, dass …
Besonders interessant finde ich …

Für mich war neu, dass …
Erstaunlich finde ich, dass …

### Glückwünsche ausdrücken — K1M4

Herzlichen Glückwunsch!
Ich möchte Euch zur Geburt Eures Sohnes / Eurer Tochter beglückwünschen.

Alles erdenklich Gute!
Ich wünsche Eurem Kind viel Glück.
Ich schicke Euch die allerbesten Wünsche.

## Freude ausdrücken

K1M4

Ich bin sehr froh, dass …
Ich freue mich sehr/riesig für Euch.
Das ist eine tolle Nachricht!
Es freut mich, dass …

## höfliche Bitten ausdrücken

K3M2 / K8M3

Es wäre sehr freundlich von Ihnen, wenn ...
Könnten Sie … bitte …?
Dürfte ich … bitte …?
Würden Sie … bitte …?
Ich hätte gern …
Ich möchte gern …

## über Probleme sprechen

K5M4

Für viele ist es problematisch, wenn …
Es ist immer schwierig …
… bereitet vielen (große) Schwierigkeiten.
Ich habe große Probleme damit, dass …

## etwas beschreiben/vorstellen

K4M4 / K8M1

Es ist aus … / Es besteht aus …
Man braucht es, um …
Es ist ungefähr so groß/breit/lang wie …
Es ist rund/eckig/flach/dick.
Es ist schwer/leicht …

Das … gibt es seit … /
… wurde im Jahr … gebaut/eröffnet.
Es liegt/ist in der … Straße, Nummer …

Es ist aus Holz/Metall/Kunststoff/Leder …
Besonders praktisch ist es, um …
Es eignet sich sehr gut zum …
Ich finde es sehr nützlich, weil …
Es ist günstig/billig/preiswert.

Es ist bekannt für …
Viele Leute schätzen das … wegen …

## etwas positiv/negativ bewerten

K7M4

Die Geschichte gefällt mir sehr.
Ich finde die Geschichte sehr spannend.
Eine sehr lesenswerte Geschichte.
Die Geschichte ist gut durchdacht und überraschend.
Ich finde die Geschichte kurzweilig und sehr unterhaltsam.

Ich finde die Geschichte unmöglich.
Die Geschichte ist voller Widersprüche.
Für mich ist die Geschichte Unsinn.
Die Geschichte ist nicht mein Geschmack.

# Redemittel

## argumentieren — K1M2 / K5M2

Für mich ist es wichtig, dass …
Ich finde es …
Es ist (ganz) wichtig, dass …
Dabei wird deutlich, dass …
… haben deutlich gezeigt, dass …

… spielt eine wichtige Rolle bei …
… ist ein wichtiges Argument für …
… hat deutlich gezeigt, dass …
… macht klar, dass …
Außerdem muss man bedenken, dass …

## eine Diskussion führen — K10M2

**um das Wort bitten / das Wort ergreifen**
Entschuldigen Sie, wenn ich Sie unterbreche, …
Dürfte ich dazu bitte auch etwas sagen?
Ich möchte dazu etwas sagen/fragen/ergänzen.
Kann ich dazu bitte auch einmal etwas sagen?
Ich verstehe das schon, aber …
Ja, aber …
Glauben/Meinen Sie wirklich, dass …?

**sich nicht unterbrechen lassen**
Lassen Sie mich bitte ausreden.
Ich möchte nur noch eines sagen …
Einen Moment bitte, ich möchte nur noch …
Darf ich bitte den Satz noch abschließen?
Ich bin noch nicht fertig.
Augenblick noch bitte, ich bin gleich fertig.

## eine Grafik beschreiben — K2M3

**Einleitung**
Die Grafik zeigt …
Die Grafik informiert über …
Die Grafik gibt Informationen über …
Die Grafik stellt … dar.

**Hauptpunkte beschreiben**
Auffällig/Bemerkenswert/Interessant ist, dass …
Die meisten … / Die wenigsten …
An erster Stelle … / An unterster (letzter) Stelle
steht/stehen/sieht man …
Am wichtigsten …
… Prozent sagen/meinen, dass …
Im Vergleich zu …
Im Gegensatz zu …
Ungefähr die Hälfte …

## eine Geschichte zusammenfassen — K7M4

In der Geschichte geht es um …
Die Geschichte handelt von …

Den Inhalt der Geschichte kann man so
zusammenfassen: …

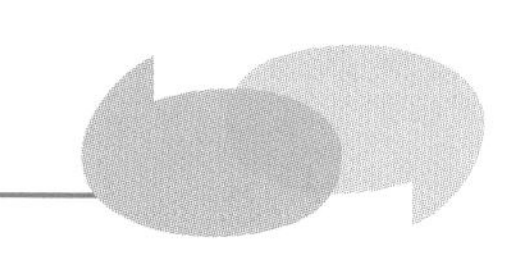

## über einen Film schreiben K4M4

Der Film heißt …
Der Film „…" ist eine moderne Komödie / ein Spielfilm / …
In dem Film geht es um … / Er handelt von …
Im Mittelpunkt des Geschehens steht …
Der Film spielt in …
Schauplatz des Films ist …

Die Hauptpersonen im Film sind …
Der Hauptdarsteller ist …
Besonders die Schauspieler sind überzeugend/ hervorragend/ …
Der Regisseur ist …
Den Regisseur kennt man bereits von den Filmen „…" und „…"

## einen Vortrag halten K10M4

**Einleitung**
Das Thema meines Vortrags/Referats lautet …
Ich spreche heute zu dem Thema …

**Übergänge**
Soweit der erste Teil. Nun möchte ich mich dem zweiten Teil zuwenden.
Nun spreche ich über …
Ich komme jetzt zum zweiten/nächsten Teil.

**Strukturierung**
Mein Vortrag besteht aus drei Teilen: …
Mein Vortrag ist in drei Teile gegliedert: …
Zuerst spreche ich über …, dann komme ich im zweiten Teil zu …, im dritten Teil befasse ich mich dann mit …

**Schluss**
Ich komme jetzt zum Schluss.
Zusammenfassend möchte ich sagen, …
Abschließend möchte ich noch erwähnen, …

## einen formellen Brief einleiten K3M2 / K7M2

Ich wende mich heute an Sie, weil …
Ich schreibe Sie heute an, weil …
Mit diesem Brief möchte ich …

In Ihrer Zeitschrift vom … veröffentlichten Sie …

## Verb

### Vergangenheit ausdrücken

Kapitel 1

| **Präteritum**<br>von Ereignissen schriftlich berichten,<br>bei Hilfs- und Modalverben | **Perfekt**<br>von Ereignissen mündlich berichten | **Plusquamperfekt**<br>von Ereignissen berichten, die vor einem anderen in der Vergangenheit passiert sind |
| --- | --- | --- |
| | **haben/sein (im Präsens)**<br>**+ Partizip II** | **haben/sein (im Präteritum)**<br>**+ Partizip II** |
| **a regelmäßig:** | **Bildung des Partizip II**<br>**a regelmäßig:** ohne Präfix: | sagen – **ge**sag**t** |
| Verbstamm + Präteritum-signal **-t** + Endung:<br>(z.B. träumen – träum**te**) | trennbares Verb:<br>untrennbares Verb:<br>Verben auf -ieren: | aufhören – auf**ge**hör**t**<br>verdienen – verdien**t**<br>faszinieren – faszinier**t** |
| **b unregelmäßig:** | **b unregelmäßig:** ohne Präfix: | nehmen – **ge**n**o**mm**en** |
| Präteritumstamm + Endung:<br>(z.B. wachsen – w**u**chs) | trennbares Verb:<br>untrennbares Verb: | aufgeben – auf**ge**geb**en**<br>verstehen – verstand**en** |

Merke: kennen – kannte – habe gekannt bringen – brachte – habe gebracht
denken – dachte – habe gedacht wissen – wusste – habe gewusst

➔ Liste der unregelmäßige Verben im Arbeitsbuch

### Zukünftiges ausdrücken

Kapitel 6

Um Dinge, die in der Zukunft liegen, auszudrücken, werden zwei Tempusformen verwendet:

Präsens (oft mit Zeitangabe) *Morgen **spreche** ich mit meiner Chefin.*
Futur I *Ich **werde** (morgen) mit meiner Chefin **sprechen**.*

Das Futur I wird auch oft verwendet, um Vermutungen auszudrücken.

○ *Wo ist Thomas?* – ● *Er wird noch bei der Arbeit sein.* (= Ich weiß es nicht sicher.)

**Bildung des Futur I:** *werden* + Infinitiv

| ich | **werde** anrufen | wir | **werden** anrufen |
| --- | --- | --- | --- |
| du | **wirst** anrufen | ihr | **werdet** anrufen |
| er/es/sie | **wird** anrufen | sie/Sie | **werden** anrufen |

### Trennbare und untrennbare Verben

Kapitel 3

| Präfixe | Beispiele |
|---|---|
| **trennbar** (Präfix betont) | **ab**/fahren, **an**/kommen, **auf**/hören, **aus**/sehen, **bei**/stehen, **dar**/stellen, **ein**/richten, **empor**/steigen, **fort**/laufen, **her**/kommen, **hin**/fallen, **los**/fahren, **mit**/nehmen, **nach**/denken, **vor**/stellen, **weg**/laufen, **weiter**/arbeiten, **wieder**/sehen, **zu**/hören |
| **untrennbar** (Präfix nicht betont) | **be**nutzen, **emp**fehlen, **ent**fernen, **er**ziehen, **ge**brauchen, **hinter**lassen, **miss**lingen, **ver**gessen, **zer**brechen |

Merke: In den folgenden Fällen wird das trennbare Verb nicht getrennt:

- im Nebensatz: Er sagte, dass er die Therapie *absetzt*.
- wenn das Verb ein Partizip Perfekt ist: Er hat die Therapie *abgesetzt*.
- wenn das Verb im Infinitiv mit oder ohne *zu* steht:
  Er hat begonnen, die Therapie *abzusetzen*. / Er möchte die Therapie *absetzen*.

### Bedeutung der Modalverben

Kapitel 5

| Modalverb | Bedeutung | Alternativen |
|---|---|---|
| dürfen | Erlaubnis | es ist erlaubt zu + Inf., es ist gestattet zu + Inf., die Erlaubnis haben zu + Inf., das Recht haben zu + Inf. |
| nicht dürfen | Verbot | es ist verboten zu + Inf., es ist nicht erlaubt zu + Inf., keine Erlaubnis haben zu + Inf. |
| können | a) Möglichkeit<br><br>b) Fähigkeit | die Möglichkeit/Gelegenheit haben zu + Inf., es ist möglich zu + Inf.<br><br>imstande sein zu + Inf., die Fähigkeit haben/besitzen zu + Inf., in der Lage sein zu + Inf. |
| mögen | Wunsch, Lust | Adverb: gern,<br>Lust haben zu + Inf. |
| müssen | Notwendigkeit | es ist notwendig zu + Inf., gezwungen sein zu + Inf., es ist erforderlich zu + Inf., es bleibt einem nichts anderes übrig, als zu + Inf., haben zu + Inf. |
| sollen | Forderung | den Auftrag / die Aufgabe haben zu + Inf., aufgefordert sein zu + Inf. |
| wollen | eigener Wille, Absicht | die Absicht haben zu + Inf., beabsichtigen zu + Inf. , vorhaben zu + Inf., planen zu + Inf. |

### Modalverben: Präsens

| | **wollen** | **können** | **müssen** | **dürfen** | **sollen** | **mögen** |
|---|---|---|---|---|---|---|
| ich | will | kann | muss | darf | soll | mag |
| du | will-st | kann-st | muss-t | darf-st | soll-st | mag-st |
| er/es/sie | will | kann | muss | darf | soll | mag |
| wir | woll-en | könn-en | müss-en | dürf-en | soll-en | mög-en |
| ihr | woll-t | könn-t | müss-t | dürf-t | soll-t | mög-t |
| sie/Sie | woll-en | könn-en | müss-en | dürf-en | soll-en | mög-en |

Auch *wissen* wird wie ein Modalverb konjugiert.
ich weiß – er/es/sie weiß – wir wissen

Merke:
ich möchte, du möchtest, er/es/sie möchte, wir möchten, ihr möchtet, sie/Sie möchten

### Modalverben: Präteritum

| | **wollen** | **können** | **müssen** | **dürfen** | **sollen** | **mögen** |
|---|---|---|---|---|---|---|
| ich | woll-t-e | konn-t-e | muss-t-e | durf-t-e | soll-t-e | moch-t-e |
| du | woll-t-est | konn-t-est | muss-t-est | durf-t-est | soll-t-est | moch-t-est |
| er/es/sie | woll-t-e | konn-t-e | muss-t-e | durf-t-e | soll-t-e | moch-t-e |
| wir | woll-t-en | konn-t-en | muss-t-en | durf-t-en | soll-t-en | moch-t-en |
| ihr | woll-t-et | konn-t-et | muss-t-et | durf-t-et | soll-t-et | moch-t-et |
| sie/Sie | woll-t-en | konn-t-en | muss-t-en | durf-t-en | soll-t-en | moch-t-en |

Merke: *möcht-* hat kein Präteritum:
*Ich* ***möchte heute*** *ins Kino gehen. – Ich* ***wollte gestern*** *ins Kino gehen.*

## Konjunktiv II

Kapitel 8

Man verwendet den Konjunktiv II, um:

| | |
|---|---|
| Bitten höflich auszudrücken | *Könnten Sie mir das bitte genau beschreiben?* |
| Irreales auszudrücken | *Hätten Sie die Ware doch früher abgeschickt.* |
| Vermutungen auszudrücken | *Es könnte sein, dass er einen Defekt hat.* |

Die meisten Verben bilden den Konjunktiv II mit den Formen von *würde* + Infinitiv.

| | |
|---|---|
| ich **würde** anrufen | wir **würden** anrufen |
| du **würdest** anrufen | ihr **würdet** anrufen |
| er/es/sie **würde** anrufen | sie/Sie **würden** anrufen |

Die Modalverben *haben*, *sein* und *brauchen* bilden den Konjunktiv II mit den Formen des Präteritums und Umlaut. Die erste und die dritte Person Singular hat im Konjunktiv II immer die Endung **-e**.

| | |
|---|---|
| ich w**ä**re, h**ä**tte, m**ü**sste, … | wir w**ä**ren, h**ä**tten, m**ü**ssten, … |
| du w**ä**r(e)st, h**ä**ttest, m**ü**sstest, … | ihr w**ä**r(e)t, h**ä**ttet, m**ü**sstet, … |
| er/es/sie w**ä**re, h**ä**tte, m**ü**sste, … | sie/Sie w**ä**ren, h**ä**tten, m**ü**ssten, … |

**Merke:** ich s**o**llte, du s**o**lltest, …; ich w**o**llte, du w**o**lltest, …

Viele unregelmäßige Verben können den Konjunktiv II wie die Modalverben bilden, meistens verwendet man jedoch die Umschreibung mit *würde* + Infinitiv.

*Ich käme gerne zu euch. / Ich würde gerne zu euch kommen.*

## Passiv

Kapitel 10

### Verwendung

Man verwendet das **Passiv**, wenn ein Vorgang oder eine Aktion im Vordergrund steht (und nicht eine handelnde Person).
Das **Aktiv** verwendet man, wenn wichtig ist, wer oder was etwas macht.

**Bildung des Passivs** *werden* + Partizip II

| | | |
|---|---|---|
| Präsens | *Das Haus wird jetzt gebaut.* | *werden* im Präsens |
| Präteritum | *Das Haus wurde letztes Jahr gebaut.* | *werden* im Präteritum |

Die meisten Verben mit Akkusativ können das Passiv bilden. Der Akkusativ im Aktiv-Satz wird im Passiv-Satz zum Nominativ.

| **Aktiv-Satz** | | **Passiv-Satz** | |
|---|---|---|---|
| *Der Architekt plant Wohnungen.* | | *Wohnungen werden (vom Architekten) geplant.* | |
| Nominativ | Akkusativ | Nominativ | (von + Dativ) |

Andere Ergänzungen bleiben im Aktiv und im Passiv im gleichen Kasus.

| *Er schenkt meinem Sohn eine Wohnung.* | | | *Meinem Sohn wird eine Wohnung geschenkt.* | |
|---|---|---|---|---|
| Nominativ | Dativ | Akkusativ | Dativ | Nominativ |

**Passiv mit Modalverben**

Modalverb + Partizip II + *werden* im Infinitiv
*Die Wohnungen **müssen geplant werden**.*

## Passiversatzformen — Kapitel 10

***man***
*Hier baut **man** Häuser.* (= *Hier werden Häuser gebaut.*)

**Passiversatzformen mit modaler Bedeutung**

**Adjektive auf *-bar***
*Das Projekt ist nicht **finanzierbar**. (= Das Projekt **kann** nicht finanziert werden.)*

***sich lassen* + Infinitiv**
*Das Projekt **lässt sich** nicht **finanzieren**. (= Das Projekt **kann** nicht finanziert werden.)*

**Zeitformen:**

| | |
|---|---|
| jetzt (Präsens) | *Das Projekt **lässt** sich nicht finanzieren.* |
| früher (Präteritum) | *Das Projekt **ließ** sich nicht finanzieren.* |
| früher (Perfekt) | *Das Projekt **hat** sich nicht finanzieren **lassen**.* |
| in Zukunft (Futur) | *Das Projekt **wird** sich nicht finanzieren **lassen**.* |

## Infinitiv mit und ohne *zu*

Kapitel 5

| Infinitiv **ohne *zu*** nach: | Infinitiv **mit *zu*** nach: |
| --- | --- |
| 1. Modalverben: *Er muss arbeiten.*<br>2. werden (Futur I): *Ich werde das Buch lesen.*<br>3. bleiben: *Wir bleiben im Bus sitzen.*<br>4. lassen: *Er lässt seine Tasche liegen.*<br>5. hören: *Sie hört ihn rufen.*<br>6. sehen: *Ich sehe das Auto losfahren.*<br>7. gehen: *Wir gehen baden.*<br>8. lernen*: *Hans lernt schwimmen.*<br>9. helfen*: *Ich helfe das Auto reparieren.*<br><br>*) Nach *lernen und helfen* kann auch ein Infinitiv mit *zu* stehen.<br>*Er lernt, Auto zu fahren.*<br>*Er hilft, das Auto zu reparieren.* | 1. einem Substantiv + Verb:<br>den Wunsch haben, die Möglichkeit haben, die Absicht haben, die Hoffnung haben, Lust haben, Zeit haben, Spaß machen<br>*Er hat den Wunsch, Medizin zu studieren.*<br><br>2. einem Verb:<br>anfangen, aufhören, beginnen, beabsichtigen, scheinen, bitten, empfehlen, erlauben, gestatten, raten, verbieten, vorhaben, sich freuen …<br>*Wir haben vor, die Prüfung zu machen.*<br><br>3. nach *sein* + Adjektiv:<br>es ist wichtig/notwendig/schlecht/gut/richtig/falsch …<br>*Es ist wichtig, regelmäßig Sport zu treiben.* |

## Verben und Ergänzungen

Kapitel 4

Das Verb bestimmt, wie viele Ergänzungen in einem Satz stehen müssen und in welchem Kasus.

| | |
| --- | --- |
| Verb + Ergänzung im Nominativ | *Er ist* ***Erster.*** |
| Verb + Ergänzung im Akkusativ | *Ich suche* ***den Würfel.*** |
| Verb + Ergänzung im Dativ | *Kannst du* ***mir*** *helfen?* |
| Verb + Ergänzung im Dativ und Akk. | *Sie erklärt* ***ihm den Spielablauf.*** |
| Verb + Ergänzung mit Präposition + Akk. | *Sie denkt* ***an ihre Freundin.*** |
| + Dativ | *Er spielt* ***mit seinem Neffen.*** |

## Verben mit Präposition

Kapitel 6

Viele Verben stehen mit einer oder mehreren Präpositionen. Bei Verben mit Präposition bestimmt die Präposition den Kasus der zugehörigen Satzteile.

| | |
| --- | --- |
| diskutieren **über** + Akk. | *Wir diskutieren* ***über*** *die neuen Arbeitszeiten.* |
| diskutieren **mit** + Dat. | *Wir diskutieren* ***mit*** *unserem Chef.* |
| diskutieren **mit** + Dat. **über** + Akk. | *Wir diskutieren* ***mit*** *unserem Chef* ***über*** *die neuen Arbeitszeiten.* |

➔ Liste der Verben mit Präpositionen im Arbeitsbuch

## Substantiv

### Pluralbildung

Kapitel 3

| Typ | Plural-endung | Welche Substantive? | Beispiele |
|---|---|---|---|
| I | **-(")Ø** | – maskuline Substantive auf -en/-er/-el<br>– neutrale Substantive auf -chen/-lein | der Norweger > die Norweger<br>das Märchen > die Märchen |
| II | **-(e)n** | fast alle femininen Substantive (96%)<br>– maskuline Substantive auf -or<br>– alle Substantive der n-Deklination | die Variante > die Variante**n**<br>der Doktor > die Dokto**ren**<br>der Student > die Student**en** |
| III | **-(")e** | – viele maskuline und neutrale Substantive (ca. 70%)<br>– einige einsilbige feminine Substantive | das Teil > die Teil**e**<br>der Hut > die Hüt**e**<br>die Stadt > die Städt**e** |
| IV | **-(")er** | – einsilbige neutrale Substantive<br>– einige maskuline Substantive<br>– Substantive auf -tum | das Kind > die Kind**er**<br>der Mann > die Männ**er**<br>der Irrtum > die Irrtüm**er** |
| V | **-s** | – Fremdwörter aus dem Englischen und Französischen<br>– Abkürzungen<br>– Substantive mit -a/-i/-o/-u im Auslaut | der Fan > die Fan**s**<br><br>der PKW > die PKW**s**<br>das Auto > die Auto**s** |

Der **Dativ Plural** bekommt die Kasusendung -n.
Ausnahme: Substantive, die im Plural auf -s enden.

| | | |
|---|---|---|
| Nominativ Plural | *Wo sind die Kinder?* | *Wo sind die Auto**s**?* |
| Dativ Plural | *Kommst du mit den Kinder**n**?* | *Kommt ihr mit den Auto**s**?* |

## Pronomen

### Reflexivpronomen

Kapitel 7

| Personalpronomen | Reflexivpronomen im Akkusativ | Reflexivpronomen im Dativ |
|---|---|---|
| ich | mich | mir |
| du | dich | dir |
| er, es, sie | sich | |
| wir | uns | |
| ihr | euch | |
| sie, Sie | sich | |

Manche Verben sind immer reflexiv: *sich erinnern, sich entschließen, sich verlieben, …*

Einige Verben können reflexiv gebraucht werden bzw. mit einer Akkusativergänzung:
*Wir verstehen **uns** gut. / Ich verstehe **ihn** nicht.*

Reflexivpronomen stehen normalerweise im Akkusativ. Gibt es eine Akkusativergänzung, steht das Reflexivpronomen im Dativ:
*Ich ziehe **mich** an. / Ich ziehe **mir die Schuhe** an.*

Verben, deren Reflexivpronomen immer im Dativ stehen, brauchen immer auch eine Akkusativergänzung:
*Ich wünsche **mir** ein bisschen mehr **Freizeit**. / Merk **dir die Regel**.*

## Relativpronomen

Kapitel 7

| | Singular | | | Plural |
|---|---|---|---|---|
| Nominativ | der | das | die | die |
| Akkusativ | den | das | die | die |
| **Dativ** | dem | dem | der | **denen** |
| Genitiv | **dessen** | **dessen** | **deren** | **deren** |

Genus und Numerus des Relativpronomens richten sich nach dem Bezugswort, der Kasus nach dem Verb im Relativsatz oder der Präposition.

*Sie war die erste Frau, die ich getroffen habe.*
+ Akk.

*Sie war die erste Kollegin,* ***mit*** *der ich gearbeitet habe.*
**mit** + Dat.

### Relativpronomen *wo, wohin, woher*

Gibt ein Relativsatz einen Ort, eine Richtung oder einen Ausgangspunkt an, kann man alternativ zum Relativpronomen auch *wo, wohin, woher* verwenden.

*Ich habe Anne in der englischen Kleinstadt kennengelernt,*
*… wo wir gearbeitet haben.* *… wohin ich gezogen bin.* *… woher mein Kollege kommt.*

Bei Städte- und Ländernamen benutzt man immer *wo, wohin, woher.*
*Paulo kommt aus Saõ Paulo, wo auch seine Familie lebt.*

### Relativpronomen *was*

Bezieht sich das Relativpronomen auf einen ganzen Satz oder stehen die Pronomen *etwas, alles* und *nichts* im Hauptsatz, dann verwendet man das Relativpronomen *was.*

*Meine Kinder sehen ihre Großeltern höchstens einmal im Jahr, was ich wirklich schade finde.*

*Mit Maja kann ich alles nachholen, was ich verpasst habe.*

*Es gibt eigentlich nichts, was mich an ihm stört.*

## Adjektiv

### Deklination der Adjektive Kapitel 1

**Typ 1: bestimmter Artikel + Adjektiv + Substantiv**

| | **maskulin** | **neutrum** | **feminin** | **Plural** |
|---|---|---|---|---|
| Nominativ | der mutig**e** Mann<br>der | das mutig**e** Kind<br>das | die mutig**e** Frau<br>die | die mutig**en** Helfer<br>die |
| Akkusativ | den mutig**en** Mann<br>den | | | |
| Dativ | (mit) dem mutig**en** Mann<br>dem | (mit) dem mutig**en** Kind<br>dem | (mit) der mutig**en** Frau<br>der | (mit) den mutig**en** Helfern<br>den |
| Genitiv | (die Geschichte) des mutig**en** Mannes<br>des | (die Geschichte) des mutig**en** Kindes<br>des | (die Geschichte) der mutig**en** Frau<br>der | (die Geschichte) der mutig**en** Helfer<br>der |

auch nach:
- Demonstrativartikel: *dieser, dieses, diese; jener, jenes, jene; derselbe, dasselbe, dieselbe*
- Fragewort: *welcher, welches, welche*
- Indefinitartikel: *jeder, jedes, jede; alle* (Plural!)

**Typ 2: unbestimmter Artikel + Adjektiv + Substantiv**

| | **maskulin** | **neutrum** | **feminin** | **Plural** |
|---|---|---|---|---|
| Nominativ | ein mutig**er** Mann<br>der | ein mutig**es** Kind<br>das | eine mutig**e** Frau<br>die | mutig**e** Helfer<br>die |
| Akkusativ | einen mutig**en** Mann<br>den | | | |
| Dativ | (mit) einem mutig**en** Mann<br>dem | (mit) einem mutig**en** Kind<br>dem | (mit) einer mutig**en** Frau<br>der | (mit) mutig**en** Helfern<br>den |
| Genitiv | (die Geschichte) eines mutig**en** Mannes<br>des | (die Geschichte) eines mutig**en** Kindes<br>des | (die Geschichte) einer mutig**en** Frau<br>der | (die Geschichte) mutig**er** Helfer<br>der |

im Singular ebenso nach:
- Negationsartikel: *kein, keine, kein*
- Possessivartikel: *mein, meine, mein …*

Im Plural nach Negationsartikel und Possessivartikel immer **-en**.

### Typ 3: Nullartikel + Adjektiv + Substantiv

| | **maskulin** | **neutrum** | **feminin** | **Plural** |
|---|---|---|---|---|
| Nominativ | mutig**er** Mann<br>der | mutig**es** Kind<br>das | mutig**e** Frau<br>die | mutig**e** Helfer<br>die |
| Akkusativ | mutig**en** Mann<br>den | | | |
| Dativ | (mit) mutig**em** Mann<br>dem | (mit) mutig**em** Kind<br>dem | (mit) mutig**er** Frau<br>der | (mit) mutig**en** Helfern<br>den |
| Genitiv | (trotz) mutig**en** Mannes<br>des | (trotz) mutig**en** Kindes<br>des | (trotz) mutig**er** Frau<br>der | (trotz) mutig**er** Helfer<br>der |

auch nach:
- Zahlen
- Indefinitartikel im Plural: *einige, viele, wenige, etliche, andere, manche*
- Indefinitartikel im Singular: *viel, mehr, wenig*
- Relativpronomen im Genitiv: *dessen, deren*

### Graduierung der Adjektive

Kapitel 2

regelmäßig ohne Umlaut

| Grundform | Komparativ | Superlativ |
|---|---|---|
| klein<br>hell<br>billig | klein**er**<br>hell**er**<br>billig**er** | **am** klein**sten**<br>**am** hell**sten**<br>**am** billig**sten** |

regelmäßig mit Umlaut

| Grundform | Komparativ | Superlativ |
|---|---|---|
| warm<br>lang | wärm**er**<br>läng**er** | **am** wärm**sten**<br>**am** läng**sten** |
| jung<br>klug | jüng**er**<br>klüg**er** | **am** jüng**sten**<br>**am** klüg**sten** |
| groß | größ**er** | **am** grö**ßten** |

Adjektive auf -d, -t, -s, -ß, -sch, -st, -z

| Grundform | Komparativ | Superlativ |
|---|---|---|
| breit<br>wild<br>heiß<br>hübsch<br>kurz | breit**er**<br>wild**er**<br>heiß**er**<br>hübsch**er**<br>kürz**er** | **am** breit**esten**<br>**am** wild**esten**<br>**am** heiß**esten**<br>**am** hübsch**esten**<br>**am** kürz**esten** |

unregelmäßig

| Grundform | Komparativ | Superlativ |
|---|---|---|
| gut<br>viel<br>hoch<br>nah | besser<br>mehr<br>höher<br>näher | am besten<br>am meisten<br>am höchsten<br>am nächsten |

Merke: Auch das Adverb *gern* kann man steigern: gern – lieber – am liebsten

### Vergleich

| | |
|---|---|
| *genauso/so* + Grundform + *wie* | *Dein Balkon ist genauso **groß wie** meiner.*<br>*Meine Wohnung ist nicht so **groß wie** deine.* |
| Komparativ + *als* | *Deine Wohnung ist viel **heller als** meine.* |
| *anders* + *als* | *Die neue Wohung ist ganz **anders** geschnitten **als** die alte.* |

## Pronominaladverb (*daran, dafür, ...*) und Fragewort (*woran, wofür, ...*)

### *daran, darauf, darüber, ...* — Kapitel 6

| | |
|---|---|
| *Ich freue mich **über die neue Stelle**.* | *Ich freue mich **darüber**.* |
| *Er nimmt **an einer Schulung** teil.* | *Er nimmt **daran** teil.* |

da... mit -*r*-, wenn die Präposition mit einem Vokal beginnt: auf → da**r**auf

**eine Sache / ein Ereignis:** mit Pronominaladverb
○ *Erinnerst du dich **an das Gespräch**?* ● *Natürlich erinnere ich mich **daran**.*

**eine Person / eine Institution:** mit Präposition + Pronomen
○ *Erinnerst du dich **an Sabine**?* ● *Natürlich erinnere ich mich **an sie**.*

**Pronominaladverb + Nebensatz / Infinitiv mit *zu***
*Ich freue mich darüber, **dass** du die neue Stelle bekommen hast.*
*Er freut sich darauf, in Urlaub **zu fahren**.*

### *woran, wofür, worüber, ...* — Kapitel 6

Bestimmte Informationen können durch ein Fragewort ermittelt werden. → *wo(r)-* + Präposition:

○ ***Woran** denkst du jetzt?* ● ***An** unsere Zukunft!*
○ ***Wovon** redet er?* ● ***Von** unserem neuen Projekt.*

wo... mit -*r*-, wenn die Präposition mit einem Vokal beginnt: auf → wo**r**auf

**eine Sache / ein Ereignis:** mit Fragewort (*woran, wofür, worüber, ...*)
○ *Erinnerst du dich **an das Gespräch**?* ● ***Woran** soll ich mich erinnern?*

**eine Person / eine Institution:** mit Präposition + W-Wort
○ *Erinnerst du dich **an Sabine**?* ● ***An wen** soll ich mich erinnern?*

## Präpositionen

### Wechselpräpositionen — Kapitel 8

in, an, auf, neben, zwischen, über, unter, vor, hinter

| Frage *Wo?*: Wechselpräposition mit Dativ | Frage *Wohin?*: Wechselpräposition mit Akkusativ |
|---|---|
| ○ ***Wo** sitzen die Gäste?* | ○ ***Wohin** setzen sie sich?* |
| ● ***Am** Tisch.* | ● *An **den** Tisch.* |

### Lokale Präpositionen — Kapitel 8

**mit Dativ** von, aus, zu, ab, nach, bei
**mit Akkusativ** bis, durch, gegen, um
**mit Dat. oder Akk. (Wechselpräpositionen)** in, an, auf, neben, zwischen, über, unter, vor, hinter

### Temporale Präpositionen — Kapitel 9

**mit Dativ** ab, an, aus, bei, in, nach, seit, vor, von … bis, von … an, zu, zwischen
**mit Akkusativ** bis, für, gegen, um, über
**mit Genitiv** außerhalb, innerhalb, während

## Satzverbindungen

### Hauptsatz + Hauptsatz — Kapitel 2

| Hauptsatz 1 | Konnektor | Hauptsatz 2 |
|---|---|---|
| *Die Firma hat großen Erfolg* | *und* | *neue Mitarbeiter werden gesucht.* |
| *Die Firma hat großen Erfolg* | *aber* | *die Konkurrenz ist groß.* |
| *Er möchte ein besseres Gehalt* | *oder* | *er sucht sich eine neue Arbeit.* |
| *Sie sucht eine neue Arbeit,* | *denn* | *sie verdient zu wenig.* |

### Hauptsatz + Hauptsatz (Verb direkt hinter dem Konnektor) — Kapitel 2

| Hauptsatz 1 | Hauptsatz 2 | |
|---|---|---|
| *Die Miete ist billig,* | *deswegen/ deshalb/darum* | *bleiben sie in der Wohnung.* |
| *Die Wohnung ist nicht schön* | *trotzdem* | *bleiben sie in der Wohnung.* |

### Hauptsatz + Nebensatz — Kapitel 2

| Hauptsatz | Nebensatz | | |
|---|---|---|---|
| Die Eltern bleiben in der Wohnung, | obwohl | sie zu groß | ist. |

## Nebensätze

### Kausaler, konzessiver, konsekutiver Nebensatz — Kapitel 2

| | | |
|---|---|---|
| **Kausalsätze (Grund)** | da, weil | *Sie bleiben in der Wohnung,* ***da/weil*** *sie günstig ist.* |
| **Konzessivsätze (Gegengrund)** | obwohl | *Sie bleiben in der Wohnung,* ***obwohl*** *sie klein ist.* |
| **Konsekutivsätze (Folge)** | …, sodass … | *Sie haben eine neue Wohnung gefunden,* ***sodass*** *sie bald umziehen können.* |
| | so …, dass … | *Die Wohnung ist* ***so*** *klein,* ***dass*** *sie umziehen müssen.* |

### Finalsatz mit *um … zu* oder *damit* — Kapitel 4

Finalsätze drücken ein Ziel oder eine Absicht aus. Sie geben Antworten auf die Frage *Wozu?* oder in der gesprochenen Sprache auch oft auf die Frage *Warum?*.

| | |
|---|---|
| ● *Wozu brauchst du die Würfel?* | ■ *Ich brauche sie, um zu spielen.* |
| ● *Warum gehst du arbeiten?* | ■ *Ich gehe arbeiten, um Geld zu verdienen.* |

Gleiches Subjekt in Haupt- und Nebensatz → Nebensatz mit *um … zu* oder *damit*

| | |
|---|---|
| ***Ich*** *gehe arbeiten, um Geld zu verdienen.* | Im Nebensatz mit *um … zu* wird das Subjekt nicht wiederholt, das Verb steht im Infinitiv. |
| ***Ich*** *gehe arbeiten, damit* ***ich*** *Geld verdiene.* | Im Nebensatz mit *damit* muss das Subjekt genannt werden. |

Unterschiedliche Subjekte in Haupt- und Nebensatz → Nebensatz immer mit *damit*

***Ich*** *gebe dir die Würfel, damit* ***du*** *mit dem Spielen anfangen kannst.*

### Indirekter Fragesatz — Kapitel 4

Der indirekte Fragesatz klingt oft höflicher und offizieller. Er wird häufig in schriftlichen Texten verwendet (z.B. in Anfragen).

| Direkter Fragesatz | Indirekter Fragesatz |
|---|---|
| W-Frage:<br>***Warum*** *spielst du Schach?* | Indirekter Fragesatz eingeleitet mit W-Wort:<br>*Meine Schwester fragt,* ***warum*** *du Schach spielst.* |
| Ja-/Nein-Frage:<br>*Spielst du Schach?* | Indirekter Fragesatz eingeleitet mit *ob*:<br>*Mein Bruder fragt,* ***ob*** *du Schach spielst.* |

Zeichensetzung am Ende des indirekten Fragesatzes

| Einleitender Satz | Zeichensetzung |
|---|---|
| Aussage (Verb in Position 2)<br>*Er möchte wissen, ob du Schach spielst.* | Am Ende steht ein Punkt. |
| Aufforderung (Verb in Position 1)<br>*Sag ihm bitte, ob du Schach spielst!* | Am Ende steht ein Punkt oder ein Ausrufezeichen. |
| Frage (Verb in Position 1)<br>*Kannst du ihm sagen, ob du Schach spielst?* | Am Ende steht ein Fragezeichen. |

## Temporalsatz

Kapitel 9

| Frage | Bedeutung | Konnektor | Beispiel |
|---|---|---|---|
| Wann? | Gleichzeitigkeit<br>A gleichzeitig mit B | wenn, als, während | ***Als*** *Thomas Cook 1845 die ersten Reisen organisierte (A), legte er den Grundstein für Pauschalreisen (B).*<br>***Wenn*** *man eine Pauschalreise bucht (A), erhält man noch heute den Hotelvoucher (B).*<br>***Während*** *Thomas Cook 1872 sein erstes Büro in Kairo eröffnete (A), begann in Liverpool die erste organisierte Weltreise (B).* |
| | Vorzeitigkeit<br>A vor B<br>mit Zeiten-wechsel | nachdem | *Das Unternehmen verkauft die ersten Flugtickets (B),* ***nachdem*** *es weltweit Marktführer geworden ist (A).*<br>***Nachdem*** *das Unternehmen weltweit Marktführer geworden war (A), verkaufte es ab 1919 auch die ersten Flugtickets (B).* |
| | Nachzeitigkeit<br>A nach B | bevor | ***Bevor*** *Thomas Cook im Jahre 1871 das Unternehmen „Thomas Cook & Son" gründete (A), führte er den Hotelvoucher ein (B).* |
| Seit wann? | Zeitraum vom Anfang der Handlung | seit, seitdem | ***Seitdem*** *Thomas Cook 1869 die erste Reise auf dem Nil anbot, stieg die Nachfrage nach organisierten Schiffsreisen.* |
| Wie lange?<br>Bis wann? | Zeitraum bis zum Ende der Handlung | bis | *Thomas Cook führte das Unternehmen erfolgreich,* ***bis*** *er es 1879 seinem Sohn übergab.* |

# Auswertung zum Test „Wohn-Typ" Kapitel 2, S. 25

**Welchen Buchstaben haben Sie am häufigsten angekreuzt? Lesen Sie Ihre Typbeschreibung.**

**Typ A**
Auf dem Land fühlen Sie sich am wohlsten. Sie lieben die Natur und Ruhe und möchten am liebsten in einem großen Haus mit Garten wohnen. Ein enges Verhältnis zu Ihren Nachbarn ist Ihnen wichtig, denn so kann man sich gegenseitig helfen oder auch zusammen Feste feiern. Dass Sie Einkäufe mit dem Auto erledigen müssen und auch einen weiten Weg zur Arbeit haben, nehmen Sie gerne in Kauf. Dafür haben Sie keinen Lärm um sich herum und immer frische Luft. Das Leben in der Großstadt wäre Ihnen viel zu stressig.

**Typ B**
Die Kleinstadt ist der ideale Wohnort für Sie. Dort können Sie ruhig und günstig wohnen und haben trotzdem Kinos und Geschäfte in der Nähe. Sie können eigentlich immer zu Fuß gehen oder mit dem Fahrrad fahren, alles ist in erreichbarer Nähe. Sollten Sie doch einmal das Auto brauchen, finden Sie fast immer schnell einen Parkplatz. Sie mögen es, durch die Stadt zu gehen und hier und da Leute zu treffen, die Sie kennen. Die Anonymität der Großstadt ist nichts für Sie, aber auf dem Land ist es Ihnen auch zu langweilig. Außerdem können Sie beides ja auch am Wochenende haben, wenn Sie möchten.

**Typ C**
Sie sind der geborene Großstadtmensch. Sie lieben die Hektik und Lebendigkeit der Stadt und fühlen sich erst so richtig wohl, wenn Sie mittendrin sind. In Ihrer Freizeit nutzen Sie das kulturelle Angebot und ziehen durch die neuesten Kneipen und Restaurants. Die Anonymität der Stadt macht Ihnen nichts aus. Im Gegenteil – Sie genießen die Freiheit, tun zu können, was Sie möchten. Auf dem Land oder in einer Kleinstadt würden Sie sich langweilen, auch wenn das Leben dort viel billiger ist.

**Mischtyp**
Ist Ihr Ergebnis nicht eindeutig? Lesen Sie alle drei Typbeschreibungen.

## Auswertung zum Test Reisetypen, Kapitel 9, S. 136/137

Zählen Sie die Punkte zusammen, die hinter den Aussagen stehen, die Sie angekreuzt haben. Zu welcher Gruppe gehören Sie? Sind Sie mit Ihren Punkten an der Grenze zwischen zwei Gruppen, können Sie auch ein Mischtyp aus beiden Gruppen sein.

**Bis 12 Punkte**
Keine Experimente, bitte. Sie möchten in aller Ruhe Ihren Urlaub genießen. Dazu lassen Sie sich gerne vorher im Reisebüro beraten. Und das Reisebüro organisiert dann alles für Sie. Ein Pauschalurlaub kommt Ihnen da gerade recht. Und wenn Sie zufrieden sind, fahren Sie gerne immer wieder an den gleichen Ort. Sie brauchen keine Abenteuer und Sie müssen auch nicht immer Neues ausprobieren. Mit einem entspannten Urlaub in der Heimat sind Sie auch oft sehr glücklich. Es ist einfach schön, wenn Sie sich sicher und geborgen fühlen. Und nach zwei Wochen kommen Sie auch gerne wieder nach Hause zurück.

**13 – 17 Punkte**
Sie möchten Spaß im Urlaub. Ruhige Orte sind nicht ihr Ziel. Es darf gerne bunt und temperamentvoll zugehen und darum lieben Sie die „HotSpots" unter südlicher Sonne. Tagsüber tanken Sie Energie am Strand, die Sie nachts für fröhliche Abende mit lustigen Leuten brauchen. Sie möchten schön braun werden und etwas erleben. Mit so viel unbeschwertem Spaß könnte Ihr Urlaub ewig dauern. Ein dickes Kulturprogramm ist Ihnen dabei nicht so wichtig. Eine kurze Rundfahrt mit dem Bus und ein paar Fotos von den wichtigsten Sehenswürdigkeiten sind absolut ausreichend. Aber alles zusammen soll nicht zu teuer werden und die Organisation darf auch gerne ein Reiseveranstalter übernehmen. Darum reisen Sie auch gerne „Last Minute".

**18 – 25 Punkte**
Kulturgüter, Kunst und gepflegte Atmosphäre liegen Ihnen sehr am Herzen. Und das besonders, wenn Sie im Urlaub sind. Schon vor der Reise informieren Sie sich über antike Stätten, historische Bauwerke, Museen und Theater. Gerne stellen Sie sich einen Plan zusammen, was Sie alles sehen möchten. Ihr Aufenthaltsort sollte gepflegt, gern auch etwas mondän sein und fürs Shopping etwas bieten. Die Vorbereitung übernehmen Sie oft selbst, buchen aber gerne kompetente Führungen durch Städte und Museen. Abends mögen Sie Theaterbesuche oder ein gutes Essen in einem ausgewählten Restaurant. Gerne besuchen Sie Städte wie Florenz oder Paris für einige Tage. Und weil Sie nie lange weg sind, können Sie sich mehrmals im Jahr Kurzurlaube gönnen.

**26 – 32 Punkte**
In Ihnen schlägt das Herz eines Abenteurers. Bitte keine Pauschalreise, hier ist ein Individualist unterwegs, den das Exotische, das Neue und Fremde reizt. Das Leben und der Aufenthalt in der Natur sind bei Ihnen besonders beliebt und Sie kommen gerne mit Einheimischen zusammen. Am liebsten ziehen Sie für mehrere Wochen spontan los, nur mit dem Flugticket, Ihrem Pass und leichtem Gepäck. Sie lassen sich gerne überraschen, probieren Neues aus und folgen unbekannten Wegen, die Sie mit dem Fahrrad, dem Jeep oder einem Kanu bewältigen. Wenn Sie zurückkehren, haben Sie immer viel zu erzählen.

## Vorlage für eigene Porträts

*Bilder*

| **Name** | |
|---|---|
| **Vorname(n)** | |
| **Nationalität** | |
| **geboren am** | |
| **Beruf(e)** | |
| **bekannt für** | |
| **wichtige Lebensstationen** | |
| **gestorben am** | |
| **Informationsquellen (Internet, ...)** | |

S. 8–9: Dieter Mayr (A, F); M.i.S./Bernd Feil (C); shutterstock.com (B, D); Visum Foto GmbH (E)
S. 10: shutterstock.com (l., M.); f1 online (r.)
S. 12: Norbert Schaefer (l.); Blickwinkel/M. Baumann (r.); shutterstock.com (u.)
S. 14: Deutsches Museum Bildstelle (l.); akg-images (M.l.); Süddeutscher Verlag GmbH (M.r); Associated Press GmbH (l.); EMPICS Sports Photo Agency (u.)
S. 15: Superbild Bildarchiv Erich Bach
S. 16: shutterstock.com (o.l., o.r, u.l.); Helen Schmitz (o.M.); Vanessa Daly (M.); Ute Koithan (M.r.); Hong Kong Tourist Association (u.r.)
S. 17: Statistik aus: Apotheken Umschau, Wort & Bild Verlag (12/2005)
S. 18: Dieter Mayr
S. 20: Fragebogen: Anne-Sophie Mutter (gekürzt); Foto: Harald Hoffmann/DG;
S. 21–22: ZDF 37° Sendung, „Die Chefin"*, Text S. 22: Bayerischer Rundfunk www.br-online.de, gekürzt
S. 24: illuscope online images (o.); Corel Stock Photo Library (M.); Visum Foto GmbH (u.)
S. 25: IFA Bilderteam GmbH (o.); Caro Fotoagentur (u.); Quartierhof Weinegg (M.r.)
S. 26: PearTreeHouse
S. 28: Joerg Lantelmé (l.); Caro Fotoagentur (r.)
S. 30: Dieter Mayr
S. 32: Text aus: www.planet-wissen.de. Originaltitel: Hotel Mama (17.09.2004), © Silke Rehren/WDR (adaptiert)
S. 33: Bettina Lindenberg
S. 35: illuscope online images (o.); Dieter Mayr (M.); Sibylle Freitag (u.)
S. 36: Georg Waschinski: König Ludwig II. Aus: Münchner Merkur Nr. 172, 28.07.05; Foto Neuschwanstein: shutterstock.com
S. 38–39: ZDF 37°-Sendung „Hotel Mama"*, Filmmusik „Montserrat" v. Orquesta Del Plata mit freundlicher Genehmigung Universal Music International Division – a division of Universal Music GmbH
S. 42: Dieter Mayr
S. 44: Dieter Mayr
S. 45: Flyer, Logo: SLOW FOOD Deutschland
S. 46: Wissenswertes rund um die Schokolade. Aus: Öko-Test 11/2005, ÖKO-TEST (adaptiert, gekürzt); Fotos: Corel Stock Photo Library (o., u.); shutterstock.com (M.)
S. 47: Süddeutscher Verlag GmbH
S. 50: shutterstock.com (o.l., u.l); image 100/Corbis (o.r.); Bildagentur Mauritius GmbH (u.r)
S. 52: Fotos und Text: Lindt & Sprüngli (International) AG (Text adaptiert, gekürzt)
S. 54: Grafik Rückenschmerzen: Globus (o.); ZDF Volle Kanne „Alexander-Technik"*
S. 55: ZDF Volle Kanne, „Alexander-Technik"*; Ullstein Bild (u.l.); iStock International Inc. (u.M.); shutterstock.com (u.r.)
S. 56: Dieter Mayr (o.); Bob Krist/CORBIS (M.); shutterstock.com (u.)
S. 57: shutterstock.com (o.); Nik Wheeler/CORBIS (M.l.); actionpress gmbh & co. kg(M.r.); shutterstock.com (u.)
S. 58: Sibylle Freitag
S. 60: Statistik: Freizeitaktivitäten der ÖsterreicherInnen. Institut für Freizeit und Tourismusforschung, 2005 (gekürzt)
S. 62: Helen Schmitz
S. 65: Screenshot: www.kino.de
S. 66: Pressestimmen zu „Der Parasit". Aus: Der Bund (adaptiert, gekürzt); Besprechung zu „Heimatflimmern". Aus: Neue Zürcher Zeitung (adaptiert, gekürzt)
S. 68: picture-alliance/dpa
S. 70–71: *2. Spieltag* aus *Deutschlernen mit Kick*, Langenscheidt KG
S. 72–73: Dieter Mayr
S. 74: shutterstock.com (l., M.); Langenscheidt Bildarchiv (r.)
S. 76: G. Baden/zefa/Corbis (o.); shutterstock.com (u.)
S. 84: akg-images gmbh
S. 86–87: ZDF sonntags-TV fürs Leben „Menschen +Projekte: Eule"*
S. 88: Ullstein Bild (o.l.); Langenscheidt Bildarchiv (o.r.); Süddeutscher Verlag GmbH (M.); JOKER (u.)
S. 89: Das Fotoarchiv (o.); Ullstein Bild (M.l. u. r.); Keystone (u.)
S. 90: Grafik: Wünsche an den zukünftigen Beruf. Globus; Fotos: Caro Fotoagentur (1); shutterstock.com (2, 3); Langenscheidt Bildarchiv (4)
S. 92: Süddeutscher Verlag GmbH (o.); Dieter Mayr (u.)
S. 93: shutterstock.com
S. 94: shutterstock.com (l., M.); Dieter Mayr (r.)
S. 96: Rudolf Helbling (l., M.l.); Dieter Mayr (M.r., r.)
S. 97: Rudolf Helbling, 45, Dozent und Alphirt. Aus: Context. 1–2/06; 20. Januar 2006, Fabrice Müller, Journalistenbüro Lexpress (gekürzt)
S. 98: Valerija S. Vlasov
S. 100: Associated Press GmbH
S. 102–103: ZDF heute journal, Beitrag „Servicewüste Deutschland"*
S. 104–105: Dieter Mayr
S. 106: Grafik: Lebensformen. Globus
S. 107: Dieter Mayr (l.); shutterstock.com (r.)

# Quellenverzeichnis

S. 108: Boom im Netz der einsamen Herzen. Aus: mobil 11/2005, Nicola Malbeck (gekürzt, leicht adaptiert); Foto: iStock International Inc.
S. 110: Rick Gomez/Corbis (l.); shutterstock.com (M.); Bildagentur Mauritius GmbH (r.)
S. 112–114: Text aus: Max Frisch, Mein Name sei Gantenbein. Roman © Suhrkamp Verlag Frankfurt am Main 1964 (gekürzt)
S. 116: Süddeutscher Verlag GmbH
S. 118–119: ZDF Volle Kanne: „Beim Geld hört die Liebe auf – Streit ums Haushaltsgeld"*
S. 121: Christina Stürmer: Supermarkt. Aus: Soll das wirklich alles sein. © 2004 Universal Music GmbH, Austria (gekürzt)
S. 122: Holger Albrich (1, 3, 4); Poweriser (3)
S. 124: Sabine Reiter (o.); Bettina Lindenberg (u.l., u.r.); shutterstock.com (u.M.)
S. 126: shutterstock.com
S. 128: Wie uns Werbung anmacht. Aus: www.br-online.de, Heike Westram (gekürzt; leicht adaptiert)
S. 129: shutterstock.com
S. 130: WMF Württembergische Metallwarenfabrik AG / KNSK Werbeagentur GmbH (o.l.); E-Plus Mobilfunk GmbH / KNSK Werbeagentur GmbH (o.r.); Volkswagen AG (M.l.); Hapag Lloyd Express GmbH / Scholz & Friends (u.l.); ConocoPhillips Germany GmbH / Grabarz & Partner Werbeagentur GmbH (u.r.)
S. 131: shutterstock.com (l.); pixelquelle.de (o.M.); iStock International Inc. (u.M.; r.)
S. 132: Associated Press GmbH (o.); picture-alliance/ dpa (u.)
S. 134–135: ZDF Mona Lisa, „Kaufen, kaufen, kaufen"*
S. 136: shutterstock.com (o.l.); Bettina Lindenberg (o.M.l.); Dieter Mayr (o.M.r.); Sabine Reiter (o.r.); AT Verlag (l.); Helmut Metz Verlag (M.); Unterwegs Verlag Manfred Klemann (r.)
S. 137: Sven Williges
S. 138: shutterstock.com (o.); Süddeutscher Verlag GmbH (u.)
S. 140: Associated Press GmbH (l.); Bettina Lindenberg (M.); International Volunteers for Peace, www.ivp.org.au (r.)
S. 142: Foto: Helen Schmitz
S. 143: Helen Schmitz
S. 144: Stadtplan: Polyglott; Text aus: Dumont Reisetaschenbuch. Köln: Dumont Buchverlag 2000, 12 ff.; © MairDumont Ostfildern (adaptiert)
S. 146: Jörg Hackl (l., r.); shutterstock.com (M.)
S. 147: Text aus: GEO / Verlagshaus Gruner + Jahr AG & Co KG (adaptiert); Fotos: Ullstein Bild (o.); Süddeutscher Verlag GmbH (u.)
S. 148: akg-images
S. 150–151: aus: Erfurt Rendevouz in der Mitte Deutschlands, Erfurt Tourismus GmbH; Stadtplan: ARTIFEX Computerkartographie Bartholomäus & Richter
S. 154: Singles werden zum Umweltproblem. Aus: FOCUS online (leicht adaptiert)
S. 156: shutterstock.com (l.); Helen Schmitz (M.), pixelquelle.de (r.)
S. 158: Logo: Hessisches Ministerium für Umwelt, ländlichen Raum und Verbraucherschutz; Foto: ANDREAS MEIER/Reuters/Corbis
S. 160: shutterstock.com (4, 5); Süddeutscher Verlag GmbH (1); Harald Riemann (2); pixelquelle.de (3)
S. 161: shutterstock.com
S. 163: Ralf Sonntag
S. 164: Ullstein Bild (o), shutterstock.com (u.); Text: mare – Die Zeitschrift der Meere
S. 166: shutterstock.com (o.); ZDF Reporter, „Wildtiere in Berlin"*
S. 167: ZDF Reporter, „Wildtiere in Berlin"*

* alle Standfotos aus ZDF-Beiträgen: Lizenz durch: www.zdf-archive.com / ZDF Enterprises GmbH